ORIGIN

ORIGIN
오 리 진 2

댄 브라운 지음 | 안종설 옮김

 문학수첩

어머니를 기리며

우리는 우리를 기다리는 삶을 살아가기 위해
우리가 계획한 삶을 기꺼이 포기해야 한다.

– 조지프 캠벨

사실

이 소설에 등장하는
미술, 건축, 장소, 과학
그리고 종교 단체들은
모두 실재한다.

53

암브라 비달은 꼭대기 층의 은은한 불빛 아래 서서 에드먼드의 서재 벽에 가지런히 꽂힌 책들을 훑었다.

'내 기억보다 책이 더 많아졌어.'

에드먼드는 가우디의 아치형 지붕을 받친 수직 버팀목 사이에 서가를 만들어, 곡선으로 된 복도의 널따란 공간을 아름다운 서재로 바꿔놓았다. 에드먼드가 여기서 딱 2년만 머물 계획이었던 점을 고려하면, 그의 서재는 예상 외로 양과 질 모두를 갖추고 있었다.

'평생 여기서 살 것처럼 꾸며놨네.'

책들이 빽빽하게 꽂힌 서가를 훑어보던 암브라는 에드먼드가 가장 좋아하는 시구절을 찾는 데 생각보다 더 오래 걸릴 것 같다는 예감이 들었다. 서가를 따라 걸으며 책등의 제목들을 살피니 우주론과 인간의 의식, 인공지능에 관한 두툼한 과학 서적밖에 없었다.

《빅 픽처》

《자연의 힘》

《의식의 기원》

《당신의 주인은 DNA가 아니다》

《지적 알고리즘》

《파이널 인벤션》

　한 구역의 끝에 다다른 암브라는 또 하나의 갈비뼈를 지나 다음 구역으로 넘어갔다. 이곳에도 열역학이나 원시 화학, 심리학 같은 다양한 과학 주제를 다룬 책들밖에 없었다.

　'시집은 없어.'

　윈스턴이 한동안 잠잠하다는 사실을 깨달은 암브라는 커시의 휴대전화를 꺼냈다. "윈스턴? 접속이 끊긴 건 아니지?"

　"저 여기 있습니다." 금방 영국 억양의 목소리가 흘러나왔다.

　"에드먼드가 서재의 이 많은 책을 정말 다 읽은 거야?"

　"그럴 겁니다." 윈스턴이 대답했다. "그는 지독한 책벌레였고, 이 서재를 '지식의 트로피 보관실'이라고 불렀으니까요."

　"그런데, 이 서재에 시집 코너는 따로 없어?"

　"제가 아는 책은 에드먼드가 저와 그 내용에 대해 토론하기 위해 읽으라고 했던 논픽션 전자책뿐이에요. 본인보다 저를 교육시키려는 의도였겠죠. 안타깝게도 제겐 이 서재의 전체 도서 목록이 없으니 원하는 내용을 찾으려면 직접 일일이 살펴보는 수밖에 없습니다."

　"알았어."

　"찾으시는 동안 관장님이 관심 가질 만한 소식을 하나 알려드리죠. 관장님의 약혼자, 훌리안 왕자와 관련해 마드리드에서 전해진 속보예요."

　"무슨 일인데?" 암브라가 동작을 멈추며 물었다. 훌리안이 커시 암살에 연루되었을지도 모른다고 생각하니 새삼 감정이 소용돌이쳤다. '증거는 없어.' 암브라는 마음을 다잡았다. '훌리안이 아빌라의 이름을 손님 명단에 넣어달라고 요청한 증거는 어디에도 없어.'

"조금 전," 윈스턴이 말했다. "왕궁 앞에서 요란한 시위가 벌어지고 있다는 소식이 들어왔어요. 발데스피노 주교가 은밀히 에드먼드의 암살을 주도했고, 왕궁 내부의 누군가, 어쩌면 왕자가 조력했을지도 모른다는 정황이 계속 드러나고 있습니다. 커시의 추종자들이 피켓 시위 중이에요. 한번 보세요."

에드먼드의 스마트폰에서 왕궁 정문 앞에 모인 성난 시위대 영상이 흘러나오기 시작했다. 어떤 사람은 영어로 쓴 피켓을 들고 있었다. '본티오 빌라도가 당신네 예언자를 죽였고, 당신들은 우리의 예언자를 죽였다!'

또 어떤 이들은 스프레이 페인트로 '¡APOSTASÍA(배교)!'라고 쓴 한 단어 구호 옆에 마드리드 시내의 인도 곳곳에서 늘어나고 있는 스텐실 로고를 새긴 침대 시트를 들고 나왔다.

'배교'라는 단어는 자유주의 성향 스페인 젊은이들 사이에 유행하는 구호로 자리 잡았다. '교회를 버려라!'

"훌리안은 아직 발표 전이야?" 암브라가 물었다.

"그것도 문제예요." 윈스턴이 대답했다. "훌리안은 물론 주교도, 궁내의 어느 누구도 묵묵부답이에요. 침묵이 계속되니 사람들도 의혹을 제기하고 있어요. 음모론이 만연하고, 전국적 언론에서는 이제 암브라 비달, '당신'은 어디 있는가, 왜 '당신' 역시 이 위기 상황에 공식 입장을 내놓지 않는가 묻기 시작했습니다.”

“나?!” 암브라는 생각만 해도 아찔했다.

“관장님은 현장을 직접 목격했어요. 관장님은 미래의 왕비이자, 훌리안 왕자가 평생을 바치기로 한 연인입니다. 대중은 관장님 입에서 훌리안이 연루되지 않았다는 걸 확신한다는 말이 나오기를 기다리고 있어요.”

암브라는 훌리안이 에드먼드 살해 계획을 사전에 알았을 리 없다고 직감했다. 두 사람의 연애 시절을 돌아보면, 암브라의 기억 속 훌리안은 아주 부드럽고 진실한 사람이었다. 물론 고지식하고 앞뒤 가리지 않고 낭만적이긴 하지만, 결코 살인을 저지를 사람은 아니었다.

“랭던 교수님에 대해서도 비슷한 질문들이 제기되고 있습니다.” 윈스턴이 말했다. “언론 매체에서는 교수님이 에드먼드의 프레젠테이션에서 그렇게 비중 있는 역할을 해놓고 왜 한 마디 말도 없이 사라졌는지 묻고 있어요. 몇몇 음모론 블로그에서는 교수님이 커시의 피살에 직접적으로 연루되었기 때문에 갑자기 사라졌다는 의혹까지 제기하고 있습니다.”

“어떻게 그런 미친 소리를!”

“그런 화제에 관심이 쏠리고 있어요. 랭던 교수님이 과거에 성배와 그리스도의 혈통을 연구한 사실도 거론되고 있고요. 그리스도의 살리 지족 후손들이 카를로스주의 운동과 역사적으로 연관돼 있고, 암살범의 문신…….”

“그만해.” 암브라가 윈스턴의 말을 가로막았다. “말도 안 되는 소리야.”

“한쪽에서는 랭던 교수님 본인이 오늘 밤 표적이 되었기 때문에 사라졌다고 추측하더군요. 모두가 방구석 탐정이 되었어요. 물론 지금 이 시간에도 에드먼드가 뭘 발견했는지…… 또한 누가 그를 입막음

하려 했는지를 알아내기 위해 많은 사람이 머리를 맞대고 있지요."

암브라는 구불구불한 복도를 돌아 나오는 랭던의 발소리에 주의가 쏠렸다. 그녀가 막 고개를 돌리는 순간, 랭던이 불쑥 나타났다.

"암브라?" 왠지 랭던의 목소리가 심상치 않았다. "에드먼드가 심각한 병을 앓고 있었다는 걸 알았나요?"

"병이라뇨?" 암브라가 깜짝 놀라 되물었다. "몰랐어요."

랭던은 에드먼드의 화장실에서 본 것을 말해주었다.

암브라는 충격에 휩싸였다.

'췌장암? 그래서 그렇게 창백하고 수척해 보였던 건가?'

에드먼드는 자신의 병에 대해서 한 마디도 언급한 적이 없었다. 암브라는 이제야 지난 몇 달 동안 그가 그토록 일에 매달린 이유를 깨달았다. '에드먼드는 남은 시간이 많지 않다는 걸 알고 있었던 거야.'

"윈스턴?" 암브라가 물었다. "에드먼드의 병을 알고 있었어?"

"예." 윈스턴은 주저 없이 대답했다. "비밀을 지키려고 무척 조심했어요. 22개월 전에 자신의 병을 알고 나서 그는 곧바로 식단을 바꾸고 더욱 일에 몰두하기 시작했습니다. 박물관 수준의 공기를 마실 수 있고 자외선이 차단되는 이 다락 공간으로 이사한 것도 그 때문이었죠. 약물 때문에 빛에 과민 반응이 나타나 최대한 어두운 곳에 머물러야 했거든요. 그런 노력 덕분인지, 에드먼드는 의사의 예측보다 훨씬 오래 버틴 셈입니다. 하지만 최근 들어서 급격히 병세가 악화되기 시작했어요. 전 세계 췌장암 환자들의 데이터베이스를 수집해 실증적으로 분석한 결과, 그의 남은 수명은 9일로 계산되었습니다."

'9일이라니.' 암브라는 에드먼드의 채식 다이어트와 과로를 두고 놀린 것에 몹시 죄책감을 느꼈다. '그 사람은 병을 앓고 있었어. 시간이 다하기 전에 마지막 영광의 순간을 완성하려고 그렇게 쉬지 않고 달렸던 거야.' 이런 가슴 아픈 깨달음은 어서 문제의 시를 찾아내 에드먼드가 시작한 일을 마무리 지어야 한다는 암브라의 결심에 불을 붙였다.

"시집은 아직 한 권도 못 찾았어요." 암브라가 랭던에게 말했다. "지금까지 찾은 건 모조리 과학 책이에요."

"우리가 찾는 시인이 프리드리히 니체일지도 모른다는 생각이 들어요." 랭던은 에드먼드의 침대 머리맡에 걸려 있던 액자 이야기를 들려주었다. "그 인용문은 마흔일곱 자가 아니었지만, 에드먼드가 니체의 팬이었다는 사실을 암시하기에는 충분해요."

"윈스턴." 암브라가 말했다. "니체가 남긴 시를 전부 검색해서 정확히 마흔일곱 자로 된 행을 찾아낼 수 있을까?"

"물론입니다." 윈스턴이 대답했다. "독일어 원본을 검색할까요, 영어 번역본을 검색할까요?"

암브라는 미처 생각하지 못한 질문에 말문이 막혔다.

"영어부터 시작하지." 랭던이 대신 대답했다. "에드먼드는 그 시구절을 전화기에 입력할 계획이었으니, 키패드로 독일어의 움라우트나 에스체트를 입력하기는 쉽지 않았을 거야."

암브라는 고개를 끄덕였다. '역시 머리 좋은 사람은 다르네.'

"결과가 나왔습니다." 랭던의 말이 떨어지기 무섭게 윈스턴의 대답이 튀어나왔다. "영어로 번역된 시를 약 300편 찾았는데, 정확히 마흔일곱 자로 이루어진 행은 192개입니다."

랭던은 한숨을 내쉬었다. "그렇게 많나?"

"윈스턴." 암브라가 말했다. "에드먼드는 제일 좋아하는 구절이 '예언'이라고 했어……. 미래에 대한 예측…… 이미 실현된 예언이라고 했잖아. 이런 조건에 맞는 구절이 있을까?"

"죄송합니다." 윈스턴이 대답했다. "예언을 암시하는 구절은 안 보이네요. 언어학적으로 얘기하자면, 그 행들은 모두 그보다 긴 분량의

연에서 뽑아낸 것들이라, 그것만으로는 전체적인 의미가 담기지 않아요. 직접 보여드릴까요?"

"너무 많아." 랭던이 대답했다. "아무래도 진짜 책을 찾아내서, 에드먼드가 무슨 표시라도 남겨놓았기를 바라는 수밖에 없겠어."

"그렇다면 서두르셔야 합니다." 윈스턴이 말했다. "두 분이 여기 계시는 게 더 이상 비밀이 아닌 것 같아서요."

"그게 무슨 소리야?" 랭던이 물었다.

"조금 전 군용기 한 대가 바르셀로나의 엘프라트 공항에 착륙했고 근위대 요원 두 사람이 내렸다는 소식이 현지 뉴스에 떴거든요."

* * *

마드리드 외곽, 발데스피노 주교는 담벼락이 무너져 자신을 덮치기 전에 왕궁을 빠져나온 게 얼마나 감사한지 몰랐다. 복사의 조그만 오펠 승용차 뒷자리에 훌리안 왕자와 끼어 앉은 발데스피노는 막후에서 가동되기 시작한 최후의 수단이, 궤도를 크게 벗어난 오늘 밤의 상황을 정상으로 되돌리기를 기도했다.

"카시타 델 프린시페(La Casita del Príncipe)." 발데스피노는 왕궁 밖으로 차를 모는 복사에게 목적지를 그렇게 지시해둔 터였다.

왕자의 오두막은 마드리드에서 40분 거리의 한적한 시골에 자리했다. 말이 오두막이지 사실은 대저택에 가까운 이 별장은 1700년대 중반 이후로 스페인의 왕좌를 물려받을 후계자의 개인 거처나 다름없었다. 워낙 외진 곳이라, 한 나라를 다스려야 하는 중대한 업무를 앞둔 젊음을 표출하기에 충분했다. 발데스피노는 오늘 밤 왕궁에 머무는 것보다 이 별장에 칩거하는 쪽이 훨씬 안전할 거라고 훌리안을 설득한 참이었다.

'사실 우리의 목적지는 그 별장이 아니긴 하지만.' 주교는 깊은 생각에 잠긴 채 물끄러미 창밖을 바라보는 왕자를 힐끗 돌아보며 속으로 중얼거렸다.

　발데스피노는 왕자가 과연 정말로 겉보기처럼 순진한지, 아니면 그의 부친과 마찬가지로 보이고 싶은 면만 보여주는 기술을 이미 터득한 건지 궁금했다.

54

가르사의 손목에 채워진 수갑은 지나치게 꽉 조여져 있었다.

'이 녀석들, 아주 작정을 했군.' 가르사는 아직도 자신의 근위대 요원들이 왜 이런 행동을 하는지 혼란스러웠다.

"도대체 뭐 하는 짓들이야?!" 가르사는 자신을 성당에서 끌어내 광장의 어둠 속으로 데려가는 부하들을 향해 다시 한 번 물었다.

여전히 대답이 없었다.

왕궁을 향해 넓은 광장을 지나면서 가르사는 정문 앞에 텔레비전 카메라와 시위대가 뒤엉켜 있는 것을 보았다.

"최소한 뒤쪽으로 돌아갈 수는 있지 않나." 가르사는 제일 상급자를 향해 말했다. "사람들에게 굳이 이런 꼴을 보일 필요는 없을 테니까."

요원들은 이번에도 그의 말을 철저히 무시한 채 곧장 광장 쪽으로 그를 밀어붙였다. 이내 정문 밖에서 고함 소리가 터지는가 싶더니, 환한 스포트라이트가 그에게 쏟아졌다. 불빛과 치미는 분노 때문에 앞이 보이지 않았지만 가르사는 짐짓 침착한 척 고개를 똑바로 쳐들었고, 근위대 요원들은 정문을 사이에 두고 불과 몇 미터 앞에서 미친 듯이 고함을 질러대는 기자들과 카메라맨들 앞으로 그를 이끌었다.

고함 소리가 거대한 불협화음을 이루며 가르사에게 질문을 쏟아냈다.

"왜 체포되신 겁니까?"

"무슨 잘못을 저질렀지요, 사령관님?"

"에드먼드 커시 암살에 연루되었습니까?"

가르사는 당연히 근위대 요원들이 기자들에게 눈길 한 번 주지 않고 지나칠 거라고 생각했지만, 놀랍게도 그들은 갑자기 걸음을 멈추고 가르사를 카메라 앞에 정면으로 마주 세웠다. 그때, 왕궁 쪽에서 낯익은 바지 정장 차림의 여자가 씩씩한 발걸음으로 광장을 가로질러 그들에게 다가왔다.

모니카 마르틴이었다.

가르사는 마르틴이 곤경에 처한 자신을 보고 기절초풍할 거라고 생각했다.

하지만 마르틴은 놀라기는커녕 한심하다는 눈빛으로 가르사를 한 번 쳐다볼 뿐이었다. 또다시 눈이 휘둥그레진 가르사를, 요원들이 강제로 기자들 앞에 돌려세웠다.

모니카 마르틴은 손을 들어 군중에게 조용히 해달라고 한 뒤, 주머니에서 작은 종이를 한 장 꺼냈다. 그러고는 두꺼운 안경을 고쳐 쓰더니 텔레비전 카메라를 마주 보고 발표문을 읽었다.

"왕궁은 에드먼드 커시 살해에 가담한 혐의와 더불어, 발데스피노 주교를 그 범죄의 배후로 지목하려 한 혐의로 디에고 가르사 사령관을 체포합니다."

이 터무니없는 혐의를 어떻게 반박할지 생각할 겨를도 없이, 근위대 요원들이 가르사를 다시 왕궁 쪽으로 몰아붙였다. 가르사는 끌려가는 와중에도 발표를 이어가는 모니카 마르틴의 목소리에 끝까지 귀를 기울였다.

"미래의 왕비 암브라 비달, 그리고 미국인 교수 로버트 랭던과 관련해서," 마르틴의 발표가 이어졌다. "대단히 충격적인 소식을 전하게 되어 유감입니다."

* * *

왕궁 지하에서는 전자보안부의 책임자 수레시 발라가 텔레비전 앞에 선 채, 광장에서 즉석 기자회견을 하는 모니카 마르틴의 생방송에 시선을 고정하고 있었다.

'표정이 어두워 보여.'

불과 5분 전, 마르틴은 자기 사무실에서 개인적으로 걸려온 전화를 한 통 받더니 한껏 목소리를 낮춘 채 주의 깊게 메모해가며 통화를 했다. 60초 후 사무실을 나온 마르틴은 수레시가 지금까지 한 번도 본 적 없을 만큼 당황한 기색이었다. 그러고는 아무런 설명도 없이 그 메모지 한 장을 들고 광장으로 나가, 지금 카메라 앞에 선 것이다.

그녀의 주장이 사실이건 아니건, 한 가지만은 분명했다. 이 기자회견을 지시한 사람이 로버트 랭던을 심각한 위험 속으로 몰아넣었다는 것.

'누가 모니카에게 그런 명령을 내렸을까?' 도무지 알 수 없었다.

수레시가 홍보 담당관의 저 괴이한 행동을 어떻게든 이해하려고 애쓰는 동안, 그의 컴퓨터에서 메시지 수신음이 울렸다. 얼른 다가가 화면을 들여다본 수레시는 발신인을 확인하고는 또다시 어안이 벙벙해졌다.

monte@iglesia.org

'제보자다.' 수레시는 생각했다.

저녁 내내 컨스피러시넷에 정보를 흘리던 바로 그자였다. 그런 그가 지금 무슨 까닭인지 수레시에게 직접 연락해온 것이다.

수레시는 책상 앞에 앉아 조심스럽게 이메일을 열었다.

내용은 이러했다.

내가 발데스피노의 문자 메시지를 해킹했음.

그는 아주 위험한 비밀을 숨기고 있음.

왕궁은 그의 sms 기록을 확인해야 함.

지금 당장.

깜짝 놀란 수레시는 한 번 더 읽었다. 그러고는 곧장 삭제했다.

수레시는 한참 동안 말없이 앉아 어떻게 할지 고민했다.

이윽고 마음을 정한 그는 재빨리 왕실 거처의 마스터키 카드를 만든 다음 은밀히 위층으로 올라갔다.

55

마음이 더 조급해진 랭던은 에드먼드의 복도에 가지런하게 꽂혀 있는 책들을 부지런히 눈으로 훑었다.

'시……. 여기 어디에 분명히 시집이 좀 있을 텐데.'

바르셀로나에 근위대 요원들이 도착했다는 소식은 시계의 초침이 돌아가기 시작했다는 의미였지만, 랭던은 시간이 그렇게 빨리 흐르지는 않을 것이라고 확신했다. 에드먼드가 제일 좋아한 시구절을 찾아내기만 하면, 그의 전화기에 암호를 입력해 온 세상에 그의 발견을 알리기까지 불과 몇 초밖에 안 걸릴 것이었다. '그게 에드먼드의 뜻이야.'

암브라는 반대편에서 왼편으로 이동하며 책들을 훑었고, 랭던은 오른편으로 움직이고 있어 둘 사이의 거리가 점점 멀어졌다. 랭던이 암브라를 돌아보며 물었다. "그쪽에는 뭐 좀 있어요?"

암브라가 고개를 저었다. "아직까지는 과학이랑 철학 책밖에 없어요. 시집은 하나도 안 보이네요. 니체도 마찬가지고요."

"계속 찾아보죠." 랭던은 그렇게 말한 뒤 다시 찾기 시작했다. 지금 그는 두툼한 역사 책 서가를 훑고 있다.

《권세, 박해 그리고 예언: 스페인의 가톨릭교회》
《칼과 십자가: 가톨릭 세계 군주제의 역사적 진화》

그런 제목들을 보고 있으려니 문득 몇 해 전 에드먼드가 들려준 우울한 이야기가 떠올랐다. 랭던이 미국의 대표적인 무신론자인 에드먼드에게 스페인과 가톨릭에 유난히 집착하는 것 같다고 하자, 그는 이렇게 답했다. "어머니가 스페인 사람이에요." 담담한 말투였다. "죄의식에 찌든 가톨릭 신자이기도 했고요."

그러면서 에드먼드는 자신의 비극적인 어린 시절과 어머니 이야기를 털어놓았는데, 랭던은 너무 놀라 그저 듣기만 했다. 에드먼드의 어머니 팔로마 칼보는 스페인 카디스 지방의 평범한 노동자의 딸이었다. 열아홉 살 때, 그녀는 안식년을 맞아 시카고에서 온 대학 교수 마이클 커시와 사랑에 빠졌고, 이내 임신하고 말았다. 엄격한 가톨릭 공동체에서 미혼모들이 어떤 고초를 겪는지 익히 봐온 팔로마는 마이클 커시가 건성으로 내놓은 제안을 따르는 것 말고 달리 대안이 없었으니, 그것은 곧 결혼해서 함께 시카고로 가는 것이었다. 그러나 마이클 커시는 아들인 에드먼드가 태어난 직후, 수업을 마치고 자전거를 타고 귀가하다가 차에 치여 세상을 떠났다.

'Castigo divino.' 팔로마의 아버지는 그렇게 말했다. '천벌을 받은 거야.'

팔로마의 부모는 그녀가 카디스로 돌아와 집안에 수치를 안기는 것을 거부했다. 대신 그들은 팔로마가 하느님의 진노를 사서 그런 암담한 처지가 됐다며, 남은 평생 그리스도를 위해 몸과 영혼을 바치지 않는 한 결코 천국에 갈 수 없을 것이라고 경고했다.

팔로마는 에드먼드를 낳은 뒤 모텔에서 청소부로 일하며 최선을 다해 아들을 키우려고 애썼다. 밤이면 초라한 아파트에서 성경을 읽으며 용서를 갈구했지만, 신은 아직 그녀의 참회를 받아들일 뜻이 없는 듯 상황은 점점 더 악화되기만 했다.

수치심과 두려움에 사로잡힌 팔로마는 그렇게 5년의 세월이 흐르자, 어머니로서 아들에게 해줄 수 있는 유일한 배려는 그에게 새로운 삶을 안겨줌으로써 자신의 죄로 인한 하느님의 벌을 피하도록 하는 것뿐이라고 결론 내렸다. 그리하여 그녀는 다섯 살 난 에드먼드를 고아원에 맡기고 자신은 스페인으로 돌아가 수녀원에 들어갔다. 에드먼드는 그 후 두 번 다시 어머니를 만나지 못했다.

에드먼드는 열 살 때 어머니가 수녀원에서 금식을 하다가 세상을 떠났다는 소식을 전해 들었다. 육체적 고통을 이기지 못해 스스로 목을 맸다는 것이다.

"썩 유쾌한 이야기는 아니지요." 에드먼드가 랭던에게 말했다. "이 사실을 고등학교 때 상세히 알게 되었어요. 선생님도 짐작하시겠지만, 제 어머니의 그런 맹목적인 신앙이 제 종교 혐오증에 상당한 영향을 미쳤죠. 저는 그것을 '자녀 양육에 대한 뉴턴의 제3법칙'이라고 부릅니다. 모든 광기에는 방향만 반대일 뿐 똑같은 크기의 광기가 작용한다는 얘기예요."

그 이야기를 듣고 난 랭던은 에드먼드가 하버드 신입생 시절 왜 그토록 분노와 냉소로 가득 차 있었는지를 이해하게 되었다. 여태껏 에드먼드가 한 번도 어린 시절 겪었던 고초에 대해 불평한 적이 없다는 사실 또한 놀라웠다. 오히려 에드먼드는 어렸을 때 시련을 겪은 것이 '행운'이었다고 말했다. 그 덕분에 어린 시절의 두 가지 목표를 달성하고 말겠다는 강력한 동기부여가 되었기 때문이라고 했다. 그 두 가지 목표란 첫째, 가난에서 벗어나는 것, 둘째, 자기 어머니를 파멸로 몰아간 종교의 위선을 폭로하는 데 앞장서는 것이었다.

'둘 다 성공했네.' 랭던은 씁쓸한 생각을 억누르며 계속해서 서재를 뒤졌다.

새로운 서가로 넘어가자 랭던에게도 낯익은 책들이 여럿 눈에 띄었다. 대부분 에드먼드가 평생토록 천착해온 종교의 위험성에 관한 책들이었다.

《만들어진 신》
《신은 위대하지 않다》
《휴대용 무신론》
《기독교 국가에 보내는 편지》
《종교의 종말》
《신들의 생존법》

지난 10년 사이, 맹목적인 신앙에 대해 합리적 이성의 손을 들어주는 책들이 논픽션 베스트셀러 목록에 등장하기 시작했다. 랭던 역시 종교로부터 점점 멀어지는 문화적 변화를 뚜렷이 감지하고 있었다. 하버드 대학 캠퍼스 역시 마찬가지였다. 얼마 전 《워싱턴포스트》는 '하버드의 무신론'이라는 제목의 기사에서 학교의 380년 역사를 통틀어 신입생 가운데 불가지론자와 무신론자가 차지하는 비중이 처음으로 개신교와 가톨릭 신자를 합친 숫자를 넘어섰다고 했다.

서구 사회 각지에서 종교적 도그마의 위험성에 저항하는 반종교 단체들이 생겨나는 것도 이와 비슷한 맥락이었다. '미국의 무신론자들', '종교로부터의 자유 재단', 'Americanhumanist.org', '국제 무신론자 연맹' 등이 대표적이었다.

랭던은 에드먼드에게서 '브라이츠(Brights)'라는 단체에 대해 듣기 전까지는 이런 단체들에 대해 깊이 생각해본 적이 없었다. 명칭 때문에 더러 오해를 사기도 하지만, 이 세계적인 단체는 초자연적이거나 신비주의적인 요소가 전혀 없는, 자연주의적 세계관을 주창했다. 리처드 도킨스와 마거릿 다우니, 대니얼 데닛 같은 거물급 지식인들이 이 단체의 회원으로 이름을 올리고 있었다. 점점 세를 불려가는 무신론자들의 군대가 아주 큰 총으로 무장하기 시작한 것이다.

랭던은 바로 전 진화를 주제로 한 서가에서 도킨스와 데닛의 책들을 발견했다.

이제는 고전이 된 도킨스의 《눈먼 시계공》은 복잡한 시계와 마찬가지로 인간 역시 '설계자'가 있어야만 존재할 수 있다는 목적론적 세계관에 강력한 도전장을 내밀었다. 데닛의 《다윈의 위험한 생각》 역시 생명의 진화는 자연선택 하나로도 충분히 설명되며, 신성한 설계자의 도움 없이도 복잡한 생물학적 설계가 존재할 수 있다는 주장을 담고 있었다.

'생명에 신이 꼭 필요한 것은 아니지.' 랭던은 에드먼드의 프레젠테이션을 떠올리며 생각에 잠겼다. '우리는 어디에서 왔는가?' 문득 이 질문이 랭던의 마음속에 전보다 강렬하게 다가왔다. '이것이 에드먼드의 발견 중 하나일까? 생명은 창조주 없이도 혼자서 존재할 수 있다는 깨달음?'

물론 이런 생각은 모든 창조 이론의 정반대에 서 있는 것이 사실이지만, 랭던은 드디어 올바른 궤도로 접어든 것이 아닐까 하는 느낌을 떨칠 수 없었다. 그러나 문제는, 그 생각을 입증할 방법이 전혀 없다는 것이었다.

"교수님?" 등 뒤에서 암브라의 목소리가 들렸다.

랭던이 돌아보니, 맡은 구역을 다 둘러보고 돌아온 암브라가 고개를 가로젓고 있었다. "저쪽에는 아무것도 없어요." 그녀가 말했다. "죄다 논픽션이에요. 이쪽에서 교수님을 도와드릴게요."

"여기도 마찬가지예요." 랭던이 대답했다.

암브라가 랭던 쪽으로 다가서는데, 스피커폰에서 윈스턴의 목소리가 울려 퍼졌다.

"비달 관장님?"

암브라는 에드먼드의 전화기를 들었다. "응?"

"두 분 모두 지금 꼭 보셔야 할 것이 있습니다." 윈스턴이 말했다. "왕궁에서 공식 발표가 나왔어요."

랭던은 재빨리 암브라에게 다가가 그 옆에 바짝 붙어선 채 그녀가 들고 있는 조그만 화면 속 영상을 들여다보았다.

랭던은 그곳이 마드리드 왕궁 앞 광장이라는 사실을 한눈에 알아보았는데, 네 명의 근위대 요원이 수갑 찬 제복 차림의 남자를 에워싼 채 곧장 카메라 앞으로 걸어 들어오고 있었다. 요원들은 온 세상이 지켜보는 가운데 톡톡히 망신을 주기로 작심한 듯 수갑 찬 남자를 카메라 앞에 돌려세웠다.

"가르사?!" 암브라가 어리둥절한 표정으로 소리쳤다. "왕실 근위대 사령관이 체포됐다고?"

카메라는 이제 두꺼운 안경을 낀 여자를 비추었는데, 그녀는 주머니에서 종이를 한 장 꺼내 읽을 채비를 했다.

"모니카 마르틴이에요." 암브라가 말했다. "왕궁의 홍보 담당관이죠. 도대체 무슨 일일까요?"

여자는 단어 하나하나에 또박또박 힘을 주어 발표문을 읽어 내려가기 시작했다. "왕궁은 에드먼드 커시 살해에 가담한 혐의와 더불어, 발데스피노 주교를 그 범죄의 배후로 지목하려 한 혐의로 디에고 가르사 사령관을 체포합니다."

랭던은 옆에 선 암브라가 살짝 비틀거리는 것을 느꼈다. 모니카 마르틴의 발표가 이어졌다.

"미래의 왕비 암브라 비달," 홍보 담당관이 불길한 목소리로 말을 이었다. "그리고 미국인 교수 로버트 랭던과 관련해서, 대단히 충격적인 소식을 전하게 되어 유감입니다."

랭던과 암브라는 놀란 표정으로 서로를 돌아보았다.

"왕궁은 조금 전 비달 씨의 신변에 관해 보고받았습니다." 마르틴이 말을 이었다. "비달 씨는 본인의 의지와는 무관하게 로버트 랭던에 의해 구겐하임 미술관에서 끌려 나갔다고 합니다. 우리 왕실 근위대는 로버트 랭던이 비달 씨를 억류하고 있는 것으로 알려진 바르셀로나 현지의 경찰 당국과 협력해 전면 경계령을 발효한 상태입니다."

랭던은 말문이 딱 막혔다.

"인질극으로 공식 분류되는 상황이므로 국민 여러분께서는 비달 씨나 랭던의 소재에 관한 어떠한 정보라도 즉시 당국에 알려주시기 바랍니다. 이 시점에서 왕궁이 언급할 수 있는 내용은 여기까지입니다."

기자들이 일제히 질문을 쏟아내기 시작했지만, 마르틴은 재빨리 돌아서서 왕궁 쪽으로 걸어가버렸다.

"이건…… 말도 안 돼." 암브라가 말을 더듬었다. "내 경호 요원들은 내가 내 발로 미술관을 나가는 걸 봤잖아!"

랭던은 방금 본 장면을 이해하려고 애쓰며 전화기만 응시했다. 수많은 의문이 머릿속에서 꼬리를 무는 가운데, 단 한 가지 핵심이 또렷해졌다.

'나는 지금 심각한 위험에 처했어.'

56

"교수님, 정말 죄송해요." 암브라 비달의 검은 눈동자에 두려움과 죄책감이 비쳤다. "어디서 이런 거짓 정보가 나왔는지 모르겠지만, 교수님은 이제 커다란 위험에 처했어요." 미래의 스페인 왕비가 에드먼드의 전화기로 손을 뻗으며 말했다. "당장 모니카 마르틴에게 전화해봐야겠어요."

"하지 마세요." 전화기에서 윈스턴의 목소리가 흘러나왔다. "왕궁이 바라는 게 바로 그겁니다. 관장님이 연락하도록 유도해서 위치를 알아내려는 술책이에요. 이럴 때일수록 논리적으로 생각해야 합니다. 관장님을 경호하던 두 명의 근위대 요원은 관장님이 납치되지 않았다는 사실을 알고 있는데도 이 거짓말이 유포되도록 방치하고 관장님을 잡으러 바르셀로나까지 온 것 아닙니까. 분명, 왕궁 전체가 이번 일에 관여하고 있는 거예요. 왕실 근위대의 사령관이라는 사람이 체포된 걸 보면 더 높은 곳에서 명령이 떨어진 게 틀림없습니다."

암브라는 짧은 숨을 토해냈다. "더 높은 곳이라면…… 훌리안?"

"불가피한 결론이지요." 윈스턴이 말했다. "왕궁에서 가르사 사령관을 체포할 권한을 가진 사람은 왕자 한 사람뿐입니다."

암브라는 한참 동안이나 눈을 감고 있었고, 랭던은 그런 그녀의 참담한 심정을 느꼈다. 훌리안이 이번 일에 관여하고 있다는 정황이 명백하게 드러나자, 자신의 약혼자는 무고한 제삼자일 뿐이라고 믿었던 그녀의 마지막 희망마저 사라졌을 터였다.

"이게 다 에드먼드의 발견과 연관되어 있어요." 랭던이 말했다. "왕궁의 누군가가 에드먼드의 프레젠테이션을 세상에 공개하려는 우리의 의도를 알아차리고 필사적으로 막으려는 겁니다."

"아마도 에드먼드의 입을 막았으니 일이 다 끝났다고 생각했겠지요." 윈스턴이 덧붙였다. "미처 매듭 짓지 못한 부분이 있다는 걸 몰랐을 테니까요."

그들 사이에 불편한 정적이 내려앉았다.

"암브라." 랭던이 차분히 입을 열었다. "나는 당신의 약혼자를 전혀 모르지만, 적어도 이 문제에 대해서는 발데스피노 주교가 훌리안에게 강력한 영향력을 행사한 게 아닌가 싶어요. 구겐하임에서의 행사가 시작되기도 전에 에드먼드와 발데스피노 사이에 다툼이 있었다는 사실을 기억해야 해요."

암브라는 불안한 표정으로 고개를 끄덕였다. "어쨌거나 교수님은 위험에 처했어요."

갑자기 어디선가 희미하게 사이렌 소리가 들려오기 시작했다.

랭던은 정신이 번쩍 들었다. "어서 그 시를 찾아야 해요." 그는 그렇게 말하며 다시 서가 쪽으로 눈길을 돌렸다. "에드먼드의 프레젠테이션을 공개해야 우리가 무사할 수 있어요. 일단 그게 공개되면 우리를 막으려는 자들도 이제 너무 늦었다는 걸 알게 될 테니까."

"맞습니다." 윈스턴이 말했다. "하지만 현지 경찰은 여전히 교수님을 납치범으로 알고 추적할 겁니다. 왕궁이 꾸민 계략에 맞서 싸움을 끝내기 전에는 교수님의 안전을 장담할 수 없어요."

"어떻게?" 암브라가 물었다.

윈스턴은 망설임 없이 대답했다. "왕궁은 교수님을 궁지에 몰기 위해 언론을 이용했어요. 하지만 그건 양날의 검입니다."

랭던과 암브라는 윈스턴이 들려주는 아주 간단한 계획에 귀를 기울였다. 계획대로만 된다면 그들을 공격한 자들을 혼란스럽게 하고 혼돈 상태에 빠뜨릴 게 분명했다.

"해볼게요." 암브라는 선뜻 동의했다.

"정말요?" 랭던이 걱정스러운 표정으로 물었다. "일단 시작하면 되돌릴 수 없어요."

"교수님." 암브라가 말했다. "당신을 이 일에 끌어들인 장본인이 바로 저예요. 지금 교수님은 위험에 처했고요. 왕궁이 언론이라는 무기로 당신을 겨누는 만행을 저질렀으니, 이제는 제가 그 칼끝을 그들 쪽으로 돌려놓을 차례예요."

"맞는 말씀입니다." 윈스턴이 덧붙였다. "칼로 흥한 자, 칼로 망하기 마련이니까요."

랭던은 뒤늦게 깨달았다. '에드먼드의 컴퓨터가 방금 아이스킬로스의 작품을 패러디한 건가?' 차라리 니체를 인용하는 게 더 낫지 않을까 하는 생각도 들었다. '괴물과 싸우는 자는 그 과정에서 자신도 괴물이 되지 않도록 조심해야 한다.'

암브라는 랭던이 말릴 틈도 주지 않고 에드먼드의 전화기를 손에 든 채 복도를 달려갔다. "암호를 찾아요, 교수님!" 그녀가 어깨 너머로 소리쳤다. "금방 돌아올게요."

랭던은 비좁은 탑 안으로 사라지는 암브라를 바라보았다. 위험하기로 악명 높은 카사밀라의 지붕으로 올라가는 나선형 계단이 있는 곳이었다.

"조심해요!" 랭던이 그녀의 등 뒤에 대고 소리쳤다.

에드먼드의 서재에 혼자 남은 랭던은 꾸불꾸불한 뱀의 뼈대 같은 복도를 훑어보며 조금 전에 여기서 본 것들을 이해하려고 정신을 집중했다. 보기 드문 소품들이 보관된 진열대, 신은 죽었다고 부르짖는 액자, 에드먼드가 오늘 밤 세상을 향해 던진 것과 똑같은 질문을 담은, 값을 따지기조차 힘든 고갱의 명화……. '우리는 어디에서 왔는가? 우리는 어디로 가는가?'

랭던은 그 질문에 대한 에드먼드의 답이 무엇일지 어렴풋한 단서조차 찾지 못했다. 지금까지 랭던이 이 서재에서 찾은 것 중 조금이라도 연관 있어 보이는 책은 수수께끼의 인공 구조물들을 찍은 사진집 《설명되지 않는 예술》뿐이었다. 스톤헨지와 이스터섬의 석상들, 그리고 너무나 규모가 커 공중에서 내려다보지 않고서는 그 전모가 파악되지 않는 나스카 고원의 지상화(地上畵) 등이 수록된 책이었다.

'별 도움이 안 되겠군.' 랭던은 그렇게 결론 내리고 다시 서가를 훑었다.

바깥의 사이렌 소리가 더욱 커졌다.

57

"나는 괴물이 아니오." 아빌라는 N-240 고속도로의 텅 빈 휴게소의 지저분한 화장실에서 소변을 보며 말했다.

그 옆에서 우버 기사가 벌벌 떨고 있었는데, 지나치게 긴장한 나머지 오줌도 잘 나오지 않는 모양이었다. "내 가족을…… 해치겠다고……."

"내 말만 잘 들으면," 아빌라가 대답했다. "해치지 않겠다고 약속하지. 나를 바르셀로나에 내려주기만 하면 서로 웃으며 헤어질 수 있소. 당신 지갑을 돌려주고 당신 집 주소도 잊을 테니, 두 번 다시 나를 떠올릴 일이 없을 거요."

기사는 정면을 보며 여전히 입술을 떨었다.

"당신은 신앙인이오." 아빌라가 말했다. "차 앞 유리에 붙은 교황 십자가를 봤소. 당신이 나를 어떻게 생각하든 당신은 오늘 밤 하느님의 일을 하고 있다는 사실만으로 마음의 평화를 찾을 것이오." 아빌라는 볼일을 마치고 지퍼를 올렸다. "주님은 늘 신비한 방식으로 역사하시니까."

아빌라는 한 걸음 물러서서 허리춤에 찔러둔 세라믹 권총을 확인했다. 하나 남은 총알이 장전되어 있었다. 그는 오늘 밤 그것을 사용하게 될지 궁금했다.

아빌라는 세면대로 다가가 손바닥에 물을 틀어놓고, 체포될 경우에 대비해 새기라고 리젠트가 지시한 문신을 내려다보았다. '만일의 사태에 대비하는 거야 좋지만 써먹을 일은 없을 것 같군.' 아빌라는 마치 밤공기 속을 누비는 유령처럼, 누구도 자신을 추적하지 못할 거라는 느낌이 들었다.

무심코 지저분한 거울을 들여다본 그는 거기에 비친 자신의 얼굴에 화들짝 놀랐다. 마지막으로 거울을 봤을 때는 하얀 제복에 풀 먹인 셔츠와 해군 모자까지 완벽하게 갖추고 있었다. 그러나 제복을 벗고 브이넥 티셔츠와 기사에게서 빌린 야구 모자 차림을 한 지금은 트럭 기사처럼 보였다.

묘하게도 거울 속의 흐트러진 모습을 보자 가족의 목숨을 앗아간 사고 이후 술과 자기혐오에 찌든 채 살아가던 시절의 그 자신이 떠올랐다.

'끝 모를 구덩이 속을 헤매고 있었지.'

그러나 그의 물리 치료사였던 마르코가 '교황'을 만나러 가자며 한적한 시골로 그를 데려간 바로 그날이 전환점이 되었다.

팔마리아 성당의 그 으스스한 첨탑들을 향해 다가가던 순간, 하늘을 찌를 듯한 정문 앞 보안 초소를 통과하던 순간, 그리고 아침 미사에 참석한 수많은 신도가 무릎을 꿇고 기도하는 성당 안으로 들어서던 순간을 그는 영원히 잊지 못할 터였다.

성당 안의 빛은 스테인드글라스 창문으로 들어오는 자연광이 유일했고, 공기에서는 짙은 향냄새가 풍겼다. 금박 입힌 제단과 반짝반짝 윤이 나는 신도석의 나무 의자들을 본 아빌라는 팔마리아 교회의 막강한 부에 관한 소문이 사실임을 직감했다. 지금까지 그가 본 어떤 성당보다 아름다웠지만, 여느 가톨릭교회와는 어딘가 다르다는 것도 알았다.

'팔마리아 교회는 바티칸과 불구대천의 원수라지.'

아빌라는 마르코와 함께 맨 뒷줄에 서서 신도들을 바라보며, 공공연히 로마에 맞서는 이 종파가 어찌 이토록 번성할 수 있었을까 의문을 품었다. 아무래도 점점 자유주의 성향을 띠어가는 바티칸에 대한 팔마리아의 가차 없는 비판이 보수파 신앙인들의 공감을 불러일으킨 모양이었다.

목발을 짚은 채 절뚝거리며 신도석 사이의 통로를 걸어가던 아빌라는 기적의 치유를 갈망하며 루르드로 순례의 길을 떠난 비참한 불구자가 된 느낌이었다. 안내인이 마르코에게 인사를 건네며 제일 앞줄에 따로 준비해둔 특별석으로 두 사람을 이끌었다. 주변의 신도들은 이들이 도대체 누구기에 이토록 특별 대우를 받는지 궁금해하며 그들을 흘낏거렸다. 아빌라는 마르코의 말만 듣고 훈장이 주렁주렁 달린 해군 제복을 입고 온 것을 후회했다.

'하긴, 교황을 만나러 가는 줄 알았으니.'

자리에 앉아 제단을 바라보니, 정장 차림의 젊은 신도가 성경 구절을 봉독하고 있었다. 아빌라는 이내 그것이 마르코의 복음서의 한 구절임을 알아차렸다.

"'어떤 사람과 서로 등진 일이 생각나거든 그를 용서하여라. 그래야만 하늘에 계신 너희의 아버지께서도 너희의 잘못을 용서해주실 것이다.'"

'또 용서하라고?' 아빌라는 속으로 생각하며 눈살을 찌푸렸다. 테러 공격 이후 몇 달 사이에 상담사와 수녀 들에게서 이 구절을 천 번

넘게 들은 것 같았다.

봉독이 끝나자 성소 안에 파이프오르간의 그윽한 화음이 울려 퍼졌다. 신도들이 일제히 자리에서 일어나자, 마지못해 따라 일어서던 아빌라는 다리 통증으로 얼굴을 찡그렸다. 제단 뒤에 숨겨진 문이 열리며 어떤 사람이 모습을 드러내니 신도들 사이에서 환희의 물결이 일었다.

남자는 50대로 보였고, 꼿꼿한 몸가짐에 기품이 엿보였으며, 눈빛이 아주 강렬했다. 그는 하얀 수단과 금빛 영대, 수를 놓은 허리띠, 보석이 박힌 주교관을 착용하고 있었다. 그는 신도석을 향해 두 팔을 쭉 뻗고 주변을 맴도는 듯하다가 제단 한복판으로 다가섰다.

"저분이에요." 마르코가 흥분한 목소리로 속삭였다. "교황 인노첸시오 14세시라고요."

'저 양반이 스스로를 인노첸시오 14세 교황이라고 부른다고?' 아빌라는 팔마리아 교회가 1978년 세상을 떠난 바오로 6세까지는 모든 교황의 정통성을 인정했다는 사실을 알고 있었다.

"딱 시간 맞춰 도착했네요." 마르코가 말했다. "이제부터 강론이 시작될 거예요."

교황은 높은 제단 한가운데를 향해 걸어가다가 설교단을 그냥 지나치더니, 계단을 내려와 신도들과 눈높이를 맞췄다. 그러고는 소형 마이크의 위치를 바로잡은 뒤 두 손을 내밀며 온화한 미소를 지었다.

"좋은 아침입니다." 그가 속삭이듯 읊조렸다.

신도들이 우렁찬 함성으로 화답했다. "좋은 아침입니다!"

교황은 계속 앞으로 걸어나가 신도들에게 더 가까이 다가섰다. "우리는 방금 마르코의 복음서 한 구절을 들었습니다." 교황이 말했다. "오늘 아침 특별히 그 구절을 선택한 이유는 '용서'에 대한 말씀을 나누기 위함입니다."

교황은 아빌라에게 바짝 다가가, 불과 몇 센티미터 남겨두고 통로에 멈춰 섰다. 그동안 그는 시선 한 번 주지 않았다. 아빌라는 불안한 눈길로 마르코를 돌아보았는데, 마르코는 잔뜩 상기된 얼굴로 고개를 끄덕여 보였다.

"우리는 모두 용서라는 화두를 끌어안고 고민합니다." 교황은 신도들을 향해 말을 이었다. "때때로 도저히 '용서할 수 없는' 일들이 벌어지기 때문입니다. 누군가가 순전히 증오만으로 죄 없는 사람을 죽였다면, 과연 우리는 일부 교회에서 가르치는 것처럼 반대쪽 뺨을 내밀어야 할까요?" 실내가 정적에 잠기자 교황은 더욱 목소리를 낮췄다. "반기독교 극단주의자가 세비야성당의 아침 미사 시간에 맞춰 폭탄을 설치했다면, 그리하여 그 폭탄에 죄 없는 어머니와 자식 들이 목숨을 잃었다면, 그런 우리에게 누가 감히 '용서'를 기대할 수 있단 말입니까? 폭탄 테러는 전쟁 행위입니다. 단순히 가톨릭에 맞서는 전쟁이 아닙니다. 단순히 그리스도인에 반대하는 전쟁이 아닙니다. 그것은 선(善)에 대항하는 전쟁이고…… 신, 그분께 대항하는 전쟁입니다!"

아빌라는 그날 아침의 끔찍한 기억을 떨치기 위해 눈을 감았지만, 그 분노와 참담함은 여전히 그의 가슴속을 휘젓고 있었다. 새삼스레 분노가 치민 순간, 아빌라는 문득 자신의 어깨에 와닿는 교황의 부드러운 손길을 느꼈다. 아빌라는 눈을 떴지만 교황은 여전히 그에게 눈길을 주지 않았다. 그럼에도 불구하고 그의 손길은 든든한 위로로 다가왔다.

"우리는 우리의 '적색 테러'를 잊어서는 안 됩니다." 교황은 아빌라의 어깨에 손을 얹은 채 말을 이었다. "내전 기간 동안 신의 적들은 스페인의 교회와 수도원을 불태우고, 6000명이 넘는 성직자를 살해했으며, 수백 명의 수녀를 고문하고, 우리의 자매들에게 묵주 알을 삼키게 하고 욕보인 뒤 광산의 갱도에 던져 죽였습니다." 그는 신도들에게 그 말을 되새길 시간을 주려는 듯 잠시 숨을 골랐다. "그런 종류의 증오는 시간이 지나도 사라지지 않습니다. 오히려 더욱 곪고, 더욱 강해지고, 마치 암세포처럼 다시 일어날 때를 기다리지요. 벗들이여, 내가 경고하노니, 무력에 무력으로 맞서지 않으면 악은 우리를 통째로 삼켜버릴 것입니다. 우리의 구호가 '용서'에 머무는 한, 우리는 결코 악을 정복할 수 없습니다."

'맞는 말이야.' 아빌라는 내심 고개를 끄덕였다. 해군 시절, 사병들의 실수에 '너그럽게' 대처하는 것은 곧 실수를 더욱 증폭시키는 최고의 방법이라는 사실을 몸소 체험한 그였다.

"때로는 용서 때문에 위기에 처할 수도 있습니다." 교황이 말을 이었다. "우리가 세상의 악을 용서하면 악이 번성하고 세력을 확장하는 것을 용인하는 것이 됩니다. 전쟁 행위에 자비의 정신으로 대처하면 우리의 적들로 하여금 더 큰 폭력을 행사하도록 유도할 뿐입니다. 더러는 우리도 예수님이 하셨던 것처럼 힘으로써 환금상들의 탁자를 뒤엎고 '이것은 서 있지 못하리라!' 하고 외쳐야 할 때가 있습니다."

'동감이오!' 아빌라는 그렇게 외치고 싶었고, 신도들도 같은 생각인 듯 고개를 끄덕였다.

"하지만 우리는 행동하고 있습니까?" 교황이 물었다. "로마의 가톨릭교회는 예수님이 그러셨듯 저항하고 있습니까? 아니, 그렇지 않습니다. 오늘날 우리는 세상에서 가장 사악한 자들을 대하고도 그저 용서와 사랑과 연민을 읊조릴 뿐입니다. 그 결과 우리는 악이 더욱 성장하도록 허용하고 맙니다. 아니, 오히려 장려합니다. 우리를 향한 범죄가 거듭되는 와중에도, 사악한 사람은 오로지 힘겨운 어린 시절을 보냈기 때문에, 가난에 찌들어 살았기 때문에, 사랑하는 사람을 잃은 고통 때문에 사악해진 거라고, 따라서 그의 증오는 그 사람 잘

못이 아니라고 스스로를 타이르며, 행여나 어떤 정치적 편견이 드러나지 않을까 조심스럽게 염려를 표하는 형국입니다. 나는 말합니다, '그만하면 됐다!' 악은 악일 뿐입니다. 우리는 모두 힘겨운 삶을 살아가고 있습니다!"

신도석에서 저절로 박수가 터져 나왔다. 아빌라가 가톨릭 미사에서 처음 목격하는 광경이었다.

"나는 오늘 용서에 대한 말씀을 나누고 싶었습니다." 여전히 아빌라의 어깨에 손을 얹은 채 교황이 말을 이었다. "오늘, 아주 특별한 손님이 한 분 오셨기 때문입니다. 이 자리에 참석하여 우리에게 축복을 내려준 루이스 아빌라 제독께 감사의 마음을 전하고 싶습니다. 스페인의 자랑스러운 군인으로 많은 훈장을 받았고, 생각하기조차 끔찍한 악을 마주했습니다. 우리 모두와 마찬가지로, 그 역시 용서라는 화두를 끌어안고 고민하고 있습니다."

이어서 교황은 아빌라가 이의를 제기할 틈도 주지 않고 지금까지 그가 겪어온 시련들을 자세히 늘어놓기 시작했다. 폭탄 테러로 가족을 잃었고, 알코올중독의 늪으로 빠져들었으며, 급기야는 미수에 그친 자살 기도 사건까지 언급했다. 그 순간에는 신뢰를 배신한 마르코에게 화가 치밀었지만, 누군가가 자신의 이야기를 이런 식으로 풀어가는 것을 듣고 있으니 이상하게도 힘이 차오르는 것을 느꼈다. 그것은 그가 밑바닥까지 떨어졌음에도 불구하고 기적적으로 살아남았음을 공개적으로 고백하는 것과 다름없었다.

"여러분 모두에게 분명히 말씀드립니다." 교황이 말했다. "신은 아빌라 제독의 삶에 개입하시어 그를 구하셨습니다……. 더 큰 목적을 위해서."

팔마리아 교황 인노첸시오 14세는 그렇게 말하며 처음으로 아빌라를 내려다보았다. 교황의 그윽한 눈빛은 아빌라의 영혼을 꿰뚫는 듯했고, 아빌라는 수년간 느껴보지 못했던 어떤 힘에 전율했다.

"아빌라 제독." 교황이 선언했다. "나는 당신이 견뎌낸 비극이 용서의 범위를 넘어서는 것이라 믿습니다. 나는 당신이 지속적으로 느낀 분노, 곧 복수를 향한 '정당한' 욕망이 다른 쪽 뺨을 내민다고 사라지지 않는다고 믿습니다. 아니, 그래서도 안 됩니다! 당신의 고통은 구원의 기폭제가 되어야 합니다. 우리는 당신을 지지하기 위해 여기 있습니다! 당신을 사랑하기 위해 여기 있습니다! 당신의 분노가 이 세상의 선을 지키는 강력한 힘으로 승화되도록 당신 편에서 돕겠습니다! 하느님께 찬미 드릴지어다!"

"하느님께 찬미 드릴지어다!" 신도들의 목소리가 메아리가 되어 울려 퍼졌다.

"아빌라 제독." 교황은 더욱 강렬하게 그의 눈을 바라보며 말을 이었다. "스페인 무적 함대의 표어가 무엇입니까?"

"Pro Deo et patria(신과 조국을 위하여)." 아빌라가 얼른 대답했다.

"그렇습니다, 신과 조국을 위하여. 오늘 우리는 조국을 위해 이토록 훌륭히 헌신해온 해군 장교와 함께하는 영광을 누리고 있습니다." 교황은 말을 멈추고 몸을 앞으로 숙였다. "하지만…… 신을 위해서는 어떻습니까?"

꿰뚫어보는 듯한 교황의 눈을 마주 보던 아빌라는 갑자기 허를 찔린 기분이었다.

"당신의 인생은 끝나지 않았습니다, 제독." 교황이 속삭였다. "당신의 임무는 끝나지 않았습니다. 신이 당신을 구한 이유가 바로 그것입니다. 당신이 맹세한 임무는 절반만 완수되었습니다. 그래요, 당신은 조국을 위해 헌신했습니다……. 하지만 '신'에 대한 헌신은 아직 끝나지 않았습니다."

아발라는 총이라도 맞은 느낌이었다.

"평화가 여러분과 함께!" 교황이 선포했다.

"또한 사제와 함께!" 신도들이 화답했다.

아빌라는 난생처음으로 갑자기 수많은 신도가 자신에게 격려를 보내고 행운을 빌어주는 특별한 순간을 경험했다. 그런 신도들의 눈에서 그가 두려워한 광신도의 눈빛을 발견할까 걱정했지만, 오로지 진정한 낙관주의와 선의, 그리고 하느님의 일을 하고자 하는 신실한 열망만 보일 뿐이었다. 바로 지금 아빌라에게 결여된 것들이었다.

그날 이후 아빌라는 마르코를 비롯해 새로 사귄 친구들의 도움으로 끝 모를 절망의 늪을 빠져나오기 위한 기나긴 강행군을 시작했다. 가혹한 체력 단련을 다시 시작했고 영양가 있는 음식을 섭취했지만, 무엇보다 중요한 것은 믿음의 재발견이었다.

몇 달 뒤 재활 치료가 끝나자, 마르코는 아빌라에게 열 군데 이상 책갈피를 꽂아놓은 가죽 장정의 성경책을 선물했다.

아빌라는 그중 몇 군데를 무작위로 펼쳐보았다.

로마인들에게 보낸 편지 13장 4절
하느님의 심부름꾼으로서
악을 행하는 자들에게
하느님의 벌을 대신 주는 사람입니다.

시편 94편 1절
복수의 하느님, 야훼여 복수의 하느님, 나타나소서.

디모테오에게 보낸 둘째 편지 2장 3절
그대는 그리스도 예수의 충성스러운 군인답게
그대가 받을 고난을 달게 받으시오.

"기억하세요." 마르코가 미소 지으며 말했다. "악이 세상에서 고개를 쳐들 때, 하느님은 당신의 뜻을 지상에 떨치기 위해 각기 다른 방법으로 우리 각각을 통해 역사하십니다. 용서만이 구원에 이르는 유일한 길은 아니거든요."

58

 ConspiracyNet.com

뉴스 속보

당신이 누구든 좀 더 알려주세요!

오늘 밤, 자칭 민간인 감시자 monte@iglesia.org가 컨스피러시넷닷컴에 방대한 분량의 내부 정보를 보내왔다.

감사의 뜻을 전한다.

'몬테'가 보내온 자료들은 아주 신뢰도가 높은 고급 내부 정보인 만큼, 우리는 자신감을 갖고 다음과 같은 부탁을 드리고자 한다.

몬테, 당신이 누구든, 만약 커시의 중단된 프레젠테이션에 담긴 내용과 관련해 어떤 정보라도 갖고 있다면 공유해주시기를 부탁드립니다!!

\#우리는어디서왔는가

\#우리는어디로가는가

감사합니다.

– 컨스피러시넷의 모두가

59

에드먼드의 서재에서 마지막 몇 개의 서가를 살피던 로버트 랭던은 희망이 사라지는 것을 느꼈다. 바깥에서 두 개 음의 경찰 사이렌 소리가 점점 커지더니, 카사밀라 바로 앞에서 뚝 멎었다. 조그만 창문으로 빙글빙글 돌아가는 경광등 불빛이 보였다.

'꼼짝없이 갇혔군.' 랭던은 생각했다. '마흔일곱 자 암호를 찾아내지 못하면 빠져나갈 길이 없어.'

하지만 불행히도 랭던은 아직 시집을 한 권도 찾지 못했다.

마지막 서가의 선반들은 다른 것보다 더 깊어서 보통 책보다 훨씬 큰 미술 서적들을 꽂기에 적합해 보였다. 서둘러 벽을 따라 걸음을 옮기니 최신 현대 미술에 대한 에드먼드의 열정을 반영하는 제목들이 눈에 들어왔다.

세라…… 쿤스…… 허스트…… 브루게라…… 바스키아…… 뱅크시…… 아브라모비치…….

갑자기 흐름이 뚝 끊기고 좀 더 작은 책들이 이어지자, 랭던은 시집을 발견할 수 있을지도 모른다는 희망에 걸음을 멈췄다.

'여기도 없어.'

그 책들은 추상미술에 대한 해설서와 비평서였고, 그중 에드먼드가 한번 읽어보라며 그에게 보내줬던 몇몇 책이 눈에 들어왔다.

《발칙한 현대 미술사》
《왜 당신의 다섯 살짜리 자녀는 이런 작품을 만들지 못하는가》
《현대 미술에서 살아남는 법》

'나도 아직 살아남으려고 애쓰는 중이지.' 랭던은 속으로 중얼거리며 얼른 걸음을 옮겼다. 그는 또 하나의 갈비뼈를 넘어가 다음 서가를 살피기 시작했다.

'여긴 근대 미술이군.' 얼핏 봐도 이 서가는 현대 미술보다 조금 앞선 시대를 모아놓은 것 같았다. '적어도 시간을 거슬러 가고 있군…… . 내가 잘 아는 쪽으로.'

재빨리 책등에 적힌 제목들을 훑어보니, 1870년과 1960년 사이에 예술의 정의를 뒤바꿔 세상을 놀라게 한 인상파와 입체파, 초현실주의 화가들의 전기와 분류 목록 등이 눈에 들어왔다.

반 고흐…… 쇠라…… 피카소…… 뭉크…… 마티스…… 마그리트…… 클림트…… 칸딘스키…… 존스…… 호크니…… 고갱…… 뒤샹…… 드가…… 샤갈…… 세잔…… 커샛…… 브라크…… 아르프…… 알베르스…… .

이 구역은 마지막 건축 골조와 함께 끝나고, 그다음에는 서재의 마지막 구역이 자리하고 있었다. 여기에 꽂힌 책들은 에드먼드가 랭던이 듣는 앞에서 '지루해 죽을 것 같은 백인들의 학파'라고 부르곤 했던 화가들을 모아놓은 듯했다. 말하자면 19세기 중반 모더니즘 운동이 일어나기 전의 화가들을 가리키는 셈이었다.

에드먼드와는 달리 랭던은 이 노장들의 이름만 들어도 마음이 편안해졌다.

페르메이르…… 벨라스케스…… 티치아노…… 틴토레토…… 루벤스…… 렘브란트…… 라파엘로…… 푸생…… 미켈란젤로…… 리피…… 고야…… 조토…… 기를란다요…… 엘 그레코…… 뒤러…… 다빈치…… 코로…… 카라바조…… 보티첼리…… 보스…….

마지막 서가 끝에는 묵직한 자물통이 달린 커다란 유리 캐비닛이 자리했다. 유리 너머로 속을 들여다보니, 아주 오래돼 보이는 가죽 상자가 하나 놓여 있었다. 귀중한 고서가 보관되어 있는 듯했다. 상자 겉에 적힌 글자들은 거의 알아볼 수 없을 만큼 뭉개졌지만, 랭던은 남은 글자만으로도 상자에 담긴 책의 제목을 유추할 수 있었다.

'맙소사.' 랭던은 그제야 왜 이 책에 방문객이 손댈 수 없도록 자물쇠까지 채워놓았는지 알 수 있었다. '누가 이 책 한 권만 가져가도 한 밑천 잡겠군.'

랭던은 이 전설적인 화가의 초기 작품이 몇 없다는 사실을 알고 있었다.

'에드먼드가 이 책에 투자한 게 전혀 놀랍지 않아.' 에드먼드는 언젠가 이 영국 화가를 일컬어 '조금이나마 상상력을 지닌 전근대의 유일한 인물'이라고 표현한 적이 있었다. 물론 랭던은 동의하지 않지만, 그래도 이 화가에 대한 에드먼드의 특별한 애정만큼은 분명히 이해할 수 있었다. '서로 공통점이 아주 많으니까.'

랭던은 자세를 낮추고 상자에 새겨진 금박 글자들을 들여다보았다. '윌리엄 블레이크 전집.'

'윌리엄 블레이크.' 랭던은 생각에 잠겼다. '1800년대의 에드먼드 커시라고나 할까.'

블레이크는 아주 특이한 천재이자 다작의 권위자였다. 화풍이 매우 진보적이라 더러는 그가 마법을 부려 꿈속에서 미래를 보고 왔다고 믿는 이들이 있을 정도였다. 상징으로 가득한 그의 종교적 일러스트들은 천사와 악마, 사탄, 하느님, 신화 속 생물들, 성경의 주제, 본인의 영적 환각에서 비롯된 신들을 묘사했다.

'커시처럼 블레이크도 기독교에 도전하기를 즐겼지.'

거기에 생각이 미친 랭던은 갑자기 일어섰다.

'윌리엄 블레이크.'

숨이 멎는 것만 같았다.

수많은 화가 사이에서 블레이크를 발견하다 보니, 이 신비로운 천재에 대해 결정적인 사실 한 가지를 잊고 있었다.

'블레이크는 화가일 뿐 아니라……'

'많은 작품을 남긴 시인이기도 해.'

심장이 세차게 뛰기 시작했다. 혁명적인 이상을 품은 블레이크의 시들은 에드먼드의 관점과 완벽히 들어맞았다. 실제로 블레이크의 유명한 아포리즘, 이를테면 〈천국과 지옥의 결혼〉 같은 '악마적' 작품은 에드먼드가 썼다고 해도 믿을 만했다.

모든 종교는 하나다
자연적인 종교는 없다

랭던은 에드먼드가 가장 좋아하는 시구절을 뭐라고 설명했는지 되짚어보았다. '그는 암브라에게 그 구절이 "예언"이라고 했어.' 랭던은 역사상 윌리엄 블레이크보다 더 예언자라는 명칭이 잘 어울리는 시인은 없다는 사실을 알고 있었다. 그는 이미 1790년대에 암울하고 불길한 시 두 편을 남겼다.

《아메리카: 예언》

《유럽: 예언》

랭던은 두 권 다 블레이크가 직접 손으로 쓴 시와 그림이 수록된 멋진 복제본으로 가지고 있었다.

랭던은 다시 한 번 캐비닛 안의 커다란 가죽 상자를 들여다보았다.

'블레이크의 《예언》 초판본이라면 큼직한 채색본으로 출간되었을 거야!'

랭던은 샘솟는 희망을 느끼며 캐비닛 앞에 쪼그리고 앉았다. 이 가죽 상자 안에 그와 암브라가 찾아 헤매던 마흔일곱 글자의 시구절이 들어 있을 거라는 직감이 들었다. 이제는 과연 에드먼드가 가장 좋아하는 구절에 '표시'를 해놓았을지가 관건이었다.

랭던은 손을 뻗어 캐비닛 손잡이를 당겨보았다.

잠겨 있었다.

랭던은 나선 계단 쪽을 올려다보았다. 당장 그 계단을 달려 올라가 윈스턴에게 윌리엄 블레이크의 시를 전부 검색해달라고 하면 어떨까 싶었다. 이제 경찰차 사이렌 소리는 멀리서 들려오는 헬리콥터 날개 소리로 대체되었고, 에드먼드의 거처 바깥 계단에서 뭐라고 고함치는 소리도 들렸다.

'그들이 도착했다.'

랭던은 캐비닛을 보며 그것이 박물관에 있는 자외선 차단 유리처럼 옅은 초록색을 띠고 있음을 알아차렸다.

랭던은 재킷을 벗어 유리 위에 대고 돌아선 다음, 1초도 망설이지 않고 팔꿈치로 유리를 내려쳤다. 캐비닛의 유리문이 둔탁한 파열음과 함께 부서졌다. 랭던은 날카로운 파편 사이로 조심스레 손을 넣어

잠금장치를 푼 다음, 문을 활짝 열어젖히고 가죽 상자를 살그머니 들어 올렸다.

그러나 랭던은 그 상자를 바닥에 내려놓기도 전에 뭔가가 잘못되었음을 알아차렸다. '너무 가벼워.' 제목은 '블레이크 전집'인데 무게가 거의 느껴지지 않았다.

랭던은 상자를 내려놓고 조심스럽게 뚜껑을 열었다.

역시 우려한 대로…… 속은 텅 비어 있었다.

랭던은 한숨을 내쉬며 빈 상자를 들여다보았다. '에드먼드의 책은 어디로 간 거지?'

랭던은 상자를 도로 닫으려다가 뚜껑 안쪽에 테이프로 붙어 있는 무언가를 발견했다. 우아하게 돋을새김을 한 상아색 카드였다.

랭던은 카드에 적힌 글귀를 읽었다.

다음 순간, 도무지 믿기지 않아 다시 한 번 읽었다.

몇 초 뒤, 랭던은 지붕으로 이어지는 나선 계단을 미친 듯이 달려 올라갔다.

* * *

바로 그 시각 마드리드 왕궁 2층에서는 전자보안부의 책임자 수레시 발라가 조용히 훌리안 왕자의 개인 거처로 들어가고 있었다. 벽속에 숨겨진 디지털 금고의 위치를 알아낸 그는 비상용으로 보관해 온 관리자 권한의 만능 코드를 입력했다.

금고가 열렸다.

금고에는 두 개의 전화기가 들어 있었다. 왕궁에서 지급한 보안 스마트폰은 훌리안 왕자의 것이었고, 나머지 전화기는 발데스피노 주교의 아이폰이었다.

수레시는 아이폰을 집어 들었다.

'정말로 할 거야?'

머릿속에 monte@iglesia.org의 메시지가 다시 떠올랐다.

> 내가 발데스피노의 문자 메시지를 해킹했음.
> 그는 아주 위험한 비밀을 숨기고 있음.
> 왕궁은 그의 sms 기록을 확인해야 함.
> 지금 당장.

수레시는 주교의 문자 메시지가 어떤 비밀을 드러낼지……, 또한 왜 그 제보자가 왕궁에 경고하려고 마음먹었는지 궁금했다.

'제보자는 왕궁이 부수적인 피해를 입지 않도록 보호하려는 걸까?'

수레시는 왕실에 위협적인 정보라면 어떤 수단을 동원해서라도 확인하는 것이 자신의 임무라고 굳게 믿었다.

긴급 영장을 발부받는 방안도 고려했지만, 그러기에는 시간이 촉박할 뿐 아니라 보안 유지에도 어려움이 있었다. 다행히 수레시는 훨씬 은밀하고 편리한 방법을 알고 있었다.

발데스피노의 전화기를 집어 든 뒤에 홈 버튼을 누르자 화면이 켜졌다.

비밀번호가 걸려 있었다.

'문제없지.'

"헤이, 시리." 수레시가 전화기를 입가에 가져다 대고 말했다. "지금 몇 시야?"

잠금 모드 상태에서 시계 화면이 떴다. 그 상태에서 수레시는 몇 개의 간단한 명령을 내렸다. 새로운 시간대를 설정하고, SMS를 통해 그것을 공유하도록 요청하고, 사진을 첨부한 다음, 텍스트를 송신하는 대신 다시 홈 버튼을 눌렀다.

'찰칵.'

전화기의 잠금이 해제되었다.

'유튜브가 가르쳐준 아주 간단한 해킹 기술이지.' 아직도 비밀번호로 사생활을 지킬 수 있다고 믿는 아이폰 사용자들이 있다는 것이 놀라울 따름이었다.

이제 발데스피노의 전화기를 속속들이 들여다볼 수 있게 된 수레시는 아이메시지 앱을 열었다. 아이클라우드 백업 기능을 이용해 목록을 되살리면 발데스피노가 삭제한 메시지를 복원할 수 있었다.

짐작대로 주교의 메시지 보관함은 텅 비어 있었다.

'딱 하나 남아 있군.' 몇 시간 전에 차단된 발신 번호로 전송한 메시지 한 통이 달랑 남아 있었다.

수레시는 수신함을 열어 세 줄로 된 메시지를 읽었다. 순간 헛것을 보는 듯한 느낌이 들었다.

'어떻게 이럴 수가!'

수레시는 다시 한 번 메시지를 읽었다. 이거야말로 발데스피노가 상상을 초월하는 반역 및 사기 행위에 연루되었음을 입증하는 결정적인 증거였다.

'오만함이 하늘을 찌르는군.' 수레시는 늙은 성직자가 이런 문자 메시지를 주고받을 만큼 뻔뻔하다는 사실에 새삼 놀랐다.

'이 메시지가 공개되면…….'

그 가능성만으로도 몸서리치던 수레시는 재빨리 모니카 마르틴을 찾으려고 계단을 뛰어 내려갔다.

60

EC145 헬리콥터가 저공비행으로 도심 상공을 가로지르는 동안, 디아스 요원은 끝없이 펼쳐진 도시의 불빛을 물끄러미 내려다보았다. 꽤 시간이 늦었음에도 대부분의 아파트 창문에서 텔레비전과 컴퓨터의 희미한 불빛이 새어 나와서 도시 전체를 흐릿한 푸른 안개로 물들였다.

'온 세상이 지켜보고 있다.'

그렇게 생각하니 더욱 마음이 초조해졌다. 오늘 밤의 사건들이 걷잡을 수 없이 커지는 느낌이었고, 이렇게 위기가 고조되어 파국을 맞게 될까 두려웠다.

앞자리의 폰세카 요원이 고함을 지르며 전방을 가리켰다. 디아스는 목표물을 한눈에 알아보고 고개를 끄덕였다.

'못 보고 지나치기가 더 어렵겠군.'

아직 거리가 꽤 먼데도 쉴 새 없이 돌아가는 경찰차의 파란 불빛이 똑똑히 보였다.

'주여, 우리를 도우소서.'

역시 디아스가 걱정한 대로 카사밀라는 현지 경찰 차량들로 포위되다시피 했다. 바르셀로나 경찰 당국은 모니카 마르틴이 왕궁 앞에서 기자회견할 때 언급한 익명의 제보에 적극 대응하기로 방침을 정한 모양이었다.

'로버트 랭던이 미래의 스페인 왕비를 납치했다.'

'왕궁은 그들을 찾기 위해 대중의 도움을 필요로 한다.'

'새빨간 거짓말이야.' 디아스는 진실을 알고 있었다. '그들이 함께 구겐하임을 빠져나가는 걸 내 눈으로 똑똑히 봤는걸.'

마르틴의 책략이 효과를 거둔 것은 사실이지만, 그로 인해 믿기 힘들 만큼 위험한 게임이 시작된 것 또한 사실이었다. 현지 경찰을 동원한 공개적인 수색은 위험천만한 작전이었다. 로버트 랭던만 위험해지는 게 아니라, 미래의 왕비까지 아마추어 같은 동네 경찰들의 집중포화에 노출될 우려가 있기 때문이었다. 왕궁의 목표가 미래의 왕비를 안전하게 보호하는 것이라면, 이런 작전은 미친 짓이나 다름없었다.

'가르사 사령관이라면 절대 상황이 이렇게까지 악화되도록 놔두지 않았을 텐데.'

가르사가 왜 체포되었는지는 아직도 수수께끼였지만, 디아스는 자신의 사령관에게 씌워진 혐의 역시 랭던이 뒤집어쓴 누명과 마찬가지로 사실과 다를 것이라고 확신했다.

어쨌거나, 직접 연락을 받은 폰세카는 명령을 받아들였다.

'가르사보다 더 윗선에서 내려온 명령이다.'

헬리콥터가 카사밀라 근처에 접근하자, 아래쪽을 유심히 살피던 디아스 요원은 착륙을 시도할 만큼 안전한 장소가 없다는 사실을 깨달았다. 넓은 도로와 건물 앞 길모퉁이의 광장은 언론사 트럭과 경찰

차, 수많은 구경꾼으로 가득했다.

디아스는 카사밀라의 유명한 옥상을 내려다보았다. 물결치는 8 자 모양의 경사진 통로와 계단을 통해 옥상에 오르면 바르셀로나의 숨 막히는 전망이 한눈에 드러났지만…… 9층 높이의 채광정을 통해 건물 내부의 뜰을 내려다볼 때 역시 숨 막히기는 마찬가지였다.

'여기도 착륙할 공간이 없어.'

언덕과 계곡으로 이루어진 지형에, 초현대적인 체스 말들을 연상 케 하는 가우디 특유의 높다란 굴뚝들이 옥상을 지키고 있었다. 헬멧 쓴 초병처럼 생긴 이 굴뚝을 보고 영감을 얻은 영화 제작자 조지 루 카스는 그 이미지를 모델로 영화 〈스타워즈〉의 스톰트루퍼를 만들 었다.

헬기가 착륙할 공간을 찾아 인근 다른 건물을 살펴보던 디아스는, 카사밀라의 옥상에서 뜻밖의 장면을 발견하고 시선을 멈췄다.

거대한 조형물들 사이에 조그만 형체가 하나 서 있었다.

그 형체는 옥상 가장자리 부근 난간 앞에 서 있었는데, 아래의 광 장에서 언론사 트럭들이 비추는 강력한 조명에 입고 있는 흰 드레스 가 선명히 드러나 보였다. 순간 디아스는 성베드로 광장이 내려다보 이는 발코니에서 추종자들을 향해 연설하는 교황을 보는 듯한 착각 에 사로잡혔다.

그러나 저 사람은 교황이 아니었다.

그것은 굉장히 눈에 익은 흰 드레스 차림의 아름다운 여성이었다.

* * *

암브라 비달은 언론사의 조명 때문에 앞이 전혀 안 보일 지경이었 지만, 헬리콥터 소리가 점점 가까워 오는 것만으로도 시간이 얼마 남지 않았음을 알 수 있었다. 그녀는 난간 바깥으로 몸을 내밀어 밑에 모여 있는 기자들을 향해 힘껏 소리 질렀다.

귀청이 터질 듯한 헬리콥터 날개 소리가 그녀의 목소리를 삼켜버렸다.

윈스턴은 암브라가 옥상 가장자리에 모습을 드러내면 언론사의 카메라들이 일제히 그녀를 비출 거라고 예상했다. 그 예상이 정확하게 들어맞았음에도 불구하고 암브라는 윈스턴의 계획이 실패로 돌아갔음을 깨달았다.

'저들은 내 말을 들을 수 없어!'

지나다니는 차 소리와 건물 입구의 난장판을 생각하면, 카사밀라의 옥상은 너무 높았다. 게다가 이제 요란한 헬리콥터가 모든 것을 삼켜버릴 기세로 다가오고 있지 않은가.

"나는 납치된 게 아니에요!" 암브라는 젖 먹던 힘까지 짜내 다시 한 번 소리쳤다. "로버트 랭던과 관련한 왕궁의 발표는 사실이 아닙니다! 나는 인질이 아니에요!"

'당신은 미래의 스페인 왕비가 될 사람입니다.' 조금 전, 윈스턴은 그렇게 그녀를 설득했다. '당신이 직접 상황을 설명하면 당국도 추적을 멈출 겁니다. 물론 당신의 입장 표명은 엄청난 혼란을 불러일으키겠지요. 누구 명령을 따라야 할지 갈피를 못 잡는 상황이 초래될 겁니다.'

암브라도 윈스턴의 말이 옳다는 것은 알았지만, 그렇지 않아도 시끌벅적한 군중 위에서 요란한 헬리콥터 소리를 뚫고 자신의 말을 전달할 재간이 없었다.

갑자기 하늘에서 천둥소리 같은 굉음이 터졌다. 암브라가 기겁하며 난간에서 물러서자, 어느덧 건물 코앞까지 다가온 헬리콥터가 암브라 앞에서 돌연 멈췄다. 동체의 문이 활짝 열렸고, 낯익은 두 사람이 간절한 눈빛으로 그녀를 바라보았다. 폰세카 요원과 디아스 요원이었다.

폰세카 요원이 웬 장치를 들어 올려 정면으로 그녀의 머리를 겨누는 것을 본 암브라는 또 한 번 기겁했다. 순간 불길한 생각이 엄습했다. '훌리안은 내가 죽기를 원해. 나는 아이를 가질 수 없는 몸이야. 그의 후계자를 낳아줄 수 없어. 그가 이 약혼에서 벗어날 유일한 방법은 나를 죽이는 거야.'

암브라는 폰세카가 겨냥하고 있는 무시무시하게 생긴 장비를 피하려고 한 손에 에드먼드의 휴대전화를 쥔 채 다른 한 손을 뻗어 균형을 유지하려 했다. 그러나 한쪽 다리를 뒤로 빼는 순간, 갑자기 바닥이 사라진 느낌이 들었다. 당연히 단단한 시멘트 바닥이 있을 줄 알고 발을 디뎠는데, 사실 거기는 아무것도 없는 허공이었다. 암브라는 균형을 되찾으려고 허우적거렸지만, 그녀의 몸은 순식간에 계단 아래로 떨어지고 말았다.

왼쪽 팔꿈치가 시멘트에 부딪친 뒤 나머지 몸뚱이가 나뒹굴었다. 암브라 비달은 아픔을 느끼지 못했다. 그녀는 방금 자신의 손아귀를 빠져나간 물체에 온 신경을 곤두세웠다. 넘어지면서 에드먼드의 전화기를 놓치고 만 것이었다.

'아 맙소사, 안 돼!'

암브라는 전화기가 시멘트 바닥을 쭉 미끄러져 계단을 한 번 튕긴 다음, 건물 내부의 안뜰을 향해 뚫린 9층 높이의 채광정 모서리로 날아가는 것을 보았다. 그녀는 필사적으로 손을 뻗었지만 전화기는 난간 틈새로 떨어지고 말았다.

'이제 윈스턴과는 어떻게……!'

암브라는 사력을 다해 난간 쪽으로 기어갔지만, 그녀가 다다른 순간 에드먼드의 전화는 빙글빙글 돌며 로비 돌바닥을 향해 곤두박질치더니 날카로운 파열음과 함께 유리와 금속 파편들로 분해되어버렸다.

눈 깜빡할 사이에 윈스턴이 사라진 것이다.

* * *

전속력으로 계단을 뛰어 올라온 랭던은 계단을 감싼 조그만 탑을 박차고 카사밀라의 옥상으로 올라섰다. 다음 순간, 그는 귀가 먹먹한 거대한 회오리 한복판에 서 있는 자신을 발견했다. 건물 바로 옆에 헬리콥터가 떠 있었고, 암브라는 어디에도 보이지 않았다.

어리둥절해진 랭던은 재빨리 주변을 훑어보았다. '어디 갔지?' 그는 이 옥상이 얼마나 괴상하고 특이한지 잠시 잊고 있었다. 비스듬한 난간들…… 가파른 계단들…… 시멘트 병정들…… 바닥 모를 구멍들…….

"암브라!"

그녀를 발견한 랭던은 두려움에 사로잡혔다. 암브라 비달은 채광정 가장자리의 시멘트 바닥에 쓰러져 있었다.

랭던이 그녀를 향해 정신없이 달려가는 순간, 핑 하는 소리와 함께 총알 하나가 그의 머리 옆을 스치고 날아가 시멘트 벽에 박히고 말았다.

'이럴 수가!' 랭던이 재빨리 무릎을 꿇고 바닥에 엎드리는 순간, 또 두 발의 총알이 아슬아슬하게 그의 머리 위를 날아갔다. 랭던은 처음에 그 총알들이 헬리콥터에서 날아온 것인 줄 알았지만, 암브라를 향해 기어가다 보니 지붕 반대편 또 하나의 탑에서 총을 뽑아 든 경찰한 무리가 튀어나오는 것이 보였다.

'나를 죽이려 하고 있어.' 랭던은 깨달았다. '내가 미래의 왕비를 납치했다고 생각하는 게 분명해.' 아무래도 암브라가 옥상에서 외친 말을 아무도 듣지 못한 모양이었다.

10미터 정도 떨어진 곳에 쓰러져 있는 암브라를 내려다본 순간, 랭던은 그녀의 팔에서 피가 흐르는 것을 보고 또 한 번 공포에 사로잡혔다. '맙소사, 암브라가 총에 맞았어!' 또 하나의 총알이 그의 머리 위를 지나갔고, 암브라는 채광정을 에워싼 난간을 붙잡고 몸을 일으키려 하고 있었다.

"그냥 엎드려 있어요!" 랭던은 그렇게 소리치며 재빨리 기어가 자신의 몸으로 암브라를 덮었다. 간신히 고개를 들어보니 헬멧 쓴 스톰트루퍼들이 침묵의 수호자처럼 곳곳에 버티고 서 있었다.

머리 위로 굉음이 다가오며 세찬 바람이 휘몰아쳤다. 헬리콥터가 그들 근처의 거대한 채광정 옆으로 다가와 그들과 경찰 사이의 시야를 가렸다.

"¡Dejen de disparar!" 헬기에서 확성기로 증폭된 목소리가 터져 나왔다. "¡Enfunden las armas!" '사격 중지! 무기를 내려라!'

랭던과 암브라 바로 앞에서 디아스 요원이 열린 문 앞에 웅크린 채 한 발로 활주부 위에서 균형을 잡으며 그들을 향해 한 손을 내밀었다.

"타세요!" 그가 소리쳤다.

랭던은 암브라가 흠칫 움츠리는 것을 느꼈다.

"어서요!" 디아스가 귀청을 찢을 듯한 날개 소리를 뚫고 다시 소리쳤다.

디아스는 채광정 난간을 가리키며 그 위로 올라가서 자신의 손을 잡고 심연을 뛰어넘어 헬리콥터에 올라타라고 재촉했다.

랭던의 망설임이 너무 길게 느껴졌던 모양이었다.

디아스는 폰세카가 들고 있던 확성기를 빼앗아 들고는 정면으로 랭던의 얼굴을 겨냥했다. "교수님, 지금 당장 헬리콥터에 타십시오!"

마치 천둥 같은 음성이었다. "현지 경찰에게 교수님에 대한 발포 명령이 떨어졌습니다! 교수님이 비달 관장님을 납치하지 않았다는 사실을 압니다! 두 분 다 어서 헬리콥터로 올라오십시오. 희생자가 나오기 전에!"

61

바람이 휘몰아치는 가운데 암브라는 랭던이 제자리에 떠 있는 헬리콥터 안에서 팔을 내민 디아스 요원을 향해 자신의 몸을 밀어 올리는 것을 느꼈다.

정신이 너무 혼미해서 저항할 수도 없었다.

"출혈이 있어요!" 랭던이 암브라의 뒤를 이어 헬기 안으로 기어오르면서 소리쳤다.

그와 동시에 헬리콥터는 물결치는 듯한 옥상을 벗어나 하늘로 솟아 올랐고, 뒤에 남은 경찰들은 당혹스러운 표정으로 위를 올려다보았다.

폰세카는 동체 문을 닫고 앞자리의 조종사에게 갔다. 디아스가 암브라 옆자리로 다가와 팔의 상처를 살폈다.

"살짝 긁혔을 뿐이에요." 암브라가 멍한 표정으로 말했다.

"구급약 상자를 찾아보겠습니다." 디아스는 그렇게 말하며 뒤쪽으로 향했다.

랭던은 헬기의 후미를 바라보는 암브라 맞은편에 앉았다. 갑자기 단둘이 되자, 랭던은 암브라의 눈을 바라보며 안도의 미소를 지었다. "무사해서 다행이에요."

암브라가 힘없이 고개를 끄덕이며 고맙다고 말하려 하자 랭던은 앉은 채로 몸을 앞으로 기울이며 잔뜩 흥분한 목소리로 속삭였다.

"수수께끼의 시인을 찾은 것 같아요." 랭던이 희망에 찬 눈으로 말했다. "윌리엄 블레이크예요. 에드먼드의 서재에 블레이크 전집이 있었을 뿐 아니라…… 블레이크의 시 가운데 상당수가 '예언'을 담고 있어요!" 그러면서 랭던은 손을 내밀었다. "에드먼드의 전화기 좀 줘 봐요. 윈스턴에게 블레이크의 시를 모두 검색해서 마흔일곱 자로 이루어진 구절을 찾아보라고 해야겠어요!"

암브라는 커다란 죄책감에 사로잡혀 랭던의 손바닥을 멍하니 내려다보았다. 잠시 후 그녀는 그 손 위에 자신의 빈손을 포갰다. "교수님." 그녀가 탄식을 뱉으며 말했다. "에드먼드의 전화기를 잃어버렸어요. 채광정 속으로 떨어져서 박살 나버렸다고요."

랭던이 그녀를 바라보았고, 암브라는 그의 얼굴에서 핏기가 사라지는 것을 느꼈다. '정말 죄송해요, 교수님.' 암브라는 랭던이 이 새로운 소식을 어떻게 받아들일지, 윈스턴의 도움을 받지 못하게 된 이 상황을 어떻게 풀어갈지 고민하는 모습을 지켜보았다.

조종석에서 폰세카가 자신의 전화기에 대고 외치는 소리가 들렸다. "맞습니다! 두 분 다 안전하게 탑승했습니다. 마드리드행 비행기를 준비해주십시오. 왕궁에는 제가 연락해서……."

"괜히 애쓰지 마세요!" 암브라가 폰세카 요원을 향해 소리쳤다. "나는 왕궁으로 안 갈 거예요!"

폰세카가 전화기를 손으로 가리고 그녀를 돌아보았다. "반드시 가셔야 합니다! 오늘 밤 무슨 일이 있어도 관장님을 안전하게 보호하라는 명령을 받았습니다. 관장님은 제 경호를 벗어나지 말았어야 했습니다. 제가 관장님을 구출하기 위해 여기까지 올 수 있었던 걸 다행으로 여기십시오."

"구출?!" 암브라가 쏘아붙였다. "이게 '구출'이라면, 그건 왕궁에서 랭던 교수님이 나를 납치했다는 터무니없는 거짓말을 늘어놓았기 때문이에요. 요원님도 그게 사실이 아니라는 걸 알잖아요! 훌리안 왕자가 죄 없는 사람의 목숨을 위험에 빠뜨릴 만큼 절박한 상황인가요? 내 목숨은 또 어떡하고요?"

폰세카는 한참 동안 그녀를 바라보다가 말없이 돌아앉았다.

그때, 디아스가 구급약 상자를 들고 돌아왔다.

"비달 관장님." 디아스가 그녀 옆에 앉으며 말했다. "가르사 사령관님이 체포되는 바람에 오늘 밤 저희 명령 체계에 문제가 생겼다는 사실을 이해해주십시오. 어쨌거나 훌리안 왕자님은 왕궁에서 나온 언론 발표와는 전혀 무관하다는 사실을 분명히 말씀드리고 싶습니다. 솔직히 저희는 지금 무슨 일이 벌어지고 있는지 왕자님께서 알고 계신지도 장담할 수 없습니다. 벌써 한 시간 넘도록 왕자님과 연락이 안 되고 있으니까요."

'뭐?' 암브라는 뚫어질 듯 디아스를 바라보았다. "그는 지금 어디 있죠?"

"현재 위치는 알 수 없지만," 디아스가 말했다. "그전에 저희와 주고받은 교신 내용에 비춰 볼 때 왕자님의 뜻은 확고합니다. 그분은 당신의 안전을 바라십니다."

"만약 그게 사실이라면," 생각에 잠겨 있던 랭던이 불쑥 그들의 대화에 끼어들었다. "비달 관장을 왕궁으로 데려가는 것은 치명적인 실수입니다."

폰세카가 재빨리 뒤돌아보았다. "네?!"

"요원님, 지금 누구에게서 명령을 받고 있는지는 모르겠지만," 랭던이 말했다. "왕자님이 정말로 약혼자의 안전을 원한다면 두 분은 지금부터 내 말을 주의 깊게 들어야 합니다." 랭던은 잠시 호흡을 가다듬고 더욱 힘주어 말했다. "에드먼드 커시는 그의 발견이 공개되는 것을 막으려는 자에게 살해되었어요. 그게 누구인지는 모르지만, 그자는 일이 완전히 마무리되었다고 확신하기 전에는 절대 그만두지 않을 겁니다."

"이미 마무리됐습니다." 폰세카가 비웃듯이 말했다. "에드먼드는 사망했으니까요."

"그렇다고 그의 발견까지 사라진 건 아니지요." 랭던이 대답했다. "에드먼드의 프레젠테이션은 지금도 멀쩡히 살아 있고, 여전히 세상에 공개될 가능성이 남아 있어요."

"그래서 당신이 그의 거처까지 온 것 아닙니까." 디아스가 말했다. "그걸 공개할 수 있다고 믿기 때문에."

"맞아요." 랭던이 대답했다. "그래서 우리도 표적이 된 겁니다. 암브라가 납치되었다는 발표를 누가 꾸몄는지는 모르지만, 그 또한 필사적으로 우리를 막으려는 자의 소행이겠지요. 그러니 만약 두 분도 그들과 한패라면, 다시 말해 두 분도 에드먼드의 발견을 영원히 묻어버리려는 쪽에 속한다면, 후회할 일이 생기기 전에 지금 당장 비달 관장과 나를 이 헬리콥터 바깥으로 내던지는 게 좋을 겁니다."

암브라는 이건 또 무슨 정신 나간 소리인가 싶어 랭던을 바라봤다.

"하지만," 랭던이 말을 이었다. "만약 두 분이 왕실 근위대 요원으로서 미래의 스페인 왕비를 포함한 왕족을 보호하기로 서약했다면, 지금 이 순간 비달 관장에게 왕궁보다 더 위험한 곳도 없다는 사실을 분명히 깨달아야 해요. 왕궁에서 나온 발표 때문에 하마터면 비달 관장이 목숨을 잃을 뻔하지 않았습니까." 랭던은 주머니에서 우아한 돈을새김의 리넨 카드를 꺼냈다. "두 분은 지금 당장 비달 관장을 이 카드 하단에 적힌 주소지로 데려가야 합니다."

폰세카는 카드를 받아 들고 미간을 잔뜩 찌푸린 채 들여다보았다. "말도 안 되는 소리!"

"그곳은 관내 전체가 보안 철책에 에워싸여 있어요." 랭던이 말했다. "헬리콥터가 그곳에 착륙해서 우리 네 사람을 내려놓고 누군가가 알아차리기 전에 그 자리를 떠나면 됩니다. 나는 그곳 책임자를 알아요. 사태가 정리될 때까지 거기에서 시간을 벌 수 있을 겁니다. 당신들이 우리와 동행할 수도 있잖아요."

"차라리 공항의 군용 격납고 안이 더 안전할 것 같습니다만."

"군대도 방금 비달 관장을 죽음으로 내몰 뻔한 바로 그 사람의 명령을 받고 있어요. 정말로 그런 사람들을 믿고 싶어요?"

그래도 폰세카의 굳은 표정은 전혀 흔들림이 없었다.

암브라는 머릿속에 오만 가지 생각이 떠올랐고, 그 카드에 적힌 내용이 궁금해졌다. '교수님이 어디로 가자는 거지?' 그가 갑자기 목소리를 높이는 것으로 미루어, 그녀의 안전을 넘어선 무언가가 걸려 있는 듯했다. 암브라는 랭던의 목소리에 되살아난 낙관적인 기운에서 그가 아직 에드먼드의 발표를 공개할 수 있다는 희망을 버리지 않았음을 직감했다.

랭던이 폰세카에게서 카드를 돌려받아 암브라에게 건넸다. "에드먼드의 서재에서 이걸 발견했어요."

암브라는 카드를 보자마자 그것이 무엇인지 알아차렸다.

흔히 '대여 기록' 혹은 '권리 카드'라 불리는 이 우아한 플레이스홀더는 미술관이나 박물관 관장이 임시로 작품을 빌려 전시할 경우, 그 작품의 주인에게 내주는 카드였다. 똑같은 카드를 두 장 만들어 한 장은 작품을 빌려준 사람에 대한 감사 표시로 미술관에 전시하고, 나머지 한 장은 작품 주인이 보관하는 것이 관례였다.

'에드먼드가 블레이크의 시집을 빌려준 건가?'

카드에 따르면, 에드먼드의 책은 바르셀로나에 있는 그의 아파트에서 불과 몇 킬로미터 이동했을 뿐이었다.

윌리엄 블레이크 전집

에드먼드 커시의 개인 소장품

사그라다 파밀리아에 대여

스페인, 바르셀로나
마요르카 대로 401
08013

"이해가 안 가요." 암브라가 말했다. "유명한 무신론자가 어째서 성당에 자기 책을 빌려줬을까요?"

"단순한 성당이 아니잖아요." 랭던이 반박했다. "사그라다 파밀리아는 가우디의 수많은 걸작 가운데서도 가장 수수께끼 같은 건물이에요." 랭던은 헬리콥터 창밖을 가리키며 말했다. "그리고 머지않아 유럽에서 가장 높은 성당이 될 테고요."

암브라는 고개를 돌려 도시의 북쪽을 바라보았다. 저 멀리, 크레인과 비계, 그리고 건축 조명에 에워싸인 사그라다 파밀리아의 미완성 탑들이 환하게 빛나고 있었는데, 구멍이 숭숭 뚫린 채 무리를 이루고 있는 첨탑들은 영락없이 빛을 향해 해저에서 올라오는 거대한 해면처럼 보였다.

가우디의 문제작인 사그라다 파밀리아는 벌써 한 세기 이상 순전히 신도들의 기부금으로 공사를 이어가고 있었다. 전통주의자들은 이 성당의 유기체 같은 형상과 '생체 모방 디자인'을 비판했고, 반대로 현대주의자들은 자연계를 본뜬 구조적 유연성과 '쌍곡면'에 찬사를 보냈다.

"평범하지 않다는 건 인정해요." 암브라가 랭던을 돌아보며 말했다. "하지만 그래도 가톨릭 성당이에요. 교수님도 에드먼드가 어떤 사람인지 아시잖아요."

* * *

'에드먼드가 어떤 사람인지는 알지.' 랭던은 생각했다. '그가 사그라다 파밀리아에 기독교 정신을 넘어선 은밀한 목적과 상징이 숨겨져 있다고 믿었다는 걸 알 만큼.'

이 괴상한 성당이 1882년에 착공된 이후, 수수께끼의 무늬가 새겨진 문들과 우주에서 영감을 얻은 듯한 나선형 기둥들, 온갖 상징이 난무하는 정면, 마방진이 새겨진 수학적 장식, 그리고 뒤틀린 뼈들과 그 뼈들의 결합조직을 연상케 하는 으스스한 '해골' 구조를 두고 온갖 음모론이 난무했다.

랭던도 물론 그런 음모론들을 잘 알고 있었지만 그리 신뢰하지는 않았다. 그러나 몇 해 전 랭던은 에드먼드의 고백을 듣고 깜짝 놀란 적이 있었다. 그는 사그라다 파밀리아가 단순한 가톨릭교회가 아니라 과학과 자연에 대한 어떤 신비로운 성소라고 믿는, 점점 늘어나는 가우디의 열혈 팬 가운데 한 사람이었다.

랭던은 그럴 가능성이 희박하다고 믿는 쪽이라, 바티칸이 그를 추앙해 '신의 건축가'라는 이름을 주고 시복의 대상으로 고려했을 만큼 가우디가 독실한 가톨릭 신자였다는 사실을 에드먼드에게 상기시켰다. 나아가 사그라다 파밀리아의 이례적인 설계는 기독교 상징에 대한 가우디의 독창적이고 근대적인 접근을 의미할 뿐이라고 덧붙였다.

에드먼드는 아직 밝힐 준비가 덜 된 수수께끼의 퍼즐 한 조각을 남몰래 숨기고 있는 듯, 뜻 모를 미소로 대답을 대신했다.

'커시가 간직한 또 하나의 비밀이었군.' 랭던은 이제야 그런 생각이 들었다. '아무도 모르게 암과 사투를 벌였던 것처럼.'

"설령 에드먼드가 자기 책을 사그라다 파밀리아에 빌려줬다 해도," 암브라가 말을 이었다. "그래서 설혹 우리가 그 책을 찾는다 하더라도 그 책을 한 장 한 장 읽어보는 방법으로는 정확한 구절을 찾아낼 수 없을 거예요. 그렇다고 에드먼드가 그 소중한 책에 형광펜으로 표시를 해놓았을 것 같지도 않고요."

"암브라?" 랭던이 차분한 미소를 지으며 그녀를 불렀다. "카드 '뒷면'을 봐요."

암브라는 흘깃 카드를 내려다보다가, 뒤집어서 뒷면에 적힌 글자를 읽었다.

다음 순간, 그녀는 도무지 믿기지 않아 한 번 더 읽어보았다.

그녀는 랭던을 돌아보았고, 이내 그들은 희망에 부풀었다.

"내가 그랬잖아요." 랭던이 미소 지으며 말했다. "거기에 꼭 가야 된다고."

하지만 암브라의 흥분한 표정은 떠오르자마자 갑자기 사라졌다. "그래도 아직 문제가 있어요. 혹여 암호를 찾아낸다 해도……."

"알아요. 에드먼드의 전화기가 없어졌으니 윈스턴에게 접속할 방법이 없다고 말하려는 거지요?"

"바로 그거예요."

"그 문제는 내가 해결할 수 있을 것 같아요."

암브라는 미심쩍은 눈길로 그를 바라보았다. "뭐라고요?"

"우리에게 필요한 건 윈스턴 '본인'이에요. 에드먼드가 만든 컴퓨터 말이죠. 원격으로 윈스턴에게 접속할 수 없다면, 윈스턴에게 '직접' 암호를 가져다주면 되겠죠."

암브라는 제정신인가 싶어 그를 빤히 쳐다보았다.

랭던이 말을 이었다. "에드먼드가 어떤 은밀한 장소에서 윈스턴을 만들었다고 했지요?"

"그래요, 하지만 거기가 어딘지 어떻게 알겠어요!"

"그렇지 않아요. 그곳은 여기 바르셀로나에 있어요. 반드시 그래야만 합니다. 바르셀로나는 에드먼드가 살았고 일했던 도시예요. 이 합성 지능 컴퓨터를 만드는 것이 그의 최근 프로젝트 가운데 하나였다면, 다른 어딘가에서 그 작업을 했다는 것은 말이 안 되죠."

"교수님, 설사 교수님 말씀이 옳다 해도 여전히 건초 더미에서 바늘 찾는 격이에요. 바르셀로나는 거대한 도시라고요. 그건 불가능하……."

"나는 윈스턴을 찾을 수 있어요." 랭던이 말했다. "장담합니다." 그가 미소 지으며 눈 아래 펼쳐진 도시의 불빛들을 가리켰다. "미친 소리처럼 들리겠지만 이렇게 공중에서 바르셀로나를 내려다보니 뭔가 짚이는 게 있어서……."

랭던은 창밖을 바라보며 말꼬리를 흐렸다.

"좀 자세히 설명해주시겠어요?" 암브라가 기대감 어린 얼굴로 물었다.

"진작 알아차렸어야 했어요." 랭던이 말했다. "오늘 저녁 내내 내 신경을 건드린 무언가, 그 흥미로운 퍼즐이 윈스턴에게 있어요. 그게 뭔지 이제야 알아낸 것 같아요."

랭던은 경계심이 깃든 눈으로 근위대 요원들을 바라본 뒤, 암브라를 향해 몸을 숙이며 목소리를 낮추었다. "나를 믿어줄래요?" 랭던이 조용히 물었다. "나는 윈스턴을 찾을 수 있다고 믿어요. 문제는 에드먼드의 암호가 없으면 윈스턴을 찾아도 아무 소용이 없다는 점이지요. 지금 당신과 나는 문제의 시구절을 찾는 데 온 힘을 기울여야 해요. 그러려면 사그라다 파밀리아로 가야 합니다."

암브라는 한참 동안 랭던을 바라보았다. 당혹스러워하며 고개를 끄덕인 그녀가 조종석을 향해 큰 소리로 말했다. "폰세카 요원님! 조종사에게 당장 방향을 돌려 사그라다 파밀리아로 가달라고 하세요!"

폰세카는 빙글 돌아앉아 그녀를 쏘아보았다. "비달 관장님, 아까도 말했듯이 저는 명령을……."

"폰세카 요원." 미래의 스페인 왕비가 몸을 앞으로 쑥 내밀며 그의 눈을 마주 보았다. "우리를 당장 사그라다 파밀리아로 데려다줘요. 그러지 않으면 돌아가서 제일 먼저 할 일이 당신을 해고하는 것이 될 테니까."

62

⊕ ConspiracyNet.com

뉴스 속보

사이비 종교의 암살 연루설

monte@iglesia.org의 또 한 건의 제보에 힘입어, 우리는 에드먼드 커시의 암살범이 팔마리아 교회라는 극우 성향의 비밀 기독교 종파 소속임을 알게 되었다!

루이스 아빌라는 지금까지 1년 넘도록 온라인을 통해 팔마리아 교회의 포교 활동을 해왔으며, 그가 이 논란 많은 종교–군사 조직의 일원이라는 사실을 통해 그의 손바닥에 'victor' 문신이 새겨진 이유를 알 수 있다.

프랑코주의를 나타내는 이 상징은 팔마리아 교회에서 주로 사용되고 있으며, 스페인의 전국지 《엘파이스》에 의하면 이 교회는 자체적인 '교황'을 내세울 뿐 아니라 프란시스코 프랑코와 아돌프 히틀러를 포함한 몇몇 독재자를 성인으로 추대했다고 전해진다.

못 믿겠는가? 직접 찾아보시라.

모든 것은 어떤 신비로운 환영(幻影)에서 비롯되었다.

1975년, 보험중개인인 클레멘테 도밍게스 이 고메스는 예수 그리스도가 직접 자신을 교황으로 임명하는 꿈을 꾸었다. 클레멘테는 스스로를 그레고리우스 17세라 부르며 바티칸으로부터 떨어져 나와, 독자적으로 추기경들을 임명했다. 물론 로마는 인정하지 않지만, 이 새로운 대립 교황은 수천 명의 추종자와 막대한 재산을 모아 요새와도 같은 성당을 지었으며, 국제적으로 세력을 확장하여 지금은 전 세계에 수백 명의 팔마리아 주교를 두고 있다.

종파 분리를 주장하는 이 팔마리아 교회는 오늘날에도 스페인 팔마르 데 트로야에 소재한 이른바 '그리스도 왕의 산'이라는 보안 시설에 세계 본부를 두고 활동하고 있다. 이들은 로마의 바티칸으로부터 인정받지 못함에도 불구하고, 극우 가톨릭 신자들을 대상으로 세력을 키워가고 있다.

이 종파에 관한 좀 더 자세한 소식과 함께, 오늘 밤 음모에 연루된 것으로 보이는 안토니오 발데스피노 주교에 대한 속보를 곧 업데이트할 예정이다.

63

'좋아, 아주 인상적이군.' 랭던은 속으로 중얼거렸다.

암브라는 강력한 말 몇 마디로 EC145 헬기의 승무원들에게 압력을 가해 사그라다 파밀리아로 기수를 돌리게 만들었다.

기체가 수평을 되찾아 왔던 길을 되짚으며 하늘을 가로지르기 시작하자, 암브라는 디아스 요원을 돌아보며 휴대전화를 빌려달라고 부탁했다. 디아스가 마지못해 전화기를 건네자, 암브라는 재빨리 인터넷 브라우저를 열어 뉴스를 검색했다.

"이런." 암브라가 좌절감으로 고개를 가로저으며 속삭였다. "카사밀라에서 기자들에게 교수님이 저를 납치한 게 아니라고 말하려 애썼는데요. 아무도 못 들었나 봐요."

"기사가 올라오려면 시간이 좀 더 걸리지 않을까요?" 랭던이 말했다. '아직 10분도 안 됐어요.'

"그 정도면 충분해요." 암브라가 대답했다. "이 헬리콥터가 카사밀라 주변을 떠나는 모습이 담긴 동영상도 벌써 올라온걸요."

'벌써?' 랭던은 가끔 세상이 너무 빨리 돌아간다는 생각이 들곤 했다. 사건 발생 후 다음 날 아침이 되어서야 '속보'가 종이에 인쇄되어 집 앞에 배달되던 시절이 엊그제 같았다.

"그나저나." 암브라가 장난스러운 얼굴로 말했다. "교수님과 제가 최신 인기 뉴스에 올라간 것 같은데요."

"이럴 줄 알았으면 당신을 납치하지 말 걸 그랬나 봐요." 랭던이 비꼬듯 대답했다.

"재미없거든요. 그나마 우리가 1위는 아니네요." 암브라가 전화기를 건넸다. "이것 좀 보세요."

랭던이 화면을 들여다보니, '최신 인기 뉴스 톱 10'이 실린 야후! 홈페이지가 떠 있었다. 맨 위의 1위 기사가 가장 먼저 눈에 들어왔다.

1. '우리는 어디에서 왔는가?' / 에드먼드 커시

에드먼드의 프레젠테이션 때문에 전 세계 많은 사람이 이 주제를 검색한 모양이었다. '에드먼드가 알면 뿌듯해하겠군.' 랭던은 생각했다. 하지만 그 링크를 선택해 처음 열 건의 기사 제목을 보자, 랭던은 자신의 생각이 틀렸음을 알았다. '우리는 어디에서 왔는가?'에 대한 상위 열 건의 기사는 하나같이 창조 신화와 외계 기원설에 관한 것들이었다.

'에드먼드가 알면 기절하겠는걸.'

랭던의 옛 제자가 남긴 가장 악명 높은 폭언은 '과학과 영성' 토론장에서 터져 나왔다. 청중의 질문 공세에 시달리다 못한 에드먼드는 급기야 두 손을 치켜들고 이렇게 외치며 무대를 박차고 나가버렸다. "지성을 가진 인간들이 어떻게 신의 이름과 그 망할 놈의 외계인을 들먹이지 않고는 자신의 기원에 대한 토론을 시작조차 못 한단 말입니까!"

랭던은 전화기 화면을 계속 훑어보다가 "커시는 무엇을 발견했는 가?"라는 소박한 제목이 붙은 'CNN 라이브' 링크를 발견했다.

랭던은 이 링크를 클릭한 다음, 암브라도 같이 볼 수 있도록 전화기를 옆으로 들었다. 동영상이 시작되자, 두 사람은 헬리콥터 날개 소리를 뚫고 소리를 듣기 위해 볼륨을 한껏 높인 채 바짝 붙어 앉았다.

CNN 진행자가 나타났다. 랭던은 오래전부터 그녀가 진행하는 방송을 수없이 봐왔다. "NASA의 우주생물학자 그리핀 베넷 박사님을 이 자리에 모셨습니다." 진행자가 말했다. "베일에 싸인 에드먼드 커시의 발견에 대해 몇 가지 의견을 제시하신다고 합니다. 어서 오세요, 베넷 박사님."

턱수염을 기르고 가느다란 철 테 안경을 낀 학자가 침울한 표정으로 고개를 끄덕였다. "고맙습니다. 먼저, 에드먼드와의 개인적인 친분을 밝히고 싶습니다. 저는 그의 놀라운 지성과 창의성, 그리고 진보와 개혁에 대한 헌신을 굉장히 높이 평가합니다. 그의 죽음은 과학계 전체에 엄청난 타격을 입혔습니다. 이 비겁한 사건을 통해 우리 지성인들이 광신과 미신, 그리고 자신의 신념을 관철하기 위해 진실이 아니라 폭력에 의존하는 자들에 대해 보다 단결된 모습으로 대항하는 계기를 만들어야 한다고 생각합니다. 또한 오늘 밤 에드먼드의 발견을 세상에 공개할 방법을 찾으려고 애쓰는 사람들이 있다는 소문이 사실이기를 간절히 바랍니다."

랭던은 암브라를 슬쩍 돌아보았다. "우리 얘기로군요."

암브라도 고개를 끄덕였다.

"같은 바람을 가진 사람들이 아주 많을 거예요, 베넷 박사님." 진행자가 말했다. "박사님께서는 에드먼드 커시의 발견이 어떤 내용을 담고 있을 거라고 생각하시나요?"

"우주과학자로서," 베넷 박사가 말을 이었다. "먼저 성급한 일반화로 오늘 밤 제 얘기를 시작해야 할 것 같습니다. 에드먼드 커시도 동의할 거라 믿습니다." 박사는 고개를 돌려 똑바로 카메라를 바라보며 말했다. "외계 생명에 대한 이야기가 나오면 어김없이 유사 과학과 음모론, 나아가 노골적인 판타지가 한데 뒤섞입니다. 참고로 말씀드리면 미스터리 서클은 사기입니다. 외계인을 해부하는 동영상은 조작입니다. 지금까지 외계인에 의해 절단된 소는 단 한 마리도 없습니다. 로즈웰의 비행접시는 '프로젝트 모굴'이라 불린 미국 정부의 기상 관측 기구였습니다. 대 피라미드는 외계인의 기술이 아닌 이집트 사람들에 의해 건설됐습니다. 가장 중요한 것으로, 지금까지 외계인에게 납치되었다고 알려진 이야기는 모두 새빨간 거짓말입니다."

"어떻게 그리 확신하시나요, 박사님?" 진행자가 물었다.

"아주 간단한 논리입니다." 과학자는 성가시다는 표정으로 진행자를 돌아보며 말했다. "수십, 수백 광년의 항성간 우주여행이 가능할 정도로 진보한 생명체라면, 캔자스 농부들의 직장(直腸)을 들여다보며 새로운 것을 알아갈 필요가 없겠죠. 그런 생명체가 지구를 정복하려고 파충류로 변신해 정부에 침투할 이유도 없고요. 지구로 날아올 정도의 기술을 가진 생명체가 우리를 정복하기 위해 굳이 속임수를 쓰거나 치밀한 음모를 꾸밀 필요가 없다는 말씀입니다."

"음, 놀라운 말씀이군요!" 진행자가 어색하게 웃으며 말했다. "이것이 커시 씨의 발견에 대한 박사님의 견해와 어떤 관련이 있나요?"

박사는 무거운 한숨을 내쉬었다. "에드먼드 커시는 지구상의 생명이 우주에서 비롯되었음을 입증할 확실한 증거를 찾아냈다고 발표할 예정이었을 겁니다."

외계 기원설에 대한 커시의 견해를 잘 아는 랭던은 그 말을 듣자마자 이 박사라는 사람에게 의구심을 느꼈다.

"흥미롭네요, 왜 그렇게 생각하시죠?" 진행자가 물었다.

"오직 그 대답만이 유일하게 합리적이기 때문입니다. 우리는 이미 물질이 행성 사이를 이동할 수 있다는 명백한 증거를 갖고 있습니다. 우리는 화성 및 금성의 파편과 함께, 미확인 출처에서 날아온 수백 개의 샘플을 가지고 있습니다. 이는 곧 생명체가 미생물 형태로 운석을 통해 날아온 뒤, 지구상의 생명으로 진화했다는 주장을 뒷받침합니다."

진행자는 열심히 고개를 끄덕였다. "하지만 우주에서 미생물이 날아왔다는 이론은 이미 수십 년 전부터 제기되었지만 아직 뚜렷한 증거가 없지 않나요? 에드먼드 커시 같은 기술 분야의 천재가, 컴퓨터 과학보다는 우주생물학 분야에 더 가까운 이런 이론을 입증할 수 있었던 것에 대해 어떻게 생각하시나요?"

"음, 여기에는 아주 구체적인 논리가 숨어 있습니다." 베넷 박사가 대답했다. "권위 있는 천문학자들은 이미 수십 년 전부터 인류가 장기적으로 살아남을 수 있는 유일한 길은 이 행성을 떠나는 것이라고 경고한 바 있습니다. 지구는 이미 그 수명의 절반 이상을 지나왔을 뿐 아니라, 궁극적으로 태양이 적색거성으로 팽창하면 지구를 삼켜 버리게 됩니다. 물론 우리가 거대한 운석의 충돌이나 감마선 폭발 등과 같은 임박한 위협으로부터 살아남는다면 말이죠. 이와 같은 이유로 우리는 생명을 이어갈 수 있는 새로운 행성을 찾아 먼 우주로 나가고자 화성에 그 전초기지를 건설하기 위한 설계를 이미 시작했습니다. 물론 이것은 말처럼 쉬운 사업이 아니기에, 더 간단한 방법으로 우리의 생존을 담보할 수만 있다면 즉시 그 방법을 실행에 옮겨야 할 겁니다."

베넷 박사는 잠시 숨을 돌리고 말을 이었다. "실제로 더 간단한 방법이 있습니다. 만약 우리가 인간의 게놈을 조그만 캡슐에 담아서 우주로 보낸다면 어떻게 될까요? 그런 캡슐을 수백만 개 만들어서, 그 중 하나라도 어디에든 뿌리내리기를 기대해볼 수 있지 않을까요? 이런 기술이 아직 존재하지는 않지만, 인류의 생존을 위해 실행 가능한 옵션 가운데 하나로 검토 중입니다. 우리가 이런 '생명의 씨앗'을 뿌리는 방안을 고려하고 있다면, 우리보다 더 진보한 생명체 역시 당연히 그런 생각을 했을 겁니다."

이제 랭던은 베넷 박사가 이야기를 어디로 끌고 가려는지 헷갈리기 시작했다.

"이런 맥락에서," 베넷 박사가 말을 이었다. "저는 에드먼드 커시가 지구상의 생명이 우주에서 비롯되었음을 입증하는 어떤 외계의 신호를 발견한 것이라고 믿습니다. 그게 물리적, 화학적 혹은 디지털 형태인지는 저도 몰라요. 이 시점에서 몇 해 전 에드먼드와 제가 이 문제에 대해 꽤나 열띤 논쟁을 벌였다는 사실을 언급해야겠군요. 그는 다른 많은 사람들과 마찬가지로 유전 정보를 담은 물질이 지구까지 날아오는 기나긴 여정에서 치명적인 방사선과 온도를 이겨내지 못했을 거라는 이유로 이 우주-미생물 이론을 반대했습니다. 개인적으로 저는 이런 '생명의 씨앗'을 방사선이 차단되는 보호 캡슐 같은 것에 담아 외계로 보내는 일이 얼마든지 가능하다고 생각합니다. 말하자면 기술력의 도움을 받아 우주에 생명의 씨앗을 퍼뜨리는 일종의 판스페르미아 이론인 셈이죠."

"좋습니다." 진행자가 약간 불안한 표정으로 말했다. "하지만 누군가가 우주에서 날아온 씨앗 캡슐을 통해 인류가 시작되었다는 증거를 찾아냈다면, 이는 곧 우주에 우리만 존재하는 게 아니라는 의미 아닌가요?" 진행자는 잠시 생각을 정리한 뒤 말을 이었다. "하지만 그렇다면……."

"말씀하세요." 베넷 박사는 처음으로 미소를 머금었다.

"그것은 그 캡슐을 보낸 게…… 우리 같은…… 인간이라는 뜻이잖아요!"

"그래요, 저도 처음에는 그런 결론을 내렸습니다." 과학자가 대답했다. "하지만 에드먼드가 제 생각을 바로잡아줬지요. 그 이론의 오류를 지적해준 겁니다."

그 말을 들은 진행자의 눈이 휘둥그레졌다. "그럼 에드먼드는 이 '씨앗'을 보낸 게 인간이 아니라고 생각한 건가요? 만약 그 씨앗이, 말하자면 인류의 번식을 위한 '레시피'였다면, 어떻게 그럴 수 있죠?"

"인간은 설익은 존재입니다." 과학자가 대답했다. "에드먼드의 표현을 정확히 옮기면 그렇죠."

"무슨 뜻이죠?"

"에드먼드는 만약 이런 씨앗 캡슐 이론이 사실이라면, 지구에 도착한 레시피는 그 당시 절반만 완성된 상태였을 거라고 했습니다. 다시 말해서 인간은 '완제품'이 아니라 다른 그 무엇…… 어떤 외계인으로 진화하는 중간 형태의 종이라는 의미지요."

이제 CNN 진행자는 혼란스러운 듯했다.

"에드먼드는 어느 진보한 생명체가, 침팬지든 사람이든 그런 덜떨어진 레시피를 보냈겠느냐고 주장했습니다." 베넷 박사가 웃으며 말을 이었다. "사실 에드먼드는 나더러 기독교인인 걸 숨기고 있는 게 아니냐 놀리기까지 했어요. 종교를 가진 사람이 아니고서야 인간을 우주의 중심이라고 생각할 이유가 없다는 얘기였지요. 혹은 외계인이 완성된 형태의 '아담과 이브'의 DNA를 항공우편으로 우주에 보냈다고 믿는 것도 마찬가지고요."

"음, 박사님." 진행자는 이 인터뷰의 흐름이 못내 불안한 기색이었다. "박사님 덕분에 많은 깨달음을 얻었습니다. 시간 내주셔서 감사합니다."

동영상이 끝나자, 암브라는 얼른 랭던을 돌아보았다. "교수님, 만약 에드먼드가 인간은 반쯤 진화한 외계 종족이라는 증거를 발견한 게 사실이라면, 오히려 문제가 더 커지지 않나요? 우리가 무엇으로 진화하고 있는가라는 문제 말이에요."

"맞아요." 랭던이 대답했다. "나는 에드먼드가 그 문제를 약간 다른 표현으로 바꿔놓았다고 생각해요. '우리는 어디로 가는가?'라는 질문으로 말이에요."

암브라는 그제야 아귀가 맞아떨어진다고 생각하는 눈치였다. "오늘 밤 프레젠테이션의 두 번째 질문이네요."

"그래요. 우리는 어디에서 왔는가? 우리는 어디로 가는가? 보아하니 방금 본 NASA의 과학자는 에드먼드가 하늘을 올려다보며 그 두 가지 질문의 답을 찾아냈다고 생각한 모양이에요."

"어떻게 생각하세요, 교수님? 에드먼드가 발견한 게 정말 그거라고 생각하세요?"

그 가능성을 따져보던 랭던은 이마에 의심의 주름이 잡히는 것을 느꼈다. 그 과학자의 이론은 흥미롭기는 하지만 에드먼드 커시의 날카로운 사고를 대변한다고 보기에는 지나치게 일반적이고 공상적이었다. '에드먼드는 단순하고, 명쾌하고, 기술적인 것을 좋아했어. 컴퓨터 과학자였으니까.' 더욱 중요한 것은, 에드먼드가 어떻게 그런 이론을 입증할 수 있었을지 상상이 가지 않는다는 점이었다. '고대의 씨앗 캡슐을 발견했나? 외계인의 교신을 가로챘나?' 두 가지 모두 한순간에 이루어질 수 있는 발견이지만, 에드먼드의 경우는 상당한 시간이 걸렸다.

'몇 달 동안 작업했다고 했잖아.'

"솔직히 말하면 나도 모르겠어요." 랭던이 암브라에게 말했다. "하지만 왠지 에드먼드의 발견은 외계 생명과는 관련이 없을 거라는 직감이 들어요. 그것과는 완전히 다른 뭔가를 발견했을 것 같습니다."

암브라의 얼굴에 놀라움이, 이어서 호기심이 번졌다. "그걸 알아 낼 방법은 하나밖에 없겠네요." 그녀는 창가를 가리키며 말했다.

그들 앞에 사그라다 파밀리아의 첨탑들이 반짝거리고 있었다.

64

발데스피노 주교는 한참 전부터 M-505 고속도로를 달리는 오펠 승용차 안에서 멍하니 창밖을 바라보고 있는 훌리안의 표정을 또 한 번 힐끔거렸다.

'무슨 생각을 하는 걸까?' 발데스피노는 정말 궁금했다.

왕자는 거의 30분 동안 한 번도 입을 떼지 않았고, 이따금 무의식적으로 주머니에 손을 넣을 때 말고는 몸을 움직이지도 않았다. 물론 금고에 넣어두고 온 휴대전화가 지금 그의 주머니에 들어 있을 리 없었다.

'왕자를 숨겨두어야 해.' 발데스피노는 속으로 생각했다. '조금만 더.'

운전석의 복사는 여전히 왕자의 저택 쪽으로 차를 몰았지만, 이제 곧 발데스피노는 그곳이 진짜 목적지가 아니라고 말해야 할 터였다.

훌리안이 갑자기 고개를 돌리더니 복사의 어깨를 툭툭 쳤다. "라디오 좀 틀어보세요." 그가 말했다. "뉴스를 듣고 싶네요."

발데스피노는 복사가 그 말에 반응하기도 전에 잔뜩 힘이 들어간 손으로 그의 어깨를 눌렀다. "그냥 조용히 가지?"

홀리안은 불쾌감을 굳이 감추지 않고 주교를 돌아보았다.

"죄송합니다." 발데스피노는 왕자의 눈에 불신의 빛이 점점 짙어
가는 것을 알아차리고 얼른 대답했다. "시간이 늦었어요. 들어봐야
쓸데없는 잡담뿐이에요. 차라리 조용히 묵상하는 게 나을 겁니다."

"안 그래도 묵상을 좀 해봤는데요." 홀리안이 날카로운 목소리로
말했다. "내 나라에 무슨 일이 벌어지고 있는지 알고 싶군요. 오늘 밤
우리 스스로를 철저하게 고립시켰는데, 그게 과연 좋은 생각이었는
지 의문이 듭니다."

"좋은 생각 맞아요." 발데스피노가 대답했다. "믿고 따라주셔서 감
사할 따름입니다." 그는 복사의 어깨에서 손을 떼고 라디오를 가리켰
다. "뉴스 좀 들어보게. 스페인 마리아 라디오 방송이 어떨까?" 발데
스피노는 전 세계로 방송하는 가톨릭 채널이라면 오늘 밤의 골치 아
픈 사건들을 다른 방송보다 훨씬 부드럽고 적절하게 다룰 것이라 기
대했다.

뉴스 진행자가 에드먼드 커시의 프레젠테이션과 그의 피살 사건을
언급하는 소리가 싸구려 스피커에서 흘러나왔다. '오늘 밤에는 온 세
상 모든 방송이 죄다 이 이야기에만 매달리는 모양이군.' 발데스피노
는 방송 도중에 자신의 이름이 언급되지 않기를 기도하고 싶은 심정
이었다.

다행히도 이 방송의 주제는 커시가 던지는 반종교적인 메시지가
얼마나 위험한지, 특히 스페인 젊은이들에게 미칠 그의 영향력이 얼
마나 위협적일지에 초점을 맞춘 모양이었다. 그 예로, 방송은 최근
에 커시가 바르셀로나 대학에서 한 강연 실황을 다시 들려주기 시작
했다.

"우리 가운데 많은 사람이 스스로를 무신론자라고 부르기를 꺼립

니다." 커시가 학생들 앞에서 차분한 목소리로 말했다. "하지만 무신론은 철학도 아니고 세계관도 아닙니다. 무신론은 그저 너무나도 명백한 사실을 인정하는 것일 뿐입니다."

몇몇 학생이 동의의 표시로 박수를 쳤다.

"'무신론자'라는 용어는," 커시가 말을 이었다. "존재조차 하지 말아야 합니다. 아무도 스스로를 '비점성가', '비연금술사'라고 소개하지 않습니다. 우리에게는 엘비스가 아직 살아 있다는 주장을 의심하는 사람들, 혹은 외계인이 우리의 가축에게 몹쓸 짓을 하려고 은하계를 건너왔다는 주장을 의심하는 사람들을 지칭하는 단어가 없습니다. 무신론이란 합리적인 사람들이 부당한 종교적 신념을 마주할 때 내는 소음에 불과합니다."

좀 더 많은 학생이 박수를 쳤다.

"그나저나 이런 정의는 내가 생각해낸 게 아니에요." 커시가 말했다. "신경 과학자 샘 해리스가 원저작자죠. 그가 쓴 《기독교 국가에 보내는 편지》를 안 읽어본 분들은 꼭 한 번 읽어보길 바랍니다."

발데스피노는 해리스가 미국 독자들을 대상으로 쓴 책이 'Carta a una Nación Cristiana'라고 번역되어 스페인에서 불러일으킨 반향을 떠올리며 미간을 찌푸렸다.

커시의 강연이 이어졌다. "여러분 중에서 아폴로나 제우스, 불카누스 같은 고대의 신을 믿는 사람이 있으면 손 한번 들어주시겠습니까?" 커시는 말을 멈추고 웃음 지었다. "단 한 분도 없습니까? 좋습니다, 그럼 우리는 모두 그 신들에 대해서는 무신론자인 셈이로군요." 커시는 또 잠깐 뜸을 들인 후에 말을 이었다. "거기에 딱 한 신만 추가하면 어떨까요."

청중의 박수 소리가 더욱 커졌다.

"친구 여러분, 나는 지금 내가 신은 존재하지 않는다는 사실을 분명히 알고 있다고 말하는 것이 아닙니다. 내가 말하고자 하는 것은 만약 우주의 배후에 어떤 신성한 힘이 정말로 존재한다면, 우리가 그 힘을 정의하려고 만들어낸 종교를 보고 숨이 넘어가도록 웃고 있을 거라는 사실입니다."

모두 웃음을 터뜨렸다.

이제 발데스피노는 왕자가 라디오를 틀어달라고 한 것을 오히려 다행스럽게 여겼다. '훌리안도 이런 걸 들어볼 필요가 있지.' 커시의 악마처럼 유혹적인 매력은 그리스도의 적들이 더 이상 가만히 앉아 있기만 하는 것이 아니라 신에게서 영혼들을 떼어내려고 능동적으로 움직이고 있음을 입증하는 증거였다.

"나는 미국인입니다." 커시의 강연이 이어졌다. "나는 지구상에서 기술을 선도하고 지적으로 가장 진보한 나라 중 한 곳에서 태어났다는 사실을 정말 다행스럽게 생각합니다. 동시에 나는 나의 동포들 가운데 절반이 아담과 이브가 정말로 존재했다고 믿는다는 최근의 여론조사를 보고 깊은 좌절감을 느꼈습니다. 이는 곧 전지전능한 신이 온전한 두 명의 인간을 창조했으며, 그들이 근친교배에서 응당 생겨날 필연적 문제들을 하나도 겪지 않은 채 단독으로 온 지구에 후손을 퍼뜨리고 다양한 인종을 발생시켰다는 주장을 액면 그대로 믿는다는 뜻입니다."

또다시 웃음이 터졌다.

"켄터키에서는 피터 라루파라는 목사가 공공연히 이런 선언을 했어요. '만약 성경 어딘가에 2 더하기 2는 5라고 적혀 있다면, 나는 기꺼이 그것이 진실이라고 믿을 것이다.'"

웃음소리가 더욱 커졌다.

"그래요, 웃기는 쉽습니다. 하지만 분명히 말씀드리지만, 이런 믿음은 우습기보다는 무서운 쪽에 훨씬 가깝습니다. 그런 믿음을 품은 사람들 가운데 상당수가 똑똑하고 전문적인 교육을 받은 의사, 변호사, 교사이며, 더러는 나라에서 높은 지위를 노리는 사람들도 있습니다. 나는 미국 하원의원인 폴 브라운이 이렇게 말하는 것을 들은 적이 있습니다. '진화와 빅뱅은 지옥에서 나온 새빨간 거짓말이다. 나는 지구의 나이가 9천 살이며, 지구가 우리가 아는 것처럼 엿새 만에 창조되었다고 믿는다.'" 커시는 잠시 숨을 돌린 뒤 덧붙였다. "더욱 난감한 것은 '과학우주기술위원회'에 소속된 브라운 하원의원이 수백만 년 전 형성된 화석 기록의 존재를 어떻게 생각하느냐는 질문에 '화석은 신이 우리의 믿음을 시험하기 위해 그 자리에 놓아둔 것이다'라고 대답했다는 사실입니다."

커시의 목소리가 갑자기 조용하고 침울해졌다. "무지를 용인하는 것은 그것에 힘을 부여하는 결과를 초래합니다. 터무니없는 주장을 늘어놓는 지도자들에게 아무런 대응을 하지 않는 것은 현실에 안주하는 범죄입니다. 학교와 교회가 우리 자녀들에게 노골적으로 거짓을 가르치도록 내버려두는 것 역시 마찬가지입니다. 이제 행동할 때입니다. 미신으로 가득한 사고를 몰아내지 않는 한, 우리는 우리가 마땅히 이루어야 할 진보를 감당할 수 없습니다." 커시가 말을 멈추자, 청중석에도 침묵이 내려앉았다. "나는 인류를 사랑합니다. 우리 종, 우리의 마음은 무한한 가능성을 가지고 있다고 믿습니다. 나는 우리가 새로운 계몽 시대를 코앞에 두고 있다고 믿습니다. 그것은 종교가 떠나고…… 과학이 지배하는 세상입니다."

청중석에서 우레와 같은 박수갈채가 터져 나왔다.

"맙소사." 발데스피노는 한심하다는 듯이 고개를 가로저으며 중얼거렸다. "그거 좀 끄게."

복사는 명령에 복종했고, 세 남자는 달리는 차 안에서 깊은 침묵에 빠져들었다.

* * *

약 50킬로미터 떨어진 곳, 수레시 발라가 헐레벌떡 뛰어와 모니카에게 전화기를 하나 내밀었다.

"이야기가 깁니다." 수레시가 가쁜 숨을 몰아쉬며 말했다. "일단 발데스피노 주교에게 온 이 문자 메시지부터 좀 읽어봐요."

"잠깐만요." 마르틴은 하마터면 그 전화기를 떨어뜨릴 뻔했다. "이게 주교님 전화기라고요?! 어떻게……."

"묻지 말고 어서 읽어요."

마르틴은 경계심을 억누르고 화면에 뜬 메시지를 읽기 시작했다. 삽시간에 그녀의 얼굴에서 핏기가 사라졌다. "맙소사, 발데스피노 주교가……."

"위험해요." 수레시가 말했다.

"하지만…… 이건 말이 안 돼요. 누가 발데스피노 주교에게 이 메시지를 보냈죠?!"

"발신 번호가 차단되었어요." 수레시가 말했다. "알아내려고 작업 중이에요."

"발데스피노는 왜 이 메시지를 삭제하지 않았을까요?"

"전혀 모르겠어요." 수레시가 대답했다. "방심해서? 오만해서? 삭제된 다른 메시지들을 복구하고, 발데스피노가 누구와 메시지를 주고받았는지도 알아볼 생각이지만, 무엇보다 먼저 당신에게 발데스피노에 대한 소식을 전해야 한다고 생각했어요. 이에 대해 당신이 뭔가 발표를 해야 돼요."

"아뇨, 안 할 거예요!" 마르틴은 그렇게 대답했지만 아직도 정신이 멍했다. "왕궁은 이 정보를 공개하지 않을 거예요."

"그렇기는 하지요. 하지만 우리가 안 해도 누군가가 곧 할 겁니다."
수레시는 컨스피러시넷에 지속적으로 정보를 주고 있는 monte@
iglesia.org라는 제보자에게서 직접 이메일을 받고 발데스피노의 전
화기를 뒤져보았다고 설명한 뒤, 만약 이 사람이 본격적으로 행동을
시작하면 머지않아 주교의 문자 메시지가 세상에 알려질 것이라고
덧붙였다.

마르틴은 눈을 감고, 스페인 국왕의 최측근으로 알려진 가톨릭 주
교가 오늘 밤의 반역과 살인 사건에 직접적으로 연루돼 있다는 명백
한 증거가 알려질 경우 세간의 반응이 어떨지 상상해보려고 애썼다.

"수레시." 마르틴이 천천히 눈을 뜨며 나직한 목소리로 말했다.
"이 '몬테'라는 제보자의 정체를 알아내야 해요. 할 수 있겠어요?"

"노력해보지요." 그다지 자신 없는 목소리였다.

"고마워요." 마르틴은 주교의 전화기를 그에게 돌려주고 서둘러
문 쪽으로 다가갔다. "그 메시지 캡처해서 하나 보내줘요!"

"어디 가는데요?" 수레시가 외쳤다.

모니카 마르틴은 대답하지 않았다.

65

성가족성당 사그라다 파밀리아는 바르셀로나 중심부의 한 블록 전체를 차지하고 있다. 그 거대한 규모에도 불구하고 이 성당은 거의 무중력 상태로 지상에서 떠 있는 것처럼 보이는데, 우아한 첨탑들이 무리를 이룬 채 별로 힘들이지 않고 스페인의 하늘로 쭉쭉 뻗어 올라간 모습이다.

구멍이 숭숭 뚫린 이 섬세한 탑들은 높이가 제각각이어서, 한 장난기 많은 거인이 아무렇게나 쌓아놓은 모래성 같은 인상을 주기도 한다. 완공되면, 열여덟 개의 첨탑 가운데 가장 높고 워싱턴기념탑보다 더 높은 170미터의 첨탑이, 바티칸의 산피에트로대성당을 30미터 이상의 넉넉한 차이로 제치고 사그라다 파밀리아를 세계에서 제일 높은 성당으로 만들어줄 것이다.

성당의 본체는 세 개의 거대한 파사드로 둘러싸여 있다. 동쪽에는 화려한 색채를 자랑하는 '탄생의 파사드'가, 중간중간 다채로운 색상의 식물과 동물, 과일과 사람 등이 돋아난 공중 정원처럼 하늘로 올라간다. 서쪽에 자리한 '수난의 파사드'는 이와 극명한 대조를 이루는데, 힘줄이나 뼈를 연상케 하는 거친 돌들이 뼈대를 이룬다. 남쪽에는 악마와 우상, 죄악 등이 혼란스럽게 뒤엉켜 올라가다가 그 위에 좀 더 고상한 승천과 미덕, 천국 등의 상징에게 자리를 내주는 '영광의 파사드'가 자리하고 있다.

조그만 파사드와 부벽, 탑 등이 그 주변을 무수히 에워싸고 있는데, 대부분 진흙 같은 물질로 덮여 있어 건물 하반부가 녹아내리거나 혹은 땅에서 솟아오르는 듯한 효과를 준다. 어느 저명한 비평가는 사그라다 파밀리아의 하반부가 '섬세한 버섯 탑들이 돋아나는 썩어가는 나무 밑동' 같다고 표현한 바 있다.

가우디는 전통적인 종교 도상과 함께 자연에 대한 경외심을 담아 이 성당을 장식했는데, 이를테면 기둥을 지탱하는 거북이나 파사드에서 돋아난 나무, 심지어 건물의 외부를 기어오르는 거대한 달팽이와 개구리 등이 대표적이다.

외관도 이토록 괴이하지만, 사그라다 파밀리아의 진짜 놀라운 점은 건물 안으로 들어서야 볼 수 있다. 일단 본당 안으로 들어선 방문객들은 하나같이 입을 떡 벌린 채 고개를 뒤로 젖힌다. 비스듬하고 비비 꼬인 나무 밑동 같은 기둥들이, 나뭇가지가 얽힌 투명한 덮개 같은 기하학적 형태의 연속되는 둥근 천장을 향해 60미터 높이로 올라가고 있기 때문이다. 가우디가 '기둥의 숲'이라 표현한 이 작품은 숲을 신의 성전으로 이해했을 먼 옛날 구도자들의 마음으로 돌아가려는 의도를 반영한다.

가우디의 이 거대한 아르누보 작품이 열광적인 찬사의 대상인 동시에 냉소적인 비난의 대상이 된 것은 조금도 놀라운 일이 아니다. 어떤 이들은 '관능적이고 영적이며 유기적'이라는 찬사를 보낸 반면, 또 어떤 이들은 '천박하고 위선적이며 세속적'이라는 비난을 서슴지 않았다. 작가 제임스 미치너는 이 성당을 "세계에서 가장 괴상해 보이는 진지한 건물 중 하나"라고 묘사했고, 《아키텍처럴 리뷰》는 "가우디의 신성한 괴물"이라고 표현했다.

이 성당은 미적인 측면에서도 평범하지 않지만 재정적인 측면에서는 더욱 기이하다. 건축 비용을 전적으로 개인 기부금을 통해 마련하고, 바티칸을 비롯한 가톨릭 지도부에서 어떤 재정적 지원도 받지 않기 때문이다. 부도 위기에 몰려 공사가 중단되기까지 했음에도 불구하고, 이 성당은 거의 다원주의적인 생존 의지를 발휘해 건축 책임자의 죽음과 격렬한 내전, 카탈루냐 무정부주의자들의 테러 공격, 심지어 부지의 지반을 뒤흔든 인근 지하철 터널 굴착 공사까지 꿋꿋하게 견뎌냈다.

이처럼 다양한 역경을 뚫고, 사그라다 파밀리아는 지금도 굳건히 서 있으며 점점 완공을 향해가고 있다.

얼마 전부터는 한 해 400만 명에 달하는 방문객이 아직 완공도 안 된 이 성당을 둘러보기 위해 기꺼이 지불한 적잖은 액수의 입장료 덕분에 재정 상태가 크게 호전되었다. 현재 가우디 사망 100주기를 맞는 2026년을 목표로, 사그라다 파밀리아의 첨탑들이 새로운 활력과 희망으로 무장한 채 하늘로 올라가고 있다.

사그라다 파밀리아의 최연장자이자 주임 신부인 호아킴 베냐는 항상 웃는 동그스름한 얼굴에 동그스름한 안경을 낀, 체구는 작지만 늘 활기찬 80세의 노인이었다. 이 영광스러운 성당이 완공되는 것을 자기 눈으로 볼 때까지 사는 것이 그의 꿈이었다.

하지만 오늘 밤, 집무실에 앉아 있는 베냐 신부의 얼굴에는 웃음기가 없었다. 그는 성당 일 때문에 늦게까지 남아 있던 중 빌바오에서 벌어진 비극을 컴퓨터로 확인하고는 자리를 뜨지 못했다.

'에드먼드 커시가 살해되다니.'

베냐 신부는 지난 석 달 동안 커시와 조금 특이한 우정을 쌓아온 터였다. 그 거침없는 무신론자가 어느 날 갑자기 개인적으로 베냐를 찾아와 성당에 기부 의사를 밝힌 것이다. 그런데 그 액수가 상상을 초월할 정도라, 성당의 재정에 큰 도움이 될 것이 분명했다.

'커시의 제안은 상식적으로 납득이 안 가는 것이었어.' 처음에 베냐는 그의 숨은 의도를 의심했다. '세간의 관심을 끌고 싶은가? 아니면 성당 건축에 영향력을 행사하고 싶은 것일까?'

이 유명한 미래학자가 기부의 대가로 요구한 것은 딱 하나였다.

조건을 들은 베냐는 또 한 번 의구심을 품었다. '그게 전부라고?'

"아주 개인적인 일입니다." 커시는 그렇게 말했다. "신부님께서 기꺼이 제 청을 들어주시기를 바랍니다."

베냐는 신의를 중시하는 사람이었지만, 그 순간만큼은 악마의 농간에 놀아나는 것은 아닐까 경계심을 품었다. 자신도 모르게 커시의 숨은 의도를 찾아내려고 그의 눈을 살폈다. 그리고 베냐는 발견했다. 여유 넘치는 커시의 매력 이면에서 피로에 찌든 좌절감을 보았고, 그의 퀭한 눈과 여읜 몸은 젊은 시절 수도원에서 호스피스 상담사로 봉사한 베냐의 옛 경험을 떠올리게 했다.

'어디가 아픈 사람이다.'

베냐는 만약 에드먼드 커시가 정말로 죽음을 앞두고 있다면, 그의 기부는 지금까지 그토록 비웃어온 신에게 속죄하려는 의도가 아닐까 하는 생각마저 들었다.

'제일 독선적으로 살아온 사람일수록 죽을 때는 겁쟁이가 되는 법이지.'

베냐는 초기 기독교의 복음주의자 성 요한을 떠올렸다. 그는 믿지 않는 자들에게 예수 그리스도의 영광을 경험하라고 설득하는 일에 평생을 바쳤다. 커시 같은 무신론자가 예수의 성소를 짓는 일에 참여하고 싶다는 뜻을 밝혔다면, 그것을 거부하는 일이야말로 비기독교적일 뿐 아니라 인간적으로도 가혹한 처사일 것이다.

게다가 베냐는 성당의 건축 기금을 마련해야 하는 부담을 안고 있었고, 노골적인 무신론자로 살아온 커시의 이력 때문에 그가 제안한 거액의 기부금을 거절했다는 사실을 동료들에게 털어놓을 엄두가 나지 않았다.

결국 베냐는 커시의 제안을 받아들였고, 두 사람은 따뜻한 악수를 나누었다.

그게 석 달 전의 일이었다.

오늘 밤, 베냐는 구겐하임에서 벌어진 커시의 프레젠테이션을 지켜보았다. 처음에는 그가 여전히 반종교적인 태도를 취하고 있다는 사실에 당혹감을 느꼈고, 그다음에는 그의 베일에 싸인 발견에 호기심을 느꼈으며, 종내에는 에드먼드 커시가 흉탄에 맞아 쓰러지는 것을 보며 커다란 두려움을 느꼈다. 그 여파로 베냐는 컴퓨터 앞에 붙박인 채, 경쟁이라도 하듯 걷잡을 수 없이 퍼져나가는 온갖 음모론의 포로가 되어 있었다.

베냐는 무거운 마음으로 가우디가 설계한 '기둥의 숲' 속에 홀로 조용히 앉아 있었다. 오늘은 이 신비로운 숲조차도 그의 혼란스러운 마음을 가라앉히는 데 별 도움이 되지 않았다.

'커시는 뭘 발견한 걸까? 누가 그를 죽였을까?'

베냐 신부는 눈을 감고 애써 생각을 정리해보았지만, 의문은 좀처럼 가라앉지 않았다.

'우리는 어디에서 왔는가? 우리는 어디로 가는가?'

"'우리는 신에게서 왔다!" 베냐는 큰 소리로 외쳤다. "그리고 신에게로 돌아간다!"

무심코 그렇게 외치니, 자신의 목소리가 가슴속에 강력한 울림으로 전해져 성당 전체가 떨리는 것 같았다. 갑자기 밝은 빛 한 줄기가 수난의 파사드 위의 스테인드글라스를 뚫고 내려와 성당을 훑었다.

깜짝 놀란 베냐 신부가 벌떡 일어나 비틀거리며 창가로 다가가자, 천상의 빛이 색유리를 비추며 내려오고 성당 전체가 천둥소리 같은 굉음에 휩싸였다. 그가 문을 박차고 뛰어나가자 귀가 먹먹할 정도로 거센 광풍이 몰아쳤다. 왼쪽으로 고개를 들어보니, 거대한 헬리콥터 한 대가 날카로운 탐조등으로 건물 전면을 훑으며 하늘에서 내려오고 있었다.

베냐는 헬리콥터가 공사 현장 북서쪽 모퉁이에 설치된 울타리 안쪽에 내려앉는 것을 넋 나간 사람처럼 바라보았다.

바람과 소음이 어느 정도 잦아들자, 헬기에서 네 사람이 내려 사그라다 파밀리아 정문 앞에 서 있는 베냐 신부에게 다가왔다. 베냐는 앞장선 두 사람이 조금 전 방송에 나온 이들임을 한눈에 알아보았다. 한 사람은 미래의 스페인 왕비였고, 또 한 사람은 로버트 랭던 교수였다. 그 뒤로 로고가 새겨진 블레이저 차림의 건장한 남자 두 명이 따라왔다.

얼핏 봐도 랭던이 암브라 비달을 납치했다는 주장은 사리에 맞지 않아 보였다. 미국인 교수 옆에 바짝 붙어 베냐 신부를 향해 다가오는 암브라 비달의 모습은 누가 봐도 납치를 당한 사람 같지 않았다.

"신부님!" 암브라가 손을 흔들며 외쳤다. "성스러운 곳을 이렇게 요란하게 찾아와서 죄송해요. 신부님과 당장 나눠야 할 얘기가 있어요. 아주 중요한 일이에요."

베냐는 대답하려고 입을 열었지만, 난데없이 들이닥친 방문객들의 기세에 말이 나오지 않아 그냥 고개만 끄덕였다.

"정말 죄송합니다, 신부님." 로버트 랭던이 그 특유의 상대를 안심시키는 미소를 지으며 말했다. "우리가 굉장히 이상하게 보인다는 건

압니다. 혹시 우리가 누군지 아십니까?"

"물론이지요." 베냐가 대답했다. "하지만 내가 알기로……."

"잘못된 정보예요." 암브라가 얼른 끼어들었다. "저한테는 아무 일도 없어요. 정말이에요."

그때 공사용 철책 바깥에 있던 경비원 두 명이 갑자기 나타난 헬리콥터에 깜짝 놀라 보안용 회전문을 밀고 안으로 뛰어들었다. 그들은 베냐 신부를 발견하자 황급히 그쪽으로 달려왔다.

이내 블레이저 차림의 두 남자가 그들을 향해 돌아서더니, '정지'를 뜻하는 만국 공용의 몸짓으로 손바닥을 펼쳐 보였다.

경비원들이 당황한 표정으로 멈춰 서서 베냐 신부를 바라보며 지시를 기다렸다.

"¡Tot està bé!" 신부가 카탈루냐어로 말했다. "Tornin al seu lloc." '아무 일도 아닐세! 위치로 돌아가게.'

경비원들은 불안한 눈빛으로 불청객들의 눈치를 살폈다.

"Són els meus convidats." 베냐가 한결 단호하게 말했다. '그들은 내 손님이야.' "Confio en la seva discreció." '어디 가서 얘기하지 말게.'

경비원들은 여전히 어리둥절한 표정이었지만, 하는 수 없이 들어온 문을 통해 다시 철책 바깥으로 나갔다.

"고마워요." 암브라가 말했다. "정말 감사합니다."

"나는 호아킴 베냐 신부입니다." 그가 말했다. "무슨 일인지 얘기해보세요."

로버트 랭던이 앞으로 나서며 악수를 청했다. "베냐 신부님, 저희는 과학자 에드먼드 커시가 갖고 있었던 귀한 책을 한 권 찾고 있습니다." 랭던은 그렇게 말하며 우아한 카드를 꺼내 신부에게 건넸다. "이 카드에 따르면 그 책이 이 성당에 대여된 것으로 되어 있어서요."

베냐는 아직도 이들의 극적인 등장에 정신이 약간 멍했지만, 랭던이 내민 상아색 카드를 한눈에 알아보았다. 똑같은 카드 한 장이 몇 주 전 커시가 가져다준 책에 딸려 왔었다.

〈윌리엄 블레이크 전집〉.

에드먼드는 사그라다 파밀리아에 거액의 기부금을 내는 조건으로 블레이크의 그 책을 이 성당 지하 예배당에 전시해달라고 했다.

'이상한 요구지만, 안 될 이유는 없지.'

또 하나 커시가 부탁한 것이 있었다. 카드 뒷면에 적힌 것과 마찬가지로, 항상 163페이지가 펼쳐진 채로 이 책을 전시해달라는 것이었다.

66

사그라다 파밀리아에서 북서쪽으로 8킬로미터쯤 떨어진 지점, 아빌라 제독은 우버 택시의 앞 유리 너머로 발레아레스해의 시커먼 바닷물과 대비되어 더욱 화려하게 반짝거리는 도심의 불빛을 바라보았다.

'드디어 바로셀로나로군.' 아빌라는 속으로 중얼거리며, 지시에 따라 리젠트에게 전화를 걸기 위해 휴대전화를 꺼냈다.

리젠트는 첫 번째 신호음이 끝나기도 전에 전화를 받았다. "아빌라 제독. 어딥니까?"

"도시 외곽에 도착했습니다."

"시간을 잘 맞췄군요. 조금 전에 아주 골치 아픈 소식이 들어왔습니다."

"말씀하십시오."

"뱀의 머리는 당신이 아주 성공적으로 제거했습니다. 그런데 우려한 대로 기다란 꼬리가 아직도 위험스럽게 꿈틀거리고 있어요."

"어떻게 하면 됩니까?" 아빌라가 물었다.

리젠트가 계획을 털어놓자 아빌라는 놀라움을 감추지 못했다. 적어도 오늘 밤에는 더 이상 죽어나가는 사람이 없을 거라고 생각했던 것이다. 하지만 이의를 제기할 생각은 없었다. '나는 일개 보병일 뿐이다.' 아빌라는 그 점을 다시 상기했다.

"이번 임무는 꽤 위험할 수도 있습니다." 리젠트가 말했다. "만약 체포되면 손바닥의 문신을 보여주세요. 금방 자유의 몸이 될 테니까. 도처에 우리의 영향력이 미칩니다."

"체포될 생각 없습니다." 아빌라는 자신의 문신을 내려다보며 말했다.

"좋습니다." 리젠트는 섬뜩하리만치 무뚝뚝한 말투로 말했다. "모든 게 계획대로 진행되면 이제 곧 그 두 사람은 죽을 것이고, 전부 깨끗하게 마무리될 것입니다."

그것으로 통화는 끊겼다.

돌연한 침묵 속에서, 아빌라는 눈을 들어 지평선에서 가장 환하게 빛나는 지점을 바라보았다. 공사 현장의 불빛에 휩싸인 기형적인 첨탑들의 무리가 끔찍한 모습을 드러내고 있었다.

'사그라다 파밀리아.' 아빌라는 그 기괴한 실루엣에 몸서리쳤다. '우리의 믿음을 박해하는 자들의 성소.'

아빌라는 바르셀로나의 저 유명한 성당이 진보적 가톨릭 앞에 무릎을 꿇고 수천 년에 걸친 신앙의 본질을 자연 숭배, 유사 과학, 그노시스 이단의 혼종으로 제멋대로 왜곡한 나약함과 도덕적 타락의 기념탑이라고 믿었다.

'거대한 도마뱀이 그리스도의 성전을 기어오른다!'

전통의 붕괴는 두려운 일이었지만, 아빌라는 이런 두려움을 공유한 새로운 지도자들이 나타나 전통을 재건하고자 하는 움직임에서 위안을 얻었다. 아빌라는 팔마리아 교회에, 나아가 인노첸시오 14세 교황에게 헌신함으로써 새로운 삶의 이유를 발견했고, 자신이 겪은 비극을 완전히 새로운 시각으로 바라보게 되었다.

'내 아내와 아들은 전쟁의 희생자였다.' 아빌라는 생각했다. '그것은 신과 전통에 대항하는 악의 무리가 일으킨 전쟁이다. 용서만이 구원에 이르는 유일한 길은 아니다.'

닷새 전, 아빌라는 자신의 초라한 아파트에서 자고 있다가 휴대전화 메시지 수신을 알리는 요란한 신호음에 깨어났다. "이 밤중에 누가……." 아빌라는 그렇게 투덜거리며 몽롱한 눈으로 전화기를 들여다보았다.

Número oculto(발신자 차단)

아빌라는 눈을 비비고 다시 한 번 메시지를 읽었다.

Compruebe su saldo bancario(은행 잔고를 확인할 것)

'은행 잔고를 확인하라고?'

아빌라는 이건 또 무슨 사기인가 싶어 얼굴을 찌푸렸다. 그는 자리를 떨치고 일어나 주방에서 물을 한 잔 따라 마셨다. 싱크대 옆에 서니 노트북 컴퓨터가 보였다. 아무래도 계좌를 확인해보기 전에는 다시 잠이 올 것 같지 않았다.

아빌라는 쥐꼬리만 한 군인 연금 말고는 돈 들어올 데가 없음을 뻔히 알면서도 은행 웹사이트에 접속했다. 하지만 계좌 정보가 뜨자 그는 깜짝 놀라 자리를 박차고 일어나다가 애꿎은 의자를 하나 넘어뜨렸다.

'어떻게 이럴 수가!'

아빌라는 눈을 감았다가 뜨고는 새로고침 단추를 눌렀다.

잔액은 그대로였다.

떨리는 손으로 마우스를 움직여 내역을 확인한 그는 한 시간 전에 익명으로 10만 유로가 입금된 것을 보고 입을 다물지 못했다. 송금인 정보는 숫자로 처리되어 추적할 수 없었다.

'누가 보냈을까?!'

다음 순간, 휴대전화의 날카로운 진동에 아빌라의 심장이 빠르게 뛰었다. 그는 재빨리 전화기를 집어 들고 발신자 정보를 확인했다.

Número oculto

아빌라는 한참 동안 전화기를 들여다보다가 통화 단추를 눌렀다. "¿Sí(여보세요)?"

완벽한 카스티야 스페인어가 부드러운 음성으로 흘러나왔다. "안녕하십니까, 제독. 우리가 보낸 선물은 잘 받으셨지요?"

"아……. 예." 아빌라는 말을 더듬었다. "누구신지요?"

"리젠트라고 부르면 됩니다." 목소리가 대답했다. "나는 당신의 형제들, 그러니까 당신이 지난 2년 동안 열심히 출석한 성당의 신도들을 대표합니다. 우리는 그동안 당신의 실력과 충성심을 충분히 확인했습니다. 이제 당신에게 더 높은 목표를 위해 봉사할 기회를 드리고자 합니다. 성하께서 당신에게 일련의 임무를 제안하셨어요……. 신이 당신에게 내린 임무 말입니다."

이제 잠이 확 달아난 아빌라는 손바닥에 식은땀이 흐르는 것을 느꼈다.

"우리가 입금한 돈은 당신의 첫 번째 임무에 대한 선금입니다." 목소리가 말을 이었다. "당신이 그 임무를 수행하기로 결심한다면, 우리 중 최고 서열로 올라설 자격을 갖추었음을 입증할 기회를 잡는 셈입니다." 그는 잠시 쉬었다가 말을 이었다. "우리 교회에는 세상 사람들에게는 보이지 않는 강력한 위계질서가 있습니다. 우리는 당신이 우리 조직의 최상부에 어울릴 자산이라고 믿어요."

높은 자리에 오를 수 있다니 흥분되었지만, 한편으로는 경계심이 일었다. "어떤 임무입니까? 만약 내가 그 임무를 맡지 않겠다고 하면 어떻게 됩니까?"

"어떤 결정을 내리든 당신에 대한 판단에는 변함이 없을 테니, 우리가 입금한 돈은 비밀을 지키는 대가라 생각하고 그냥 받아두면 됩니다. 합리적인 제안 아닙니까?"

"아주 관대하시군요."

"우리는 당신을 좋아합니다. 당신을 돕고 싶어요. 그래서 말인데, 교황의 임무가 꽤나 어려울 것이라는 점을 미리 경고하고 싶습니다." 목소리는 또 잠시 끊겼다 이어졌다. "폭력이 수반될지도 모르고요."

아빌라의 몸이 뻣뻣해졌다. '폭력?'

"아빌라 제독, 악의 세력은 나날이 강해지고 있습니다. 신께서는 지금 전쟁을 치르고 있고, 전쟁에는 희생이 따르기 마련입니다."

아빌라는 자신의 가족을 죽음으로 내몬 폭탄을 떠올렸다. 생각만 해도 몸이 떨렸지만, 아빌라는 어두운 기억을 떨쳐내려 애썼다. "송구하지만, 제가 폭력적인 임무를 수행할 수 있을지⋯⋯."

"교황께서 당신을 직접 지목하셨습니다, 제독." 리젠트가 속삭였다. "당신이 이번 임무에서 표적으로 삼을 인물은⋯⋯ 당신의 가족을 살해한 자예요."

67

　마드리드 왕궁의 1층에 위치한 무기고는 우아한 아치형 천장과 스페인 역사 속 유명한 전투 장면을 담은 장엄한 태피스트리가 걸린 높다란 진홍색 벽이 아주 인상적인 공간이다. 100벌이 넘는 수제 갑옷들이 사방을 에워싸고 있는데, 값을 매기기 힘든 이 골동품에는 선왕들이 쓰던 '장비'와 전투복도 포함되어 있다. 방 한복판에는 전투 채비를 완료한 실물 크기의 말 인형 일곱 개가 버티고 있었다.

　'그들이 나를 이곳에 가두기로 결정한 건가?' 가르사는 사방에 가득한 무기들을 바라보며 생각에 잠겼다. 이 무기고가 왕궁에서 가장 보안이 철저한 곳 가운데 하나이긴 하지만, 가르사는 그를 체포한 자가 그를 겁주려고 이 아름다운 방을 선택했나 싶었다. '내가 이 방에서 채용됐는데.'

　근 20년 전, 가르사는 이 위압적인 방으로 안내되어 면접과 대질과 심문을 거친 끝에 왕실 근위대 사령관이라는 자리를 얻었다.

　그런 그를, 그가 지휘하던 요원들이 체포했다. '내가 암살 공모 혐의를 받고 있다고? 게다가 주교를 모함했다니?' 그런 혐의의 이면에 깔린 논리가 워낙 복잡하게 얽혀 있어 가르사는 좀처럼 실마리를 잡을 수가 없었다.

왕실 근위대 내에서는 가르사의 지위가 가장 높으니, 그를 체포하라는 명령을 내릴 수 있는 사람은 딱 한 명뿐이었다……. 바로 훌리안 왕자 본인이었다.

'발데스피노가 왕자를 홀려 나를 체포하게 만든 거야.' 가르사는 그렇게 판단했다. 오래전부터 정치 생명을 연장하는 생존의 달인이었던 발데스피노가 이토록 무모한 언론 공작까지 동원한 것을 보면 사정이 급하긴 한 모양이었다. 말하자면 가르사를 희생양 삼아 자신의 명성을 유지하려는 책략이었다. '이제는 나를 무기고에 가둬놓고 해명할 기회조차 주지 않는군.'

훌리안과 발데스피노가 손잡았다면, 가르사로서는 그들을 당해낼 재간이 없었다. 일이 이렇게 된 이상, 가르사를 도울 만한 권력자는 사르수엘라 궁전의 개인 거처에서 생의 마지막 나날을 보내고 있을 노인밖에 없었다.

스페인의 국왕.

'하지만 국왕조차 절대 발데스피노 주교나 자기 아들의 뜻을 거스르면서까지 나를 도우려 하지는 않을 것이다.' 그 정도는 가르사도 알고 있었다.

바깥에서 군중의 함성 소리가 점점 크게 들려왔고, 조만간 폭력 사태로 번질 조짐마저 감지되었다. 가르사는 그들의 외침에 귀를 기울이다가, 그 내용을 알아듣고 자신의 귀를 의심했다.

"스페인은 어디에서 왔는가?!" 군중은 그렇게 외치고 있었다. "스페인은 어디로 가는가?!"

시위대는 커시의 도발적인 질문에서 영감을 얻어 이참에 스페인 군주제의 정치적 미래를 뒤흔들 기회를 잡고 싶은 게 분명했다.

'우리는 어디에서 왔는가? 우리는 어디로 가는가?'

과거의 압제를 비판하는 스페인의 젊은 세대는 끊임없이 더 빠른 변화를 요구하고 나섰다. 이제 자기네 조국도 온전한 민주주의를 실현하는 '문명 세계'에 합류하기 위해 군주제를 철폐해야 한다는 주장이었다. 이미 지난 한 세기 동안 프랑스와 독일, 러시아, 오스트리아, 폴란드 등을 비롯해 50개 넘는 나라가 왕좌를 없앴다. 심지어 영국조차 지금의 여왕이 죽으면 군주제의 존폐를 놓고 국민투표를 실시해야 한다는 여론에 시달리고 있었다.

불행히도 오늘 밤, 마드리드 왕궁이 극심한 혼란에 휘말렸으니, 저 케케묵은 구호를 다시 듣게 된 것도 놀라운 일이 아니었다.

'훌리안 왕자에게 꼭 필요한 질문이로군.' 가르사는 생각했다. '왕좌에 등극할 준비를 하고 있는 마당이니.'

갑자기 무기고 반대편 끝에 있는 문이 철컥 열리더니, 근위대 요원 한 명이 얼굴을 들이밀었다.

가르사는 대뜸 그를 향해 소리쳤다. "변호사를 불러와!"

"그전에 언론에 발표할 성명서가 필요한데요?" 귀에 익은 모니카 마르틴의 목소리가 들려왔다. 왕궁 홍보 담당관이 근위대 요원 뒤를 돌아 나와 가르사를 향해 다가왔다. "가르사 사령관님, 에드먼드 커시를 살해한 범인과 공모한 이유가 뭐죠?"

가르사는 자신의 귀를 믿을 수가 없어 멍하니 그녀를 바라보았다. '죄다 미쳐버린 것 아니야?'

"사령관님이 발데스피노 주교님을 모함했다는 걸 알아요!" 마르틴은 그렇게 말하며 그를 향해 성큼성큼 다가섰다. "왕궁은 당장 사령관님의 자백을 발표해야 한다고요!"

사령관은 대답할 말이 없었다.

방을 절반쯤 가로지른 마르틴이 갑자기 뒤를 획 돌아보며 문 앞에
서 있던 젊은 요원을 노려보았다. "비공개 신문이라고 했잖아요!"

요원은 얼떨떨한 표정으로 엉거주춤 물러나 문을 닫았다.

마르틴은 다시 가르사를 향해 쿵쿵거리며 다가갔다. "당장 자백하
세요!" 그녀의 고함 소리가 둥근 천장에 메아리치는 가운데, 그녀는
가르사의 코앞에 다다랐다.

"글쎄, 자백하고 말고 할 게 없어." 가르사가 퉁명스럽게 내뱉었
다. "나는 이번 일과 아무 관계도 없다니까. 자네가 완전히 잘못 넘겨
짚은 거라고."

마르틴은 초조하게 어깨 너머를 힐끗거렸다. 그러더니 한 발 더 가
까이 다가서며 가르사의 귀에 대고 속삭였다. "저도 알아요……. 이
제부터 제 말을 아주 주의 깊게 귀담아 들으셔야 해요."

68

관심도 ↑ 2747%

🌐 ConspiracyNet.com

뉴스 속보

대립 교황의······ 피 흘리는 손바닥······ 그리고 감긴 눈······.
팔마리아 교회에서 이상한 이야기가 흘러나오고 있다.

온라인 크리스천 토론방에 올라온 게시물에 의해, 루이스 아빌라 제독
이 몇 년 전부터 팔마리아 교회 소속이었다는 사실이 확인되었다.

이 교회의 '유명 신도'로 활동하고 있는 루이스 아빌라 해군 제독은 반기
독교 세력의 폭탄 테러로 가족을 잃은 뒤 극심한 우울증에 빠져 있던 자
신의 '생명을 구해준' 이가 팔마리아 교황이라고 거듭 언급했다.

특정 종교 단체를 지지하거나 비난하지 않는다는 컨스피러시넷의 방침상, 팔마리아 교회에 대해서는 여기에 다양한 외부 링크를 걸어놓았다.

우리는 정보를 제공할 뿐이고 판단은 여러분의 몫이다.

온라인상에 떠도는 팔마리아 교회 관련 주장들은 굉장히 충격적인 것들이 많으므로 진위를 가려내기 위해 우리 사용자 여러분께 도움을 요청하는 바이다.

우리의 스타 제보자 monte@iglesia.org가 보내온 다음의 '사실'들은 오늘 밤 입수된 자료들에 비춰 볼 때 '진실'로 추정되지만, 공식 보도에 앞서 사용자 여러분께서 그에 대한 지지나 반박에 필요한 추가적인 확고한 증거를 제공해주시기 바란다.

'사실'

- 팔마리아 교황 클레멘테는 1976년 자동차 사고로 두 눈을 잃었음에도 이후 10년 동안 눈을 감은 채 강론을 계속했다.
- 시력을 상실하기 전 클레멘테 교황의 양 손바닥 성흔에서 정기적으로 피가 흐르곤 했다.
- 몇몇 팔마리아 교황은 강력한 카를로스주의 이념을 가진 스페인 군 장교 출신이었다.
- 팔마리아 교회의 신도들은 자기 가족과의 대화가 금지되어 있으며, 몇몇 신도는 경내에서 영양실조나 학대로 사망하기도 했다.
- 팔마리아 교인들에게는 (1) 팔마리아 교인이 아닌 사람이 쓴 책을 읽는 행위, (2) 팔마리아 신도가 아닌 가족의 결혼식이나 장례식에 참석

하는 행위, (3) 수영장, 해변, 권투 경기장, 댄스홀, 그 밖에 크리스마스트리나 산타클로스가 전시된 장소에 가는 행위가 금지되어 있다.
• 팔마리아 교회는 적그리스도가 2000년에 출생한 것으로 믿고 있다.
• 팔마리아 교회는 미국, 캐나다, 독일, 오스트리아, 아일랜드 등지에 거점을 두고 새로운 신도를 모집한다.

69

    암브라와 함께 베냐 신부를 따라 사그라다 파밀리아의 거대한 청동 문으로 다가서던 랭던은, 언제나 그랬듯이 그 독특한 디테일에 감탄을 금치 못했다.

    '암호의 벽이라고 해도 과언이 아니야.' 랭던은 번쩍거리는 통짜 금속판에 돋을새김한 글자들을 바라보았다. 무려 8000개가 넘는 삼차원 글자들이 금속판 위에 도도록 돌출되어 있었다. 글자들은 수평선을 이루며 흘러가, 단어들 사이를 띄우지 않은 거대한 문자판을 이루었다. 랭던은 그 텍스트가 그리스도의 수난을 적은 카탈루냐어라는 사실을 알고 있었지만, 얼핏 봐서는 NSA(미국 국가안보국)의 암호 키에 더 가까워 보였다.

    '이 성당이 각종 음모론을 자극하는 것도 무리가 아니지.'

    랭던의 시선이 어렴풋이 보이는 수난의 파사드를 더듬어 올라갔다. 주제브 마리아 수비락스의 섬뜩하고 모난 조각품들이 내려다보는 가운데, 가파르게 앞으로 기울어진 십자가에 처참하리만치 여윈 모습으로 매달린 예수는 막 도착한 방문객에게 무너져 내릴 듯 아찔한 느낌이었다.

왼쪽에는 예수에게 배신의 입맞춤을 하는 유다의 모습을 묘사한 또 한 점의 우울한 조각품이 보였다. 이 조각상 옆에는 얄궂게도 네모 칸에 숫자들이 들어 있는, 이른바 마방진(魔方陣)이 새겨져 있었다. 에드먼드는 언젠가 랭던에게 이 '마방진 상수' 33이 사실은 프리메이슨 이교도들이 '우주의 대건축가'에게 보내는 숨겨진 헌사라고 말한 적이 있었다. 프리메이슨의 최고 등급인 33단계에 다다른 사람에게만 그 비밀을 드러낸다고 하는, 전지전능한 신적인 존재가 바로 이 대건축가라는 것이다.

"재미있는 이야기로군." 그때 랭던은 웃음 지으며 말했다. "하지만 내가 보기에는 수난당할 당시 예수의 나이가 서른셋이었다는 해석이 좀 더 그럴듯한 것 같은데."

입구로 다가선 랭던은 이 성당에서 가장 무시무시한 조형물, 즉 기둥에 밧줄로 묶인 채 고통스러워하는 예수상을 발견하고 얼굴을 찌푸렸다. 얼른 위를 쳐다보니, 출입문 위에 새겨진 두 개의 커다란 그리스 문자, 알파(A)와 오메가(Ω)가 보였다.

"시작과 끝." 암브라 역시 그 글자들을 올려다보며 속삭였다. "에드먼드스러운데요."

그 말의 의미를 알아차린 랭던도 고개를 끄덕였다. '우리는 어디에서 왔는가? 우리는 어디로 가는가?'

근위대 요원 두 명을 포함한 그들 일행은 베냐 신부가 열어준, 청동 글자들의 벽에 난 조그만 문을 통해 안으로 들어갔다. 베냐가 맨 뒤에서 문을 닫았다.

정적.

어둠.

트랜셉트(십자형 교회의 팔에 해당하는 부분—옮긴이)의 남동쪽 끝에서 베냐 신부는 그들에게 놀라운 이야기를 들려주었다. 커시가 자신을 찾아와 사그라다 파밀리아에 거액의 기부금을 낼 테니, 자신이 소장하고 있는 블레이크의 책을 지하 예배당의 가우디 무덤 옆에 전시해 달라고 요청했다는 이야기였다.

'이 성당의 심장부와도 같은 곳이지.' 그런 생각을 하자, 랭던은 호기심이 치솟았다.

"에드먼드가 왜 그런 부탁을 하는지 이유를 말하던가요?" 암브라가 물었다.

베냐는 고개를 끄덕였다. "생전에 윌리엄 블레이크의 작품을 무척 좋아하셨던 어머니의 영향으로 평생에 걸쳐 가우디의 작품 세계에 열정을 갖게 되었다더군요. 그래서 어머니를 기리기 위해 가우디의 무덤 근처에 블레이크의 책을 놓았으면 한다고요. 내 입장에서도 해로울 건 없다고 생각했죠."

'에드먼드는 자기 어머니가 가우디를 좋아한다고 말한 적이 한 번도 없어.' 랭던은 아무리 생각해도 납득이 안 갔다. 더욱이 팔로마 커시는 수녀원에서 숨을 거두었다고 했으니, 스페인의 수녀가 영국의 이교도 시인을 좋아했을 가능성은 희박해 보였다. 전체적으로 꾸며낸 이야기 같았다.

"뿐만 아니라," 베냐가 말을 이었다. "내가 보기에 커시 씨는 영적 위기를 맞은 것 같았어요……. 어쩌면 건강상의 문제가 겹쳤는지도 모르고."

"이 카드 뒷면에 적힌 내용을 보면," 랭던이 카드를 들어 보이며 화제를 바꾸었다. "블레이크의 책을 특정한 방식, 그러니까 163페이지를 펼친 상태로 전시해야 한다고 되어 있네요."

"맞아요, 그렇게 하기로 했지요."

랭던은 맥박이 빨라지는 것을 느꼈다. "그 페이지에 어떤 시가 수록되어 있는지 말씀해주실 수 있을까요?"

베냐는 고개를 가로저었다. "그 페이지에는 시가 없어요."

"네?"

"그 책은 블레이크 전집이에요. 그림과 글이 함께 실려 있지요. 163페이지에는 그림 한 점밖에 없어요."

랭던은 불안한 눈길로 암브라를 바라보았다. '우리에게 필요한 것은 마흔일곱 자 시구절이지 그림이 아니야!'

"신부님." 암브라가 베냐에게 말했다. "저희가 그 책을 직접 살펴봐도 될까요?"

베냐는 잠시 고민했지만, 곧 왕비가 될 사람의 부탁을 거절하는 것은 썩 좋은 생각이 아닐 듯했다. "지하 예배당은 이쪽이에요." 베냐는 그렇게 말하며 그들 일행을 성당 한복판으로 안내했다. 두 명의 근위대 요원도 그 뒤를 따랐다.

"솔직히 말해서," 베냐가 말했다. "그렇게 거침없는 무신론자의 기부금을 받아도 되는지 좀 망설였어요. 하지만 돌아가신 어머니가 제일 좋아했던 블레이크의 그림을 전시해달라는 부탁은 조금도 해로울 게 없어 보였죠. 특히 그 그림이 하느님의 형상인 점을 고려하면요."

랭던은 자신의 귀를 의심했다. "에드먼드가 하느님의 형상을 전시해달라고 부탁했다는 말씀입니까?"

베냐는 고개를 끄덕였다. "그가 건강이 안 좋아서, 평생토록 하느님께 반대해온 삶을 속죄하려는 거라고 생각했어요." 그는 잠시 말을 멈추더니 고개를 설레설레 흔들었다. "하지만 오늘 밤 그의 프레젠테이션을 보고 나니, 솔직히 어떻게 생각해야 할지 잘 모르겠군요."

랭던은 블레이크가 남긴 수많은 하느님 그림 중에서 에드먼드가 어떤 것을 전시하고 싶어 했을지 상상해보려고 애썼다.

다 함께 본당을 향해 걸어가는 동안, 랭던은 마치 이곳을 처음 와 보는 듯한 착각에 사로잡혔다. 그는 사그라다 파밀리아의 공사가 진행되는 여러 단계에 걸쳐 이곳을 찾아왔지만 매번 낮 시간에 방문한 터라 스페인의 햇살이 스테인드글라스를 뚫고 들어와 눈부신 색채의 향연을 연출했고, 덕분에 그는 자꾸 고개를 들어 무게가 거의 느껴지지 않는 아치형 천장을 올려다보곤 했다.

'밤에는 훨씬 무거운 세계가 펼쳐지는구나.'

햇살 가득하던 숲은 어둠과 그림자가 드리워진 한밤의 밀림으로 변했고, 줄무늬가 새겨진 음침한 기둥들만 불길한 허공을 향해 뻗어 있었다.

"발밑을 조심하세요." 베냐 신부가 말했다. "돈을 아낄 수 있는 데서는 최대한 아껴야 하거든요."

랭던은 거대한 유럽의 성당들이 조명에 적지 않은 비용을 들인다는 사실을 잘 알고 있었다. 하지만 이 사그라다 파밀리아의 조명은 통로를 비추기에도 턱없이 부족했다. '건축 면적만 5600제곱미터에 달하는 건물이 풀어야 할 숙제 중 하나로군.'

트랜셉트의 중심에서 왼쪽으로 꺾으니, 바닥보다 약간 높게 설치된 제단이 시야에 들어왔다. 절제미가 돋보이는 초현대식 제단 양쪽에 하나씩 오르간 파이프가 테두리처럼 둘러 있었다. 제단에서 약 5미터 위에는 천장에 매달린 천 또는 '천개(天蓋)' 모양의 독특한 닫집이 있었는데, 이는 왕들에게 그늘을 제공하기 위해 기둥을 세우고 얹었던 의전용 덮개에서 비롯된 경의의 상징이었다.

요즘은 대부분 단단한 건축 자재로 닫집을 만들지만 사그라다 파밀리아의 경우에는 천을 선택했는데, 얼핏 제단 위의 허공에 우산 모양의 닫집이 저 혼자 떠 있는 것처럼 보였다. 이 천 밑으로는 십자가에 못 박힌 예수상이 마치 낙하산병처럼 줄에 매달려 있었다.

누군가가 이를 두고 '낙하산을 탄 예수'라고 부른 적이 있었다. 이 예수상을 다시 보니 랭던은 그 말이 이 교회에서 가장 큰 논쟁 거리 가운데 하나가 되었다는 사실이 그리 놀랍지 않았다.

베냐를 따라가는 동안 어둠은 점점 짙어졌고, 랭던은 급기야 어디가 어디인지 분간하기 힘들었다. 디아스가 작은 손전등을 꺼내 모두의 발밑을 비춰주었다. 이런 식으로 지하 예배당의 입구를 향해 나아가던 랭던은 성당 내벽을 따라 수십 미터 이상 치솟은 원기둥의 희미한 실루엣을 발견했다.

'악명 높은 사그라다의 나선 계단이다.' 랭던은 아직 한 번도 그 계단을 올라가볼 엄두를 내지 못했다.

사그라다 파밀리아의 아찔한 나선 계단은 《내셔널지오그래픽》이 선정한 '세계에서 가장 위험한 계단 20선'에 올랐는데, 캄보디아 앙코르와트 사원의 위험천만한 계단과 '악마의 솥'이라 불리는 에콰도르의 폭포 옆 이끼 낀 낭떠러지의 돌계단에 이어 3위를 차지했다.

랭던은 타래송곳처럼 위로 말려 올라가다가 어둠 속으로 사라지는 이 계단의 제일 아래쪽 몇 단을 쳐다보았다.

"바로 앞에 지하 예배당 입구가 있어요." 베냐 신부가 계단을 지나 제단 왼쪽의 캄캄한 허공을 가리키며 말했다. 몇 걸음을 더 옮기니 바닥의 구멍에서 솟아나는 듯한 희미한 금색 빛줄기가 보였다.

'지하 예배당이다.'

이윽고 일행은 완만한 각도의 아름다운 계단 입구에 다다랐다.

"두 분은 여기서 기다려줘요." 암브라가 근위대 요원들을 향해 말했다. "금방 돌아올게요."

폰세카는 불쾌한 기색이 역력했지만 아무 말도 하지 않았다.

암브라와 랭던은 베냐 신부를 따라 빛을 향해 계단을 내려가기 시작했다.

* * *

디아스 요원은 세 사람의 형체가 꾸불꾸불한 계단 아래로 사라지는 것을 지켜보며 안도의 한숨을 내쉬었다. 그렇지 않아도 암브라 비달과 폰세카 요원 사이에 긴장이 점점 고조되는 것 같아 불안하던 차였다.

'경호 대상에게서 해고 위협을 받는 게 익숙할 리 없지. 우리를 해고할 수 있는 사람은 가르사 사령관뿐이니까.'

디아스는 가르사의 체포 소식에 아직도 얼떨떨했다. 폰세카가 가르사에 대한 체포 명령을 내린 사람이 정확히 누구인지, 혹은 암브라 비달이 납치되었다는 헛소문을 퍼뜨린 사람이 누구인지 말해주지 않는 것이 왠지 꺼림칙했다.

"상황이 아주 복잡해." 폰세카는 그 말로 대답을 대신했다. "차라리 모르는 게 자네 신상에 이로울 거야."

'도대체 누가 그런 명령을 내렸을까?' 디아스는 의구심을 떨칠 수 없었다. '왕자였을까?' 훌리안 왕자가 암브라를 위험에 빠뜨릴 것이 분명한 납치극을 날조했다는 것은 말이 되지 않았다. '아니면 발데스피노?' 디아스는 발데스피노에게 그 정도의 수완이 있는지 확신이 안 섰다.

"금방 올게." 폰세카는 퉁명스러운 말투로 화장실을 다녀오겠다며 자리를 떠났다. 디아스는 그가 어둠 속으로 사라지며 전화기를 꺼내 누군가와 조용히 통화하는 것을 보았다.

심연과도 같은 성소 안에 혼자 남은 디아스는 폰세카의 수상쩍은 행동에 점점 불안해졌다.

70

　회전 반경이 넓고 우아한 나선 계단을 3층 깊이로 내려간 다음에야 랭던과 암브라는 베냐 신부와 함께 이 성당의 지하 예배당에 다다를 수 있었다.

　'유럽에서 가장 넓은 지하 예배당 가운데 하나로군.' 랭던은 드넓은 원형의 공간을 둘러보며 생각했다. 그가 기억하는 대로 사그라다 파밀리아의 지하 예배당에는 까마득한 아치형 천장과 수백 명의 신도를 위한 신도석이 마련되어 있었다. 가장자리에 일정한 간격으로 켜 놓은 석유램프의 황금색 불빛이 비비 꼬인 덩굴과 뿌리, 가지와 잎 등 자연의 이미지를 새긴 모자이크 바닥을 희미하게 비췄다.

　지하 예배당은 말 그대로 '숨겨진' 공간이었는데, 가우디가 성당 지하에 이토록 넓은 공간을 감쪽같이 숨겨놓았을 거라고는 좀처럼 상상할 수 없었다. 가우디의 장난기가 살짝 엿보이는 콜로니아 구엘 성당의 '경사진 지하 예배당'과는 달리, 이파리 달린 기둥과 뾰족한 아치, 화려하게 장식된 둥근 천장 등 근엄한 신(新) 고딕 양식의 특징들이 고스란히 드러나 보였다. 공기는 죽은 듯이 고요했고, 희미한 향 냄새가 느껴졌다.

계단을 다 내려오자 왼쪽으로 움푹 꺼져 들어간 공간이 길게 이어졌다. 옅은 색 사암 바닥에 밋밋한 회색 석판이 수평으로 놓여 있고, 램프가 그 주위를 밝혔다.

'그 사람이다.' 랭던은 비명(碑銘)을 읽어보았다.

안토니우스 가우디

가우디의 안식처를 둘러보고 있으니, 새삼 에드먼드를 잃은 상실감이 밀려왔다. 눈을 들어 무덤 위에 걸린 성모 마리아상을 올려다본 랭던은 문득 그 받침대에서 생소한 상징 하나를 발견했다.

'저게 뭐지?'

랭던은 그 상징을 주시했다.

랭던이 어떤 상징을 보고 그 정체를 알아차리지 못하는 경우는 거의 없었다. 이 상징은 그리스 문자 '람다(λ)'에 해당하는데, 랭던은 지금까지 기독교의 상징 가운데 이 문자가 사용된 것을 본 적이 없었다. 람다는 기독교보다는 과학 분야, 즉 진화론이나 입자 물리학, 우주론 같은 분야에서 흔히 쓰이는 기호였다. 더욱 이상한 것은 이 특별한 람다의 꼭대기에 기독교의 십자가가 돋아 있다는 사실이었다.

'과학이 종교를 뒷받침한다?' 랭던은 이런 상징을 한 번도 본 적이 없었다.

"저 상징이 궁금한 겁니까?" 베냐가 랭던 옆으로 다가서며 물었다. "당신뿐만이 아니에요. 많이들 묻더군요. 저건 그냥 산꼭대기의 십자가를 현대적으로 재해석한 것이죠."

랭던은 좀 더 다가선 뒤에야 상징과 더불어 금박을 입힌 희미한 별 세 개를 발견했다.

'별 세 개가 저 위치에 있다면,' 이번에는 랭던도 금방 알아차렸다. '저건 카르멜산 꼭대기의 십자가가 틀림없어.' "카르멜파의 십자가로군요."

"맞아요. 가우디의 시신이 카르멜산의 성모 마리아 밑에 누워 있는 셈이지요."

"가우디가 카르멜파였습니까?" 랭던은 이 모더니즘 건축가가 가톨릭에 대한 엄격한 해석으로 유명한 12세기 교파 카르멜파를 신봉했다고는 좀처럼 믿기지 않았다.

"그럴 리가요." 베냐 신부가 웃으며 말했다. "가우디가 아니라 말년에 그를 돌보던 사람들이 그쪽 계열이었죠. 카르멜파 수녀들이 같이 살면서 말년의 가우디를 돌봐주었거든요. 그들은 가우디가 죽어서도 자기들이 보살펴준 것을 감사히 여길 거라는 생각에 우리 성당에 이렇게 훌륭한 선물을 남긴 거예요."

"고마운 배려로군요." 랭던은 그렇게 말하며 악의 없는 상징을 잘못 해석한 스스로를 나무랐다. 하룻밤 사이에 온갖 음모론이 난무하다 보니 랭던도 헛것을 보기 시작한 모양이었다.

"저게 에드먼드의 책인가요?" 암브라가 불쑥 물었다.

랭던과 베냐는 그녀가 가리키는 가우디 무덤 오른편의 그림자를 돌아보았다.

"그래요." 베냐가 대답했다. "너무 어두워서 미안하군요."

암브라는 서둘러 진열대 쪽으로 다가갔고 랭던도 그 뒤를 따랐다. 에드먼드의 책은 이 어두컴컴한 지하 예배당 안에서도, 가우디의 무덤 오른편의 거대한 기둥 그림자 때문에 더욱 어두운 곳에 있었다.

"원래는 안내 책자를 두었는데," 베냐가 말했다. "그것들을 다른 곳으로 옮기고 커시 씨의 책을 진열했지요. 아직 아무도 모르는 것 같아요."

랭던은 얼른 비스듬한 뚜껑이 달린 상자 같은 유리 진열대 앞으로 다가가는 암브라에게 합류했다. 불빛이 너무 어두워서 잘 보이지는 않았지만, 진열대 안에 163페이지가 펼쳐진 채 놓인 커다란 책은 〈윌리엄 블레이크 전집〉이 틀림없었다.

베냐의 말대로, 그 페이지에는 블레이크의 시가 아닌 그림이 수록되어 있었다. 블레이크의 하느님 그림 중에서 어떤 것이 펼쳐져 있을지 궁금해하던 랭던의 눈에 전혀 상상도 하지 못한 삽화가 보였다.

'〈옛적부터 항상 계신 이(The Ancient of Days)〉.' 랭던은 어둠 속에서 눈을 가늘게 뜨고 블레이크의 유명한 1794년 작 판화를 들여다보았다.

그제야 랭던은 베냐 신부가 이 그림을 '하느님의 이미지'라고 표현했던 것이 떠올라 깜짝 놀랐다. 명백히, 수염과 머리칼이 하얗고 주름 많은 노인이 구름 위에 올라앉아 하늘에서 아래로 손을 뻗고 있는 이 그림은 기독교에서 묘사하는 전형적인 하느님의 모습이었다. 하지만 조금만 조사해보면 베냐의 말이 사실과 전혀 다르다는 것을 금방 알 수 있었다. 그림 속 인물은 사실 기독교의 하느님이 아니라 블레이크가 환상 속에서 만들어낸 유리즌이라는 별개의 신이고, 이 그림은 그 신이 거대한 컴퍼스로 하늘을 측정하며 우주의 과학 법칙에 경의를 표하는 모습을 그린 것이었다.

작품의 스타일이 워낙 미래주의적이어서 몇 세기 뒤 유명한 물리학자이자 무신론자인 스티븐 호킹은 이 그림을 자신의 저서 《신은 정수를 창조했다》의 표지 그림으로 선택했다. 뿐만 아니라 블레이크가 만들어낸 이 시간을 초월하는 조물주는 뉴욕 록펠러센터의 아르데코 조형물 〈지혜, 빛, 그리고 소리〉에서 고대 기하학자의 눈으로 땅을 지긋이 내려다보고 있다.

블레이크의 책을 살펴보던 랭던은 에드먼드가 이 책을 여기에 전시하기 위해 그토록 공을 들인 이유가 또다시 궁금해졌다. '순전한 복수심의 발로였을까? 가톨릭 성당의 뺨을 한 대 살짝 때려주고 싶었나?'

'종교와 맞서는 에드먼드의 투지가 사라진 게 아니었어.' 랭던은 블레이크의 유리즌을 바라보며 생각했다. 부(富)는 에드먼드에게 하고 싶은 일은 뭐든 할 수 있는 능력을 주었고, 심지어 가톨릭 성당의 심장부에 이런 신성모독적인 그림도 전시할 수 있게 해주었다.

'분노와 원한.' 랭던은 생각했다. '어쩌면 그저 단순한 이유일지도 몰라.' 그 생각이 정당하든 아니든, 에드먼드는 항상 어머니의 죽음을 종교 탓으로 돌리곤 했다.

"물론 이 그림이," 베냐가 말했다. "기독교의 하느님을 묘사한 건 아니라는 사실은 나도 잘 알아요."

랭던은 깜짝 놀라 늙은 성직자를 돌아보았다. "아, 그래요?"

"그럼요, 에드먼드도 그 점을 분명히 했어요. 굳이 그럴 필요도 없었지만. 나도 블레이크의 사상에는 꽤 익숙한 편이거든요."

"그런데도 신부님은 이 책을 전시하는 게 아무렇지도 않나요?"

"교수님." 베냐가 부드럽게 미소 지으며 속삭였다. "여기는 사그라다 파밀리아예요. 이 울타리 안에서 가우디는 신과 과학과 자연을 혼합했지요. 이 그림의 주제는 우리에게 전혀 새롭지 않아요." 신부의 눈이 비밀스럽게 반짝였다. "우리 성직자들이 모두 나처럼 진보적인 건 아니지만, 아시다시피 우리 모두에게 기독교는 여전히 진행형이거든요." 베냐 신부는 미소 띤 얼굴로 블레이크의 책을 가리키며 말을 이었다. "나는 그저 커시 씨가 자신의 플레이스홀더를 책과 함께 전시하지 않아도 된다고 한 게 다행스러울 따름이었지요. 그의 평판, 특히나 오늘 밤의 프레젠테이션을 고려하면, 사람들에게 이 그림을 진열한 이유를 어떻게 설명해야 할지 난감했을 테니까." 베냐가 한결 진지한 표정으로 덧붙였다. "그나저나 이 그림은 당신들이 찾던 게 아닌 것 같네요."

"그래요. 블레이크의 시 한 구절을 찾고 있어요."

"'호랑이여 호랑이여, 밤의 숲속에서'?" 베냐 신부가 시를 읊조렸다. "'환하게 불타는'?"

랭던은 베냐 신부가 블레이크의 이 유명한 시 첫 구절을 아는 것이 신기해서 빙그레 미소 지었다. 그 시는 무시무시한 호랑이를 만든 바로 그 신이 온순한 양도 만들었느냐고 묻는, 여섯 연의 종교적 질문으로 이루어졌다.

"베냐 신부님?" 암브라가 허리를 잔뜩 숙이고 유리 진열대 안을 유심히 들여다보며 말했다. "혹시 휴대전화나 손전등 있나요?"

"미안합니다. 안토니의 무덤에서 램프를 하나 빌려올까요?"

"그래주실래요?" 암브라가 말했다. "큰 도움이 될 거예요."

베냐는 서둘러 자리를 떴다.

그가 사라지자, 암브라는 다급하게 랭던에게 속삭였다. "교수님! 에드먼드는 이 그림 때문에 163페이지를 선택한 게 아니에요."

"무슨 뜻이죠?" '163페이지에는 그림밖에 없는데.'

"이건 아주 교묘한 미끼라고요."

"무슨 소린지 모르겠네요." 랭던은 그림을 힐끔거리며 대답했다.

"에드먼드가 163페이지를 선택한 이유는, 그 옆 페이지, 즉 162페이지가 함께 펼쳐지기 때문이에요!"

랭던은 재빨리 왼쪽으로 시선을 옮겨 〈옛적부터 항상 계신 이〉의 옆 페이지를 훑었다. 불빛이 워낙 어두워서 거기 적힌 것이 육필로 쓴 깨알 같은 글자들이라는 사실 말고는 거의 알아볼 수 없었다.

그때 베냐 신부가 돌아와 암브라에게 램프를 건넸고, 암브라는 그 빛으로 책을 비췄다. 펼친 책 위로 부드러운 불빛이 번져가는 순간, 랭던은 깜짝 놀라 숨을 멈췄다.

맞은편 페이지에는 블레이크의 모든 원본과 마찬가지로 손으로 쓴 글자들이 있었고, 여백은 조그만 그림과 테두리, 다양한 숫자 등으로 장식되어 있었다. 하지만 무엇보다 중요한 것은, 이 페이지의 글자들이 아름다운 연으로 이루어진 '시'를 만들어내고 있다는 사실이었다.

* * *

바로 위 본당에서는 디아스 요원이 자신의 파트너에 대한 의구심을 품은 채 어둠 속을 서성이고 있었다.

'지금쯤 돌아오고도 남을 시간인데.'

주머니에서 휴대전화가 진동하자 디아스는 아마도 폰세카일 거라고 생각했지만, 발신 정보를 확인해보니 전혀 예상하지 못한 이름이 떠 있었다.

모니카 마르틴

왕궁 홍보 담당관이 무슨 일로 전화했는지는 모르지만, 용건이 무엇이건 폰세카와 통화해야 마땅했다. '팀장은 폰세카잖아.'

"여보세요." 디아스는 전화를 받았다. "디아습니다."

"디아스 요원님, 모니카 마르틴이에요. 요원님과 통화하고 싶어 하는 분이 계세요."

잠시 후, 귀에 익은 목소리가 흘러나왔다. "디아스 요원, 가르사 사령관이다. 비달 관장은 무사한가?"

"예, 사령관님." 디아스는 가르사의 목소리를 듣자마자 반사적으로 차렷 자세를 취하며 대답했다. "비달 관장은 무사합니다. 현재 폰세카 요원과 제가 이곳……."

"보안이 안 되는 전화로 장소까지 얘기할 필요는 없어." 가르사가 위압적인 목소리로 디아스의 말을 가로막았다. "그곳이 안전하다면 거기 머무르게. 움직이지 말라는 뜻이야. 자네 목소리를 들으니 마음이 놓이는군. 폰세카 요원은 전화를 안 받던데. 지금 같이 있나?"

"예, 사령관님. 잠깐 통화하려고 저쪽으로 갔는데 금방……."

"기다릴 시간이 없어. 나는 지금 구금 상태고, 마르틴 양에게 전화기를 빌렸어. 내 말 잘 듣게, 디아스. 자네도 곧이곧대로 믿지는 않았겠지만, 납치 얘기는 새빨간 거짓말이야. 그것 때문에 비달 관장이 커다란 위험에 처했네."

'직접 보셨어야 했는데.' 디아스는 카사밀라 옥상에서 벌어진 그 아찔한 순간을 떠올리며 속으로 중얼거렸다.

"내가 발데스피노 주교에게 누명을 씌웠다는 보도도 마찬가지야."

"그럴 거라고 예상은 했습니다, 사령관님. 하지만……."

"지금 마르틴 양과 함께 이 사태를 수습할 최선의 방법을 찾고 있네. 하지만 그때까지 자네는 비달 관장이 사람들 눈에 띄지 않도록 만전을 기하게. 알겠나?"

"물론입니다, 사령관님. 그런데 누가 사령관님을 체포하라고 명령한 겁니까?"

"전화상으로는 얘기할 수 없네. 방금 말한 대로, 암브라 비달이 언론이나 다른 위험에 노출되지 않도록 잘 보호해. 무슨 일이 있으면 마르틴 양이 자네에게 연락할 거야."

가르사는 그 말을 끝으로 전화를 끊었고, 디아스는 홀로 어둠 속에서서 통화 내용을 이해하려고 애썼다.

그가 전화기를 다시 넣으려고 블레이저 주머니에 손을 뻗는 순간, 뒤에서 뭔가 부스럭거리는 소리가 들렸다. 그가 돌아보자 어둠 속에서 창백한 두 손이 튀어나와 디아스의 머리를 단단히 움켜잡았다. 다음 순간, 그 손이 빛의 속도로 획 돌아갔다.

디아스는 자신의 목에서 뭔가 뚝 하는 소리를 들었고, 동시에 불에 덴 듯한 열기가 머리통 속으로 솟구쳐 올라오는 느낌에 사로잡혔다.

이내 모든 것이 어둠 속으로 사라졌다.

71

 ConspiracyNet.com

뉴스 속보

커시의 메가톤급 발견에 대한 새로운 희망!

마드리드 왕궁의 홍보 담당관 모니카 마르틴은 조금 전 스페인의 왕비가 될 암브라 비달이 미국인 교수 로버트 랭던에게 납치되어 인질로 억류되어 있다고 공식 발표했다. 왕궁은 현지 경찰 당국에 왕비를 찾는 일에 협조할 것을 촉구했다.

민간인 감시자 monte@iglesia.org는 방금 다음과 같이 제보해왔다.

왕궁이 발표한 납치 혐의는 100퍼센트 거짓이다. 랭던이 바르셀로나에서 자신의 목적을 달성하는 것을 막기 위해 현지 경찰력을 이용하려는 책략에 지나지 않는다. (랭던과 비달은 여전히 커시의 발견을 온 세상에 공개할 방법을 찾을 수 있다는 희망을 품고 있다.) 만약 그들이 성공한다면, 그 즉시 커시의 발표가 생중계로 공개될 것이다. 지속적인 관심을 바란다.

믿기 힘든 주장이다! 또한 랭던과 비달이 에드먼드 커시가 시작한 일을 마무리하기 위해 도피 중이라는 사실은 우리가 최초로 공개하는 것이다. 왕궁은 그들을 막기 위해 필사적인 것으로 보인다. (이번에도 발데스 피노인가? 훌리안 왕자는 이번 사태와 어떤 연관이?)

새로운 소식이 들어오는 대로 보도하겠지만, 커시의 발견이 오늘 밤 안으로 공개될 수도 있으니 후속 보도에 관심을 기울이기 바란다.

72

훌리안 왕자는 오펠 승용차 창밖으로 스쳐 지나가는 시골 풍경을 바라보며, 주교의 수상한 행동을 이해해보려 애썼다.

'발데스피노는 뭔가를 숨기고 있다.'

발데스피노가 훌리안을 왕궁에서 은밀히 데리고 나온 게 벌써 한 시간 전이었다. 발데스피노는 그의 안전을 위한 최선의 방책이라며 이 이례적인 행동을 포장했다.

'아무것도 묻지 말고…… 자기만 믿으라고 했어.'

훌리안의 아버지가 가장 신뢰하는 측근인 발데스피노 주교는 늘 훌리안에게 삼촌과도 같은 존재였다. 하지만 훌리안은 그가 여름 별장에 몸을 숨겨야 된다고 할 때부터 의구심이 들기 시작했다. '뭔가 이상해. 전화기도, 경호원도 없이 완전히 고립됐어. 뉴스도 볼 수 없고, 내가 어디 있는지 아무도 모르잖아.'

자동차가 왕자의 저택 근처 기찻길을 덜컹거리며 지나갈 때, 훌리안은 눈앞에 펼쳐진 숲길을 말없이 바라보았다. 90미터 전방 왼편에

외딴 별장으로 이어지는, 나무가 길게 늘어선 진입로 입구가 보이기 시작했다.

그 외딴 별장을 떠올리자, 훌리안은 문득 위기감을 느꼈다. 그는 몸을 앞으로 숙여 운전대를 잡은 복사의 어깨에 손을 올렸다. "여기 잠깐 세워요."

발데스피노가 놀란 표정으로 그를 돌아봤다. "이제 거의 다…….."

"나도 뭐가 어떻게 돌아가는지 알고 싶소!" 왕자가 버럭 소리치자, 작은 차 안이 쩌렁쩌렁 울렸다.

"훌리안 왕자님, 오늘 밤처럼 떠들썩할 때일수록 왕자님은…….."

"주교님을 믿어야 한다고요?" 훌리안이 그의 말을 자르며 물었다.

"예."

훌리안은 젊은 복사의 어깨를 더욱 힘껏 잡으며 인적 없는 시골 도로의 잡초 무성한 갓길을 가리켰다. "세워요." 그가 날카로운 목소리로 명령했다.

"계속 가게." 발데스피노는 반대로 명했다. "훌리안 왕자님, 제가 다 설명…….."

"당장 차 세워!" 왕자가 작심한 듯 소리 질렀다.

복사는 얼떨결에 갓길로 운전대를 틀면서 다급하게 브레이크를 밟았다.

"잠깐 자리 좀 비켜줄래요?" 복사에게 그렇게 말하는 훌리안의 심장이 사정없이 뛰었다.

복사에게 같은 말을 되풀이할 필요는 없었다. 그는 시동을 걸어둔 채 잽싸게 차에서 내려 훌리안과 발데스피노를 뒷좌석에 단둘이 놔두고 어둠 속으로 사라졌다.

창백한 달빛 때문인지, 발데스피노의 얼굴이 잔뜩 겁에 질린 듯 보였다.

"겁날 만도 하지." 훌리안은 그 자신조차 깜짝 놀랄 만큼 권위적인 목소리로 내뱉었다. 발데스피노는 전에 없이 위압적인 훌리안의 말투에 정말로 겁먹은 듯 뒤로 몸을 뺐다.

"나는 스페인의 국왕이 될 사람입니다." 훌리안이 말했다. "오늘 밤 주교님은 내 경호원은 물론 전화기와 직원들까지 따돌린 채 뉴스도 못 듣게 하고 약혼자에게 연락도 못 하게 했어요."

"정말 죄송……." 발데스피노는 이번에도 말을 끝맺지 못했다.

"죄송하다고 넘어갈 일입니까." 훌리안은 오늘따라 유난히 왜소해 보이는 주교를 노려보며 그의 말을 가로막았다.

발데스피노는 천천히 숨을 고른 뒤, 어둠 속에서 훌리안을 똑바로 바라보았다. "저도 연락을 받은 지가 얼마 되지 않습니다, 훌리안 왕자님. 게다가……."

"누구한테서 연락을 받았다는 말입니까?"

주교는 한참을 망설였다. "왕자님의 아버님 말입니다. 폐하께서 몹시 심란해하십니다."

'아버님이?' 훌리안은 불과 이틀 전에 사르수엘라 궁에서 아버지를 만났는데, 그때만 해도 아버지는 점점 악화되는 건강 상태와는 별개로 기분은 아주 좋아 보였다. "뭘 심란해하신다는 겁니까?"

"불행하게도, 폐하께서 에드먼드 커시의 방송을 보셨습니다."

훌리안은 자신도 모르게 어금니를 악물었다. 그의 아버지는 병세가 깊어진 뒤로 거의 온종일 잠을 잤으니, 그 시간에 깨어 있었을 리가 없었다. 게다가 국왕은 침실은 잠자고 책 읽는 신성한 공간이라는 이유로 왕궁의 침실에 텔레비전이나 컴퓨터를 들이지 않았다. 그를 돌보는 직원들도 그가 침대에서 나와 무신론자의 쇼를 지켜보도록 내버려둘 만큼 어리석지 않았다.

"다 제 탓입니다." 발데스피노가 말했다. "폐하께서 워낙 세상과 격리된 채 지내시는 것 같아서 제가 몇 주 전에 태블릿 컴퓨터를 하나 마련해드렸습니다. 폐하께서는 문자 메시지와 이메일 주고받는 법을 배우셨지요. 그러다가 우연히 그 태블릿으로 커시의 프레젠테이션을 보신 모양입니다."

홀리안은 살날이 얼마 안 남은 자신의 아버지가 가톨릭을 못 잡아 먹어 안달하다가 결국은 비참한 유혈 사태로 막을 내린 그 방송을 봤다고 생각하니 속이 울렁거렸다. 국왕은 그럴 시간에 자신이 이 나라를 위해 이뤄놓은 수많은 업적을 돌아봤어야 했다.

"왕자님도 짐작하시겠지만," 어느 정도 안정을 되찾은 발데스피노가 말했다. "폐하께서는 여러 가지를 우려하고 계십니다. 그중에서도 커시가 언급한 내용, 그리고 왕자님의 약혼자가 기꺼이 그 행사를 주관하기로 마음먹은 사실을 크게 심란해하시더군요. 미래의 왕비께서 왕자님께…… 그리고 왕궁 전체에 행여 좋지 않은 영향을 미치지는 않을지……."

"암브라는 누구보다 독립심이 강한 여자예요. 아버님께서도 그 사실을 잘 아시죠."

"그럼에도 불구하고 폐하께서는 근래 보기 드물게 또렷하고 진노한 음성으로 제게 전화하셨어요. 왕자님을 당장 모셔 오라고."

"그런데 왜 여기로 왔죠?" 홀리안이 별장 진입로를 가리키며 물었다. "아버님은 사르수엘라에 계시잖아요."

"지금은 아닙니다." 발데스피노가 조용히 대답했다. "폐하께서 보좌관과 간호사 들에게 이르시기를, 당신께 옷을 입히고 휠체어에 태워서 조국의 역사와 함께 마지막 나날을 보낼 수 있는 곳으로 거처를 옮기라고 말씀하셨거든요."

주교의 말을 듣고서야 홀리안은 진실을 깨달았다.

'별장은 애초부터 우리의 목적지가 아니었어.'

훌리안은 전율하며 주교에게서 눈을 돌려 별장 진입로 너머 뻗어 있는 시골길을 응시했다. 멀리 나무들 사이로 거대한 건물의 환한 첨탑이 눈에 들어왔다.

'엘에스코리알.'

불과 1.5킬로미터 떨어진 아반토스산 기슭에 마치 견고한 요새처럼 우뚝 버티고 선 그것은 세계에서 가장 큰 종교 건축물 가운데 하나이자 스페인의 전설 엘에스코리알이었다. 건평만 3만 제곱미터가 넘는 이 건물은 수도원과 성당, 왕궁과 박물관과 도서관, 그리고 훌리안이 지금까지 본 어떤 것보다도 무시무시한 무덤을 한데 모아놓은 곳이었다.

'왕가의 묘지.'

훌리안의 부친은 고작 여덟 살 된 그를 이 묘지로 데려와 왕실 손녀들의 무덤이 즐비한 묘실군 '판테온 데 인판테스'를 구경시켰다.

훌리안은 이곳에서 그 끔찍한 '생일 케이크' 무덤을 본 기억을 결코 잊지 못할 터였다. 여러 겹 쌓아 올린 케이크처럼 생긴 크고 둥그런 묘에 모두 60구에 달하는 왕실 자손의 유해가 안치되어 있는데, 그들은 모두 '케이크' 옆면에 달린 '서랍' 속에서 영원한 안식을 취하고 있었다.

이 섬뜩한 무덤을 보고 느낀 훌리안의 공포는 잠시 후 그의 아버지가 그를 어머니의 마지막 안식처로 데려갔을 때 느낀 공포에 금세 가려졌다. 훌리안은 왕비에게 걸맞은 대리석 무덤을 기대했지만, 어머니의 유해는 기다란 복도 한쪽 끝 석실에 동그마니 놓인, 지극히 평범한 납 상자 속에 누워 있었다. 왕은 훌리안에게 어머니는 지금 '푸드리데로(pudridero)', 즉 '부패의 방'에 안치된 상태라고 설명했다. 왕족의 시신은 살이 모두 썩어 먼지가 될 때까지 30년 동안 방치했다가, 때가 되면 영구적인 묘로 옮긴다는 것이었다. 훌리안은 눈물을 삼키며 토하고 싶은 충동을 억누르려고 안간힘을 썼다.

다음으로 훌리안의 부친은 그를 캄캄한 땅속으로 영원히 내려갈 것만 같은 가파른 계단 꼭대기로 데려갔다. 그곳의 벽과 계단은 더 이상 하얀 대리석이 아닌 웅장한 분위기의 호박색이었다. 세 단마다 하나씩 놓인 봉헌 촛불이 깜빡거리며 황갈색 돌에 희미한 빛을 드리웠다.

어린 훌리안은 손을 뻗어 오래된 밧줄 난간을 붙잡고 아버지와 함께 깊은 어둠을 향해 한 단 한 단 내려갔다. 계단이 끝나자, 왕은 화려하게 장식된 문을 열고 옆으로 비켜서며 훌리안에게 안으로 들어가라는 몸짓을 했다.

'왕들의 영묘.' 아버지가 그 방의 이름을 말해주었다.

훌리안은 고작 여덟 살이었지만 이미 이 전설적인 방의 존재를 알고 있었다.

떨리는 걸음으로 문턱을 넘으니, 눈부신 황토색 방이 나타났다. 팔각형의 방에서는 향냄새가 났고, 머리 위의 상들리에에 켜놓은 촛불들이 깜빡거리며 고르지 않게 빛을 발하는 탓에 초점이 멀어졌다 가까워졌다 하는 느낌이 들었다. 훌리안은 그 엄숙한 공간 안에서 싸늘함과 초라함을 느끼며 방 한복판으로 다가가 천천히 주위를 둘러보았다.

여덟 면의 벽에 난 벽감에는 똑같이 생긴 검은 관들이 각기 금빛 명패를 달고 바닥에서 천장까지 층층이 쌓여 있었다. 명패에는 훌리안이 갖고 있는 역사책에 나오는 이름들이 적혀 있었다. 페르난도 왕…… 이사벨라 여왕…… 신성 로마 제국 황제 카를로스 5세…….

침묵 속에서 훌리안은 어깨에 와닿는 아버지의 다정한 손길을 느꼈고, 그 순간이 주는 무게감에 압도되었다. '언젠가는 아버님도 바로 이 방에 묻히시겠지.'

아버지와 아들은 말없이 죽음을 등진 채 계단을 올라 지상의 빛 속으로 돌아왔다. 눈부신 스페인의 햇살 아래 웅크리고 앉은 왕은 여덟 살 훌리안의 눈을 들여다보았다.

"메멘토 모리." 군주가 속삭였다. "죽음을 기억해라. 거대한 권력을 휘두르는 자에게도 삶은 한순간일 뿐이야. 죽음을 이겨내는 유일한 방법, 그것은 우리의 삶을 걸작으로 만드는 것이다. 우리는 친절을 베풀고 온전히 사랑할 모든 기회를 잡아야 한다. 너의 눈에서 네 어머니의 관대한 영혼이 보이는구나. 양심에 따라 행동해야 한다. 삶이 어두울 때는 네 마음에 길을 물어야 한다."

오랜 세월이 흐른 지금, 훌리안은 자신의 삶을 걸작으로 만들기 위해 해놓은 것이 별로 없다는 사실을 잘 알고 있었다. 솔직히 말하면 왕의 그림자를 벗어나 자기를 자기답게 만드는 일조차 버거운 처지였다.

'나는 모든 면에서 아버님께 실망을 드렸어.'

훌리안은 오래전부터 아버지의 충고를 따라 마음이 일러주는 길을 따르려고 노력했다. 그러나 그의 마음이 갈망하는 스페인은 아버지가 일궈놓은 나라와는 너무나 대조적이라, 그 길은 고난의 길이 되었다. 훌리안이 사랑하는 조국을 위해 품은 꿈은 아버지가 숨을 거두기 전까지는 차마 입에 담기조차 두려울 만큼 대담한 것이었고, 설령 아버지가 죽은 뒤라 할지라도 왕실은 물론 나라 전체가 자신의 행동을 어떻게 받아들일지 확신할 수 없었다. 훌리안은 그저 마음을 열고, 전통을 존중하며, 기다릴 수밖에 없었다.

그러나 석 달 전, 모든 것이 완전히 달라지고 말았다.

'암브라 비달을 만난 다음부터.'

쾌활하고 강인한 이 아름다운 여성은 훌리안의 세계를 완전히 뒤집어놓았다. 그녀를 처음 만나고 얼마 안 되어 훌리안은 드디어 아버지가 한 말을 이해했다. '네 마음이 일러주는 길을 따라라…… 그리고 온전히 사랑할 모든 기회를 잡아야 한다.' 사랑에 빠지는 기쁨은 훌리안이 상상조차 못 한 것이었고, 마침내 그는 자신의 삶을 걸작으로 만드는 첫걸음을 떼어놓는 희열을 느꼈다.

하지만 지금, 왕자는 곧게 뻗은 길을 멍하니 바라보며 걷잡을 수 없는 외로움과 고립감에 사로잡혔다. 아버지는 죽어가고 있고, 사랑하는 여자는 그에게 말을 하지 않으며, 조금 전에는 자신이 그토록 신뢰하던 스승 발데스피노 주교에게 대들기까지 하지 않았는가.

"훌리안 왕자님." 주교가 부드러운 목소리로 재촉했다. "그만 가셔야 합니다. 연로하신 부친께서 왕자님을 보고 싶어 하십니다."

훌리안은 아버지의 평생지기를 천천히 돌아보았다. "아버님께 남은 시간이 얼마나 되죠?" 그가 속삭였다.

발데스피노는 금방 눈물이라도 쏟을 듯 떨리는 목소리로 말했다. "폐하께서는 왕자님께 걱정 끼치지 말라고 당부하셨습니다만, 예상외로 마지막 순간이 훨씬 빠르게 다가오고 있음을 느낍니다. 폐하께서는 작별 인사를 나누고 싶어 하세요."

"왜 진작 어디로 가는지 말하지 않았죠?" 훌리안이 물었다. "왜 그렇게 숨기고 거짓말을 하셨나요?"

"죄송합니다. 선택의 여지가 없었습니다. 폐하께서 분명히 지시하셨어요. 폐하께서는 당신이 왕자님과 직접 이야기 나누시기 전까지, 왕자님께 바깥세상의 소식을 차단하라고 지시하셨습니다."

"무슨 소식을…… 차단한다는 말입니까?"

"폐하께 직접 설명을 들으시는 게 좋겠습니다."

훌리안은 한참 동안 주교를 살펴보았다. "아버님을 만나기 전에 꼭 알아야겠어요. 아버님께선 아직 정신이 맑으신가요? 합리적인 판단이 가능하신가요?"

발데스피노가 불안한 눈길로 그를 바라보았다. "왜 그런 질문을 하십니까?"

"왜냐하면," 훌리안이 대답했다. "오늘 밤 아버님의 요구가 꽤 이상하고 충동적으로 느껴져서요."

발데스피노는 슬픈 표정으로 고개를 끄덕였다. "충동적이든 아니든 왕자님의 부친께서는 아직 이 나라의 국왕이십니다. 나는 그분을 사랑하고, 그분의 명령을 따릅니다. 우리 모두 마찬가지겠지만요."

73

진열대 앞에 나란히 선 로버트 랭던과 암브라 비달은 희미한 석유 램프 불빛에 비친 윌리엄 블레이크의 원고를 들여다보았다. 베냐 신부는 물러나 신도석을 정리하며 점잖게 자리를 비켜주었다.

랭던은 깨알 같은 손 글씨는 읽어내기 힘들었지만, 제법 큼직하게 적힌 페이지 상단의 제목은 완벽하게 알아볼 수 있었다.

네 조아들(The Four Zoas)

제목을 확인한 랭던은 한 줄기 희망을 느꼈다. 모두 아홉 개의 '밤' 혹은 장으로 나뉘는 방대한 분량의 《네 조아들》은 블레이크의 가장 많이 알려진 예언시 가운데 하나였다. 랭던은 대학 시절의 기억을 더듬어 이 시의 주제가 전통적 종교의 종말과 과학의 궁극적인 지배에 초점을 맞추고 있음을 상기했다.

랭던은 글의 연을 쭉 훑어보다가 페이지 중간쯤에서 행이 끝나며

'끝'을 의미하는 '피니스 디비시오넴(finis divisionem)'이 화려하게 스케치된 것을 발견했다.

'시의 마지막 페이지야.' 랭던은 생각했다. '블레이크의 위대한 예언시의 대단원이지.'

랭던은 더욱 눈을 가늘게 뜨고 몸을 굽혀 조그만 글자를 읽으려고 애써보았지만, 램프 불빛이 너무 어두워 도무지 보이지 않았다.

암브라는 아예 바닥에 웅크린 채 유리에 얼굴을 밀착하다시피 했다. 조용히 시를 살펴보던 그녀가 한 행을 소리 내어 읽기 시작했다. "'인간이 불구덩이 속에서 걸어 나와 악을 모두 삼켜버린다.'" 암브라는 랭던을 돌아보았다. "'악을 모두 삼켜버린다'?"

랭던은 잠시 생각에 잠기더니 살짝 고개를 끄덕였다. "블레이크가 타락한 종교의 근절을 언급한 것 같네요. 종교 없는 미래는 그의 예언에서 수없이 거론되거든요."

암브라도 희망 어린 기색을 보였다. "에드먼드는 자기가 가장 좋아하는 시구절이 꼭 실현되었으면 하는 예언이라고 했어요."

"음." 랭던이 말했다. "종교 없는 미래는 에드먼드가 원하던 것이긴 하지요. 그 행이 모두 몇 글자죠?"

암브라는 열심히 세어보더니 고개를 흔들었다. "쉰 자도 넘어요."

다시 시를 훑어보던 암브라는 잠시 후 또 뭔가를 찾아냈다. "이건 어떤가요? '인간의 확장된 시야가 경이로운 세계를 깊숙이 들여다본다.'"

"그것도 가능하겠네요." 랭던이 그 의미를 생각하며 말했다. '인간의 지성은 시간이 갈수록 계속 성장하고 진화해 더욱 깊숙이 숨어 있는 진실을 발견하게 하지.'

"이것도 글자가 너무 많아요." 암브라가 말했다. "계속 볼게요."

암브라가 시를 들여다보는 동안, 랭던은 생각에 잠긴 채 그 뒤를 서성였다. 그녀가 읽어준 구절들이 그의 마음에 깊은 울림을 남겨, 프린스턴의 '영국 문학' 수업에서 블레이크의 시들을 읽었던 아련한 기억을 떠올리게 했다.

직관상의 기억력이 작용할 때 그렇듯, 지금 랭던의 머릿속에 이미지가 생겨나기 시작했다. 이 이미지가 또 새로운 이미지를 소환하며 계속해서 연상이 이어졌다. 문득 랭던의 머릿속에 《네 조아들》을 강의하던 교수가 학생들 앞에서 오래전부터 되풀이된 질문을 던지는 장면이 되살아났다. '여러분은 어느 쪽을 선택할 건가요? 종교 없는 세상? 아니면 과학 없는 세상?' 이어서 교수는 이렇게 덧붙였다. '윌리엄 블레이크가 어느 쪽을 선호했는지는 명백합니다. 이 서사시의 마지막 행만큼 미래에 대한 그의 희망을 여실히 보여주는 대목도 없지요.'

랭던은 놀란 듯 숨을 고르고 블레이크의 시를 탐독하는 암브라를 향해 돌아섰다.

"암브라, 제일 밑으로 내려가봐요!" 그렇게 외치는 순간, 불현듯 랭던의 머릿속에 이 시의 마지막 행이 떠올랐다.

암브라의 시선이 마지막 행에 꽂혔다. 골똘히 그 행을 읽어본 암브라는 믿기지 않는 듯 눈을 휘둥그렇게 뜨고 랭던을 돌아보았다.

랭던은 그녀와 함께 시를 들여다보았다. 이미 마지막 행이 머릿속에 떠오른 터라, 이제 손으로 쓴 희미한 글자들을 무리 없이 알아볼 수 있었다.

어두운 종교는 떠나고 달콤한 과학이 지배한다.
The dark religions are departed & sweet science reigns.

"'어두운 종교는 떠나고,'" 암브라가 소리 내어 읽었다. "'달콤한 과학이 지배한다.'"

그 행은 에드먼드가 말한 '예언'일 뿐만 아니라, 오늘 밤 그의 프레젠테이션을 압축하는 한마디였다.

'종교는 시들 것이고…… 과학이 지배할 것이다.'

암브라는 조심스럽게 글자 수를 세기 시작했지만, 랭던은 굳이 그럴 필요가 없음을 알고 있었다. '바로 이거야. 의심의 여지가 없어.' 그의 마음은 이미 윈스턴에게 접속해 에드먼드의 프레젠테이션을 공개하는 데까지 가 있었다. 실현 계획은 어느 정도 섰지만, 다른 사람이 없는 데서 암브라에게 설명해야 했다.

랭던은 이제 막 되돌아온 베냐 신부를 돌아보았다. "신부님?" 그가 말했다. "여기서 할 일은 거의 끝났습니다. 올라가서 근위대 요원들에게 헬리콥터를 불러달라고 전해주시겠습니까? 당장 이곳을 떠나야 하거든요."

"그러지요." 베냐는 선선히 대답하며 계단으로 향했다. "원하는 것을 찾았기를 바랍니다. 그럼 조금 뒤 위에서 만나요."

베냐 신부가 계단 위로 사라지자 암브라가 당황한 표정으로 책에서 물러났다.

"교수님." 그녀가 말했다. "이 행은 너무 짧아요. 두 번이나 세어봤는데, 마흔여섯 글자밖에 안 돼요. 우리에겐 마흔일곱 글자가 필요하잖아요."

"뭐라고?" 랭던은 그녀에게 다가가 한 자 한 자 세어나갔다. "어두운 종교는 떠나고 달콤한 과학이 지배한다." 역시 암브라의 말대로 글자는 모두 마흔여섯 자였다. 랭던은 난감한 표정으로 다시 한 번 그 행을 읽어보았다. "에드먼드가 마흔일곱 자라고 말한 게 분명해요? 마흔여섯 자가 아니고?"

"틀림없어요."

랭던은 다시 그 행을 읽어보았다. '이 구절이 틀림없어.' 그는 생각했다. '뭘 놓치고 있는 거지?'

랭던은 블레이크 시의 마지막 행을 한 자 한 자 집중하며 다시 훑었다. 거의 끝까지 읽은 다음에야 뭔가가 눈에 들어왔다.

······& 달콤한 과학이 지배한다.
······& sweet science reigns.

"앰퍼샌드(&)." 랭던이 불쑥 내뱉었다. "블레이크가 '그리고(and)'라는 단어 대신 사용한 부호예요."

암브라는 의아한 듯 그를 돌아보더니 고개를 가로저었다. "교수님, 만약 그 기호를 '그리고'로 바꾸면······ 이 행은 마흔여덟 자가 돼요. 더 많잖아요."

'그렇지 않아.' 랭던은 미소 지었다. '이건 암호 속의 암호야.'

랭던은 에드먼드의 작지만 치밀한 복선에 혀를 내둘렀다. 이 편집증적인 천재는 누군가가 자신이 제일 좋아하는 시구절을 찾아낸다 해도 그것을 정확하게 입력할 수 없도록 아주 간단한 타이포그래피 속임수를 심어놓았다.

'앰퍼샌드 기호.' 랭던은 생각했다. '에드먼드가 그걸 기억하고 있었어.'

랭던이 기호학 강의 때 제일 먼저 가르치는 것은 언제나 앰퍼샌드의 기원에 대한 것이었다. 기호 '&' 같은 것을 '표어문자(logogram)'라 하는데, 이는 말 그대로 하나의 단어를 그림으로 나타낸 것을 의미한다. 사람들은 흔히 이 기호가 영어의 'and'라는 단어에서 비롯되었을 거라고 생각하지만, 사실은 라틴어 'et'에서 왔다. '&'의 특이한 생김새는 'E'와 'T'를 합친 결과물이다. 이 합자(合字)는 요즘도 트레뷰셋

같은 컴퓨터 글꼴로 볼 수 있는데, 이 글꼴의 앰퍼샌드 '&'는 그 라틴어 기원을 여실히 보여준다.

랭던은 앰퍼샌드를 강의한 다음 주에 이 젊은 천재가 '앰퍼샌드 집으로 전화할래(Ampersand phone home)!'라는 글자가 새겨진 티셔츠를 입고 나타났던 것을 결코 잊지 못할 것이다. 고향으로 돌아갈 방법을 찾으려는 'ET'라는 이름의 외계인이 나오는 스필버그의 영화를 패러디한 것이었다.

이제 랭던은 블레이크의 시 앞에 서서 에드먼드의 마흔일곱 자 암호를 완벽하게 마음속에 그려보았다.

thedarkreligionsaredepartedetsweetsciencereigns

'역시 에드먼드다워.' 랭던은 그런 생각을 하며 에드먼드가 암호의 보안 수준을 한 단계 강화하기 위해 동원한 속임수를 암브라에게 얘기해주었다.

그제야 진실을 알게 된 암브라는 처음 만난 이래로 가장 환하게 미소 지었다. "음." 그녀가 말했다. "에드먼드 커시가 괴짜라는 걸 한 번이라도 의심해본 적이 있었는지 모르겠어요……."

두 사람은 함께 웃음을 터뜨리며 단둘뿐인 지하실에서 안도의 한숨을 내쉬었다.

"교수님이 암호를 찾고 나니," 암브라의 목소리에 고마움이 묻어났다. "에드먼드의 전화기를 잃어버린 게 더 죄송해지네요. 전화기가 있으면 당장 에드먼드의 프레젠테이션을 공개할 수 있을 텐데요."

"당신 잘못이 아니잖아요." 랭던이 부드럽게 말했다. "그리고 아까도 말했듯이, 나는 윈스턴을 어떻게 찾아낼지 알아요."

'적어도, 알고 있다고 생각해.' 랭던은 자신이 생각한 것이 맞기를 바랐다.

랭던이 공중에서 내려다본 바르셀로나의 모습과 그들 앞에 가로놓인 수수께끼를 떠올리는 사이, 계단에서 날카로운 목소리가 울리며 지하실의 정적을 단숨에 깼다.

위에서 베냐 신부가 비명을 지르며 그들의 이름을 외치고 있었다.

74

"서둘러요! 비달 양…… 랭던 교수…… 어서 좀 올라와봐요!"

랭던과 암브라는 베냐 신부의 다급한 고함 소리를 듣고 재빨리 계단을 뛰어올라갔다. 마지막 계단을 올라선 랭던은 황급히 본당 안으로 뛰어들었지만, 이내 어둠의 장막이 드리워져 길을 잃었다.

'아무것도 안 보여!'

랭던은 지하의 석유램프 불빛에 익숙해진 눈을 다시 암흑에 익히기 위해 잔뜩 긴장한 채 조심스럽게 발을 떼어놓았다. 암브라도 그 옆으로 다가와 눈을 가늘게 떴다.

"여기예요!" 베냐 신부가 소리쳤다.

소리 나는 쪽으로 다가간 랭던과 암브라는 마침내 계단에서 흘러나오는 희미한 불빛의 가장자리에서 베냐 신부를 발견했다. 그는 바닥에 무릎을 꿇은 채 시커먼 실루엣 위에 웅크리고 있었다.

재빨리 그곳으로 달려간 랭던은 머리가 기괴한 각도로 틀어진 채 바닥에 쓰러진 디아스 요원을 발견하고 그 자리에 멈춰 섰다. 배를 바닥에 대고 엎드려 있는 디아스는 머리가 180도 돌아가고 이미 생명이 빠져나간 두 눈은 멍하니 천장을 올려다보고 있었다. 그제야 랭던은 베냐 신부가 왜 그렇게 겁에 질려 비명을 질렀는지 깨닫고 두려움에 사로잡혔다.

랭던은 한기를 느끼고 벌떡 일어나 어둠 속을 둘러보며 드넓은 성당 안의 인기척을 살폈다.

"디아스의 총." 암브라가 디아스의 빈 총집을 가리키며 속삭였다. "총이 없어졌어요." 암브라는 사방을 두리번거리며 큰 소리로 외쳤다. "폰세카 요원님?!"

그들과 얼마 떨어지지 않은 어둠 속에서 갑자기 요란한 발소리가 들리는가 싶더니, 몸을 맞부딪히며 격렬하게 싸우는 소리가 났다. 다음 순간, 난데없이 귀청을 찢을 듯한 총성이 터져 나왔다. 랭던과 암브라와 베냐 신부는 기겁하며 뒷걸음쳤고, 총소리의 여운이 가시기도 전에 누군가가 고통스러운 목소리로 외쳤다. "¡Corre!" '도망쳐요!'

이내 두 번째 총성이 폭발했고, 이어서 무언가가 바닥에 부딪히는 둔탁한 소리가 들려왔다. 누군가가 쓰러진 것이 분명했다.

랭던은 이미 암브라의 손을 잡고 그녀를 한쪽 벽 앞의 짙은 그림자 속으로 끌어당기고 있었다. 베냐 신부가 금방 그들을 쫓아왔고, 이내 세 사람은 숨죽인 채 차가운 돌벽에 몸을 웅크렸다.

랭던은 보이지 않는 눈으로 어둠을 훑으며 무슨 일이 벌어졌는지를 추측해보았다.

'누군가가 디아스와 폰세카를 죽였어! 누가 들어온 거지? 그들이 원하는 게 뭘까?'

논리적인 답은 하나밖에 없었다. 사그라다 파밀리아의 어둠 속에 잠복한 살인자는 근위대 요원 두 사람을 죽이러 온 것이 아니다……. 그의 표적은 암브라와 랭던임이 분명했다.

'누군가가 아직도 에드먼드의 발견을 묻어버리려 하고 있어.'

갑자기 성당 한복판에 환한 손전등 불빛이 나타났다. 불빛은 앞뒤로 크게 원을 그리며 그들 쪽으로 다가왔다. 랭던은 그 불빛이 도달하기까지 불과 몇 초 안 남았다는 사실을 직감했다.

"이쪽으로." 베냐 신부가 속삭이며 암브라를 붙잡은 채 벽을 따라 반대편으로 이동했다. 불빛이 점점 다가오는 가운데, 랭던도 그 뒤를 따랐다. 베냐와 암브라가 갑자기 오른쪽으로 돌더니 벽 사이에 난 공간으로 사라졌다. 서둘러 그들을 따라가던 랭던은 미처 계단을 보지 못하고 발이 걸려 휘청거렸다. 그사이에 암브라와 베냐는 계단을 올라갔고, 겨우 균형을 되찾은 랭던도 서둘러 그 뒤를 쫓았다. 슬쩍 뒤돌아보니 이제 불빛은 그들 바로 밑에서 가장 아래 계단을 비추고 있었다.

랭던은 어둠 속에서 꼼짝 않고 기다렸다.

빛은 한참 동안 그대로 있다가 다시금 점점 밝아지기 시작했다.

'이쪽으로 오고 있어!'

암브라와 베냐는 최대한 기척을 내지 않고 계단을 올라갔다. 랭던은 빙글 몸을 돌려 그들을 쫓아가려고 발을 뻗었지만 이번에도 뭔가에 발이 걸려 중심을 잃고 벽에 부딪혔다. 그제야 그는 계단이 일직선이 아니라 곡선이라는 사실을 알아차렸다. 랭던은 손으로 벽을 더듬어 방향을 감지하며 좁은 나선 계단을 따라 올라가면서 자신이 어디에 있는지를 깨달았다.

'위험하기로 악명 높은 사그라다 파밀리아의 나선 계단이다.'

랭던이 눈을 들어보니 머리 위 채광정에서 그를 에워싼 좁다란 통로를 어렴풋이 드러낼 만큼만 희미하게 빛이 새어들어오고 있었다. 좁은 통로에서 랭던은 갑자기 폐소 공포증이 밀려오는지 다리가 뻣뻣해져 계단에 멈춰 섰다.

'계속 올라가야 한다!' 랭던의 이성은 올라가라고 외쳤지만, 두려움에 사로잡힌 근육은 좀처럼 말을 듣지 않았다.

아래쪽 성소 어딘가에서 다가오는 묵직한 발소리가 들렸다. 랭던은 안간힘을 쓰며 최대한 빠르게 나선 계단을 올라갔다. 벽에 뚫린 구멍 앞을 지날 때 머리 위의 희미한 빛이 점점 밝아졌고, 랭던은 그 구멍을 통해 잠시나마 도시의 불빛을 볼 수 있었다. 구멍 앞을 지나는 순간 차가운 바람이 그를 때렸고, 다시 캄캄한 어둠이 이어지는 가운데 랭던은 계속 위로 올라갔다.

이윽고 계단에 올라서는 발소리가 들렸고, 손전등 불빛이 어지럽게 중앙의 계단통을 비췄다. 랭던이 또 하나의 구멍 앞을 지날 무렵 발소리가 커진 것으로 미루어 추격자는 더욱 속도를 내어 계단을 오르는 모양이었다.

랭던은 가쁜 숨을 몰아쉬는 암브라와 베냐 신부를 따라잡았다. 랭던은 계단 안쪽 가장자리 너머로 깊은 계단통을 내려다보았다. 거대한 앵무조개를 연상케 하는 좁고 둥근 구멍이 수직으로 뚫려 더욱 아찔했다. 안전 장치라고는 발목 높이의 턱밖에 없었는데, 그 정도로는 추락을 방지하는 데 아무런 도움이 되지 않을 듯했다. 랭던은 더욱 속이 울렁거리기 시작했다.

눈을 들어 이번에는 계단통 위쪽을 살펴보았다. 이 계단이 모두 400개가 넘는다는 얘기를 들은 적이 있었다. 아무래도 총을 든 괴한이 따라잡기 전에 꼭대기에 다다를 가능성은 전혀 없어 보였다.

"먼저 올라가요!" 베냐 신부가 숨을 헐떡이며 옆으로 비켜서더니 랭던과 암브라에게 자신을 지나가라고 재촉했다.

"안 돼요, 신부님." 암브라는 그렇게 말하며 늙은 성직자를 도우려고 손을 내밀었다.

랭던은 그런 그녀의 마음씨가 가상하게 느껴졌지만, 이 계단 위로

도망치는 것은 자살 행위나 다름없다는 결론에 도달했다. 머지않아 등에 총을 맞고 쓰러질 것이 분명했기 때문이다. 맞서 싸울 것이냐, 도망칠 것이냐의 두 가지 동물적 생존 본능 가운데, 후자는 더 이상 가망이 없어 보였다.

'절대 성공 못 해.'

랭던은 암브라와 베냐 신부를 먼저 올려 보낸 뒤 돌아서서 다리에 잔뜩 힘을 주고 계단 아래쪽을 바라보았다. 그사이 손전등 불빛이 바짝 다가와 있었다. 랭던은 벽에 등을 댄 채 어둠 속에 쪼그리고 앉아 불빛이 바로 밑 계단에 당도하기를 기다렸다. 괴한이 모퉁이를 돌아 불쑥 모습을 드러냈다. 한 손에는 손전등, 다른 한 손에는 권총을 들고 두 팔을 앞으로 뻗은 채 맹렬한 속도로 계단을 올라오고 있었다.

랭던은 본능이 시키는 대로 행동했다. 쪼그려 앉은 자세에서 반동을 이용해 몸을 솟구치며 두 발을 앞세운 채 허공으로 몸을 날린 것이다. 괴한이 랭던을 발견하고 총을 겨누려는 찰나, 랭던의 뒤꿈치가 그의 가슴팍에 꽂히면서 괴한은 벽에 부딪혔다.

이후 몇 초 동안 랭던은 정신이 흐릿했다.

랭던은 허공으로 솟구쳤던 몸이 옆으로 떨어지면서 엉덩이에 극심한 통증을 느꼈고, 괴한은 벽에 부딪혔다가 뒤로 넘어지더니 신음 소리와 함께 계단 몇 단을 굴러 내려갔다. 손전등이 바닥에 한 번 튕기고는 또르르 굴러가다 멈추더니, 랭던과 괴한의 중간쯤에 떨어진 금속성 물체를 묘한 각도로 비췄다.

'권총이다.'

두 사람은 동시에 총을 향해 몸을 날렸지만, 높은 곳에 있던 랭던이 더 유리했다. 랭던은 총을 움켜쥐고 그 자리에 멈춰 서서, 도전적으로 총구를 바라보는 괴한을 겨누었다.

랭던은 손전등 불빛에 비친 괴한의 희끗희끗한 수염과 흰 바지를 보았고…… 이윽고 그의 정체를 알아차렸다.

'구겐하임의 그 해군 장교…….'

랭던은 상대방의 머리를 향해 총을 겨눈 채 방아쇠에 검지를 걸었다. "당신이 내 친구 에드먼드 커시를 죽였어."

괴한은 가쁜 숨을 몰아쉬면서도 얼음처럼 차가운 목소리로 즉시 대답했다. "피장파장이로군. 당신 친구 에드먼드 커시는 내 가족을 죽였으니까."

75

'랭던이 내 갈비뼈를 부러뜨렸어.'

아빌라 제독은 몸에 산소를 공급하려고 숨을 쉴 때마다 에이는 듯 날카로운 통증을 느꼈다. 계단 위쪽에 웅크린 로버트 랭던은 아빌라를 내려다보며 엉성하게 쥔 권총으로 그의 복부를 겨누고 있었다.

아빌라는 군사 훈련 경험을 떠올리며 상황을 분석하기 시작했다. 상대가 무기를 가지고 있을 뿐 아니라 높은 위치에 있으니 그에게 불리한 상황인 것은 분명했다. 반면 긍정적인 점이 있다면 권총을 쥔 랭던의 엉성한 자세로 미루어 그에게 화기를 다뤄본 경험이 거의 없으리라는 사실이었다.

'그는 나를 쏠 생각이 없어.' 아빌라는 그렇게 결론 내렸다. '나를 붙잡아두고 경비원들이 도착하기를 기다리겠지.' 바깥에서 고함 소리가 들리는 것을 보니, 사그라다 파밀리아의 경비원들이 총소리를 듣고 건물 안으로 몰려드는 모양이었다.

'신속하게 움직여야 해.'

아빌라는 항복의 표시로 두 손을 들고 천천히 무릎에 체중을 실으며 전적으로 명령에 따르겠다는 뜻을 전했다.

'상대에게 싸움이 끝났다는 느낌을 주어야 한다.'

아빌라는 계단에서 굴렀음에도 불구하고 벨트 뒤쪽에 차고 있던 물체가 여전히 제자리에 있음을 확인했다. 구겐하임에서 커시를 살해한 바로 그 세라믹 권총이었다. 그는 이 성당에 들어서기 전에 마지막 남은 총알을 장전했지만, 그것을 쓸 일은 없었다. 맨손으로 근위대원 한 명을 처리한 뒤 훨씬 강력한 총을 손에 넣긴 했으나 불행하게도 이제 랭던이 그 총으로 그를 겨누고 있었다. 아빌라는 근위대원의 총에서 안전장치를 풀어놓은 것이 후회스러웠다. 아마도 랭던은 그걸 푸는 법을 몰랐을 것이다.

아빌라는 허리춤의 세라믹 권총으로 랭던에게 선제공격을 시도할 생각이었지만, 그 시도가 성공한다 해도 자신이 살 가능성은 50 대 50이라고 판단했다. 총기에 익숙하지 않은 사람들이 위험한 이유는 실수로 총을 발사하는 경우가 많기 때문이었다.

'내가 너무 빨리 움직이면……'

경비원들의 고함 소리가 점점 가까워지는 가운데 아빌라는 만일 체포될 경우 손바닥에 'victor' 문신이 있으니 무사 석방이 보장되어 있다고 믿었다. 적어도 리젠트는 그렇게 될 거라고 장담했다. 하지만 지금 왕실 근위대 요원을 둘이나 죽였으니, 과연 리젠트의 영향력이 자신을 구할 수 있을지 확신이 서지 않았다.

'나는 임무를 수행하려고 여기까지 왔다.' 아빌라는 마음을 다잡았다. '임무를 완수해야 한다. 로버트 랭던과 암브라 비달을 제거해야 한다.'

리젠트는 동쪽의 직원용 출입구를 통해 성당 안으로 진입하라고 말했지만, 아빌라는 보안 철책을 뛰어넘는 쪽을 선택했다. '동쪽 출

입구 부근에 경찰이 잠복해 있는 것을 보고…… 상황에 맞게 대처한 것이다.'

랭던은 여전히 아빌라에게 총을 겨눈 채 힘주어 말했다. "당신은 에드먼드 커시가 당신 가족을 죽였다고 했지. 그건 거짓말이야. 에드먼드는 살인자가 아니야."

'당신 말이 맞아.' 아빌라는 속으로 생각했다. '살인자보다 더 사악한 자였지.'

아빌라가 커시에 대한 어두운 진실을 알게 된 것은 한 주 전 리젠트에게서 걸려온 전화 덕분이었다. '교황께서는 당신이 유명한 미래학자 에드먼드 커시를 제거해주기를 원하십니다.' 리젠트는 그렇게 말했다. '신성한 동기는 여럿 있지만, 성하께서는 당신이 개인적으로 이 임무를 수행해주기를 바라시더군요.'

'왜 납니까?' 아빌라가 물었다.

'제독.' 리젠트가 속삭이는 목소리로 대답했다. '이런 말을 하게 되어 유감이지만, 에드먼드 커시는 당신 가족의 목숨을 빼앗은 성당 폭탄 테러에 대한 책임이 있습니다.'

아빌라는 그 말을 좀처럼 믿을 수가 없었다. 유명한 컴퓨터 과학자가 성당에 폭탄을 설치할 이유가 없다고 생각했기 때문이었다.

'당신은 군인입니다, 제독.' 리젠트가 설명했다. '그러니 누구보다 잘 알 겁니다. 전쟁터에서 방아쇠를 당긴 젊은 병사는 진짜 살인자가 아니죠. 그는 그에게 돈을 주거나, 어떤 대가를 치르더라도 명분을 지켜야 한다는 신념을 심어준 정부, 장군, 종교 지도자 같은 권력자들의 명령을 따를 뿐이니까.'

아빌라 자신도 이런 상황을 목격한 적이 있었다.

'테러에도 똑같은 논리가 적용됩니다.' 리젠트가 말을 이었다. '가장 사악한 테러리스트는 직접 폭탄을 설치한 자가 아니라, 절망에 빠진 대중에게 분노를 심어주고 부하들로 하여금 폭력을 행사하도록 영향력을 행사하는 지도자들입니다. 편협한 종교적 신념이나 국수주의, 혐오감을 불러일으켜 세상을 혼란스럽게 만드는 데는 어두운 영혼을 가진 단 한 사람이면 충분하니까요.'

아빌라는 고개를 끄덕였다.

'기독교에 대한 테러가 전 세계에서 기승을 부리고 있습니다.' 리젠트가 말했다. '이런 새로운 공격은 더 이상 전략적으로 계획된 사건이 아닙니다. 그리스도의 적들이 내놓은 감언이설에 넘어가 무기를 드는 외로운 늑대들의 자발적인 공격이지요.' 리젠트는 잠시 호흡을 가다듬고 덧붙였다. '그런 그리스도의 적들 가운데 대표적인 인물이 바로 무신론자 에드먼드 커시입니다.'

이 대목에서 아빌라는 리젠트가 진실을 왜곡하기 시작했다고 느꼈다. 커시가 스페인에서 기독교를 공격한 것은 사실이지만, 그 과학자가 기독교도를 살해하라고 말한 적은 한 번도 없지 않은가.

'내 말을 반박하기 전에,' 리젠트가 말을 이었다. '마지막으로 당신이 알아야 할 사실이 하나 더 있습니다.' 리젠트는 깊은 한숨을 내쉬었다. '아무도 모르는 사실이지만…… 당신의 가족을 죽음으로 내몬 그 사건은…… 사실 팔마리아 교회를 공격하려는 의도로 계획된 것이었습니다.'

아빌라는 그 말을 선뜻 납득할 수 없었다. 세비야성당은 팔마리아 소속이 아니지 않은가.

"폭탄 테러가 있던 날 아침," 리젠트가 말했다. "팔마리아 교회의 신실한 신자 네 명이 전도를 목적으로 세비야성당에 가 있었습니다. 테러는 그들을 목표로 한 것입니다. 당신은 그중 한 명을 알고 있죠. 바로 마르코입니다. 나머지 세 사람은 사망하고 말았습니다."

아빌라의 머릿속에서 테러 공격으로 다리를 잃은 그의 물리 치료사 마르코의 모습이 맴돌았다.

'우리의 적들은 강력하고 확실한 동기를 가지고 있습니다.' 리젠트가 말했다. '테러범은 팔마르 데 트로야에 있는 우리 본부에 접근할 방법이 없다는 걸 깨닫고, 세비야로 파견된 네 명의 선교사를 뒤쫓은 끝에 그곳에서 사건을 벌인 것입니다. 정말 유감스러운 일이지요, 제독. 이 비극이 팔마리아가 당신에게 손을 내민 이유 가운데 하나입니다. 우리는 당신의 가족이 우리를 겨냥한 전쟁의 무고한 희생자가 되었다는 사실에 책임을 느낍니다.'

'도대체 누가 우리를 겨냥한다는 말입니까?' 아빌라는 그 충격적인 주장을 이해하려 애쓰며 물었다.

'이메일을 확인하세요.' 리젠트가 대답했다.

수신함을 열어본 아빌라는 지금까지 10년 넘게 팔마리아 교회를 겨냥한 잔혹한 전쟁에 관해 서술한 충격적인 문서를 발견했다…….
갖가지 소송과 공갈에 가까운 협박, 그리고 '팔마르 데 트로야 서포트'나 '다이얼로그 아일랜드' 같은 반팔마리아 '감시 그룹'에 지원한 거액의 자금이 포함되어 있었다.

더욱 놀라운 사실은 팔마리아 교회에 대한 이 전쟁을 촉발한 것이 한 개인, 즉 미래학자 에드먼드 커시라는 점이었다.

아빌라는 이 사실에 경악했다. '왜 에드먼드 커시는 하필 팔마리아 교회를 파괴하려 하는 겁니까?'

리젠트는 교회 내부의 그 누구도, 심지어는 교황까지도 왜 커시가 그토록 팔마리아 교회에 적개심을 품었는지 알지 못한다고 했다. 그들이 아는 것이라고는 세계에서 가장 부유하고 가장 큰 영향력을 행사하는 사람이 팔마리아 교회가 무너지기 전까지 절대 포기하지 않으리라는 사실뿐이었다.

리젠트는 마지막 문서로 아빌라의 관심을 유도했다. 세비야 폭탄 테러의 범인을 자처하는 사람이 팔마리아 교회에 보낸 편지의 복사본이었다. 범인은 그 편지의 첫 줄에서 스스로를 '에드먼드 커시의 제자'라고 밝혔다. 아빌라는 그 편지를 더 읽을 필요가 없었다. 그는 분노가 치밀어 주먹을 쥐었다.

리젠트는 팔마리아 교회가 이 편지를 공개하지 않은 이유를 설명했다. 최근 들어 팔마리아 교회가 커시의 사주, 혹은 자금 지원을 받는 언론 탓에 곤욕을 치르는 경우가 많아진 상황에서 폭탄 테러와 연관이 있다는 꼬투리를 잡히지 않기 위함이었다.

'에드먼드 커시 때문에 내 가족이 죽었어.'

지금, 아빌라는 어두컴컴한 계단에서 로버트 랭던을 바라보고 있었다. 아마도 이자는 커시가 비밀리에 팔마리아 교회를 상대로 십자군 전쟁을 벌여왔다거나, 혹은 커시가 아빌라의 가족을 죽음으로 내몬 폭탄 테러를 유도했다는 사실을 모르고 있을 터였다.

'랭던이 무엇을 알건 상관없어.' 아빌라는 생각했다. '그 역시 나처럼 일개 보병일 뿐인걸. 둘 다 이 여우굴에 굴러떨어졌으니 둘 중 한 사람만 여기를 빠져나갈 수 있을 것이다. 나에게는 따라야 할 명령이 있다.'

랭던은 그보다 몇 계단 높은 곳에 서서 두 손으로 어설프게 총을 겨누고 있었다. '어리석은 선택이다.' 아빌라는 그렇게 생각하며 한 계단 아래로 조용히 내려선 다음, 발에 잔뜩 힘을 주고 랭던의 눈을 똑바로 쳐다보았다.

"믿기지 않겠지만," 아빌라가 말했다. "에드먼드 커시가 내 가족을 죽였다. 여기 그 증거가 있어."

아빌라는 손바닥을 들어 랭던에게 자신의 문신을 보여주었다. 물론 그것이 그의 주장을 증명할 수는 없었지만 의도한 효과를 내기에는 충분했다. 랭던이 문신을 향해 눈을 돌린 것이다.

아빌라는 랭던의 집중력이 흐트러진 짧은 순간에 구부러진 바깥쪽 벽을 따라 왼편으로 몸을 날렸다. 총알이 날아올 궤적을 피하기 위한 계산이었다. 정확히 아빌라의 예상대로 랭던은 움직이는 표적을 다시 조준하지 못한 채 곧장 방아쇠를 당겨버렸다. 벽력같은 총성이 좁은 계단통에 울려 퍼졌고, 아빌라는 총알이 자신의 어깨를 스치고 돌계단 바닥으로 떨어지는 것을 느꼈다.

랭던은 다시 총을 조준하려 했지만, 아빌라가 공중에서 몸을 틀어 주먹으로 랭던의 손목을 힘껏 내려쳤다. 그의 손에서 총이 튕겨 나가 한참을 날아가더니 계단 위에 떨어졌다.

아빌라는 랭던 바로 옆 계단에 쓰러지면서 가슴과 어깨에 극심한 통증을 느꼈지만, 한편으로는 아드레날린이 치솟아 그의 투지를 더욱 북돋았다. 아빌라는 랭던을 뒤에서 덮치며 허리춤의 세라믹 권총을 꺼냈다. 근위대원의 묵직한 총에 비하면 이 무기는 거의 무게가 느껴지지 않았다.

아빌라는 랭던의 가슴을 겨눈 채 망설임 없이 방아쇠를 당겼다.

총이 굉음을 뿜었지만, 평소와 달리 뭔가 깨지는 소리가 나면서 아빌라는 손이 불에 덴 듯이 화끈거리는 것을 느꼈다. 총구가 폭발한 것이다. 금속 탐지기 통과용으로 제작된 이 총은 한 발, 혹은 두 발의 사격만 가능했다. 총알이 어디로 날아갔는지 알 길이 없었지만, 아빌라는 몸을 일으키는 랭던을 보자 무기를 집어던지고 달려들었다. 두 사람은 아슬아슬한 계단 안쪽의 턱을 지척에 두고 치열한 몸싸움을 벌였다.

순간 아빌라는 승리를 확신했다.

'둘 다 맨손이군.' 그는 생각했다. '위치는 내가 유리해.'

아빌라는 이미 한가운데 뚫린 계단통을 염두에 두고 있었다. 치명적인 추락을 막아줄 아무런 안전 장치가 없었다. 이제 그는 바깥 벽에 한쪽 다리를 지렛대처럼 대고 랭던을 계단통 쪽으로 밀어붙이기 시작했다. 그의 폭발적인 완력에 랭던의 몸이 계단통 쪽으로 밀렸다.

랭던은 격렬히 저항했지만 아빌라는 유리한 고지를 차지했고, 랭던의 절망적인 눈빛에서 그가 이제 어떤 일이 벌어질지 알고 있음을 직감했다.

* * *

로버트 랭던은 생사가 달린 결정적인 선택의 순간일수록 초를 다투어 결단해야 한다는 말을 들은 적이 있었다.

수십 미터 높이에서 바닥으로 곤두박질치려는 위태로운 순간에 등이 활처럼 휘어진 채 필사적으로 저항하는 지금, 180센티미터가 넘는 그의 신장과 높은 무게중심은 치명적인 단점으로 작용했다. 그는 현재 상태에서 높이의 우위를 점한 아빌라의 완력에 힘으로 맞설 재간이 없음을 알고 있었다.

랭던은 어깨 너머로 등 뒤의 허공을 돌아보았다. 둥그런 계단통의 폭은 1미터가량에 불과했지만, 그의 몸이 곤두박질치기에는 충분한 공간이었다. 어쩌면 추락하는 내내 그의 신체 일부가 돌로 된 난간에 부닥칠지도 몰랐다.

'떨어지면 살아남을 수 없겠지.'

아빌라는 으르렁대는 고함 소리와 함께 다시 랭던을 부여잡았다. 그 순간, 랭던은 할 수 있는 일이 딱 하나임을 깨달았다.

맞서 싸우기보다 도와주는 거였다.

아빌라가 그를 들어 올리려고 힘을 모으는 순간, 랭던은 두 발로 바닥을 단단히 짚은 채 몸을 웅크렸다.

스무 살 때 프린스턴의 수영장에서 배영 시합에 참가했던 순간이 떠올랐다. 출발선에 매달리니 등에 와닿는 물이 찰랑거렸고⋯⋯ 무릎을 잔뜩 구부린 채⋯⋯ 복부에 팽팽한 긴장감을 느끼며⋯⋯ 출발 총성을 기다렸다.

'타이밍이 모든 것을 좌우한다.'

이번에는 출발 총성은 들리지 않았다. 그 대신 랭던은 잔뜩 웅크렸던 몸을 펴고 허공으로 몸을 날렸다. 그가 바깥쪽으로 날아오른 순간, 90킬로그램에 달하는 무게를 밀어내리던 아빌라가 갑작스러운 힘의 역전에 균형을 잃고 허물어지는 것을 느꼈다.

아빌라는 최대한 빠르게 손을 뗐지만, 랭던은 그가 균형을 잡으려고 두 팔로 허공을 휘저으며 처절히 몸부림치는 것을 느꼈다. 랭던은 몸이 공중에 뜬 그 짧은 순간, 1.8미터 아래의 반대쪽 계단까지 무사히 도달할 수 있기를 기도했다⋯⋯. 그러나 아무래도 역부족이었다. 랭던은 허공에서 본능적으로 몸을 최대한 웅크렸지만, 이내 수직의 돌벽을 정면으로 들이받고 말았다.

'못 넘었다.'

'이제 끝장이야.'

계단 안쪽 모서리에 부딪혔다고 생각한 랭던은 곧 이어질 추락을 받아들일 마음의 준비를 했다.

하지만 추락은 그리 오래 이어지지 않았다.

랭던은 곧장 울퉁불퉁한 계단 바닥에 떨어지며 머리를 크게 부딪쳤다. 엄청난 충격에 정신을 잃기 직전이었지만, 그 짧은 순간에도 랭던은 자신이 통로를 완전히 건너뛰어 반대쪽 벽에 부딪힌 다음 아래 계단으로 떨어진 것을 알아차렸다.

'총을 찾아야 해.' 랭던은 오로지 그 일념으로 가물거리는 의식을 붙들었다. 당장이라도 아빌라가 날아와 덮칠 거라고 생각했기 때문이었다.

하지만 이미 늦었다.

뇌가 작동을 멈춰가고 있었다.

눈앞이 아득해지는 순간, 랭던은 마지막으로 이상한 소리를 들었다……. 뭔가가 어디에 쿵 부딪히는 소리가 나는가 싶더니, 비슷한 소리가 점점 멀어지며 여러 차례 이어졌다.

지나치게 큰 쓰레기봉투가 수직의 쓰레기 수거용 터널 벽을 때리며 떨어지는 장면이 떠올랐다.

76

자동차가 엘에스코리알의 정문 앞으로 다가가자, 훌리안 왕자는 눈에 익은 하얀 SUV가 줄지어 서 있는 것을 보고 발데스피노의 말이 사실이었음을 직감했다.

'아버지가 정말로 여기 계시는구나.'

모인 차량들만 봐도 국왕을 경호하는 왕실 근위대 전체가 이 역사적인 왕실의 거처에 집결해 있음을 알 수 있었다.

복사가 차를 세우자, 손전등을 든 요원 한 명이 다가와 차 안을 비춰보고는 깜짝 놀라 물러섰다. 이 초라한 자동차 안에 왕자와 주교가 타 있을 줄은 꿈에도 몰랐을 터였다.

"전하!" 요원이 재빨리 차렷자세를 취하며 말했다. "기다리고 있었습니다." 그러면서 그는 낡은 차 안을 힐끔 들여다보았다. "경호 병력은 어디 있습니까?"

"왕궁에서 근무하고 있지요." 왕자가 대답했다. "아버님을 봬야겠어요."

"아, 물론입니다! 전하와 주교님께서 차에서 내리시면……."

"바리케이드나 치우게." 발데스피노가 꾸짖듯이 말했다. "그냥 이 차를 타고 들어갈 테니. 폐하께서는 수도원의 병실에 계신가?"

"예, 거기 계셨습니다." 근위대원이 머뭇거리며 대답했다. "하지만 지금은 돌아가셨습니다."

발데스피노가 깜짝 놀라며 짧은 신음을 토했다.

훌리안은 한기에 휩싸였다. '아버님이 돌아가셨다고?'

"아니, 제 말은 그, 그런 뜻이 아닙니다. 죄송합니다!" 요원은 말을 더듬거리며 부적절한 어휘 선택을 후회했다. "폐하께서는 한 시간 전에 엘에스코리알을 떠나셨습니다. 핵심 경호 요원만 데리고 가셨습니다."

훌리안의 안도감은 이내 의구심으로 바뀌었다. '이곳 병실을 떠나셨다고?'

"말도 안 되는 소리." 발데스피노가 버럭 고함을 질렀다. "폐하께서 나더러 훌리안 왕자님을 당장 여기로 모셔 오라셨네!"

"예, 저희도 지시를 받았습니다, 주교님. 이 차에서 내리시면 저희가 근위대 차량으로 두 분을 모시겠습니다."

발데스피노와 훌리안은 어리둥절한 표정으로 서로를 바라보다가 하는 수 없이 차에서 내렸다. 요원은 복사에게 이제 네 할 일은 끝났으니 왕궁으로 돌아가라고 일렀다. 겁에 질린 젊은 복사는 오늘 밤의 이 기이한 일에서 자기 역할이 끝났다는 데 안도하며 군소리 없이 차를 돌려 어둠 속으로 사라졌다.

근위병들의 안내로 왕자와 함께 SUV 뒷자리에 오른 발데스피노의 얼굴이 점점 상기되었다. "폐하는 어디 계신가?" 그가 물었다. "우리를 어디로 데려가는 거지?"

"폐하께서 저희에게 직접 지시하셨습니다." 요원이 대답했다. "두 분께 차량과 운전기사, 그리고 이 편지를 전하라고 하셨습니다.” 요원은 그렇게 말하며 봉인된 봉투를 꺼내 차창으로 훌리안 왕자에게 건넸다.

‘아버님이 편지를?’ 왕자는 봉투에 왕실의 밀랍 봉인이 찍힌 것을 보자 더욱 의아한 생각이 들었다. ‘왜 이러시는 거지?’ 혹시 국왕의 정신이 오락가락하는 건 아닌지 염려될 지경이었다.

훌리안은 초조한 마음으로 봉인을 뜯고 봉투를 열어 친필 쪽지를 꺼냈다. 국왕의 필체는 예전 같지 않았지만 그래도 알아볼 만했다. 편지를 읽어 내려가는 훌리안의 얼굴에 점점 당혹감이 번져갔다.

편지를 다 읽은 훌리안은 쪽지를 도로 봉투 안에 넣고 눈을 감은 채 생각에 잠겼다. 선택의 여지가 없었다.

“북쪽으로 갑시다.” 훌리안이 기사에게 말했다.

차량이 엘에스코리알을 빠져나오는 동안, 왕자는 자신을 바라보는 발데스피노의 시선을 의식했다. “폐하께서 뭐라고 쓰셨습니까?” 주교가 물었다. “어디로 가는 거지요?!”

훌리안은 긴 숨을 내쉬며 아버지의 믿음직한 친구를 돌아보았다. “아까 주교님께서 말씀하시지 않았습니까.” 그는 나이 든 주교를 향해 슬픈 미소를 지으며 말했다. “아버님께서는 아직 이 나라의 국왕이십니다. 우리는 그분을 사랑하고, 그분의 명령을 따르지요.”

77

"교수님······?" 누군가가 속삭였다.

랭던은 대답하려 했지만 머리가 너무 지끈거렸다.

"교수님······?"

얼굴을 어루만지는 부드러운 손길에 랭던은 천천히 눈을 떴다. 순간적으로 혼란에 빠진 그는 꿈을 꾸고 있다고 생각했다. '내 위에 흰 옷 입은 천사가 떠 있다.'

그녀의 얼굴을 알아본 랭던은 간신히 희미한 미소를 지었다.

"하느님 감사합니다." 암브라가 안도의 한숨을 내쉬며 말했다. "총소리를 들었어요." 그녀는 랭던 옆에 쪼그리고 앉았다. "가만히 누워 계세요."

랭던은 의식이 돌아오자 갑자기 두려움이 되살아나는 것을 느꼈다. "나를 공격한 자는······."

"그 사람은 죽었어요." 암브라가 차분한 목소리로 속삭였다. "교수님은 이제 안전해요." 그러면서 그녀는 계단통 가장자리를 가리켰다. "저 속으로 떨어졌어요. 바닥까지."

랭던은 그 말의 의미를 이해하려고 정신을 집중했다. 천천히 기억이 돌아오기 시작했다. 그는 마음속의 안개를 걷어내고 다친 부위를 짚어보았다. 왼쪽 엉덩이가 욱신거리고 날카로운 두통이 남아 있었다. 그 외에 특별히 부러진 데는 없는 듯했다. 계단 밑에서 경찰의 무전기 소리가 어렴풋이 들려왔다.

"내가 얼마나…… 정신을……."

"몇 분 안 돼요." 암브라가 대답했다. "의식이 오락가락하는 것 같았어요. 검사를 좀 받아봐야 할 것 같아요."

랭던은 힘겹게 몸을 일으켜 계단 벽에 등을 기대고 앉았다. "그자는…… 해군 장교였어요." 그가 말했다. "미술관에서……."

"알아요." 암브라가 고개를 끄덕이며 말했다. "에드먼드를 살해한 자죠. 경찰이 그 사람 신원을 확인했어요. 경찰은 지금 계단 밑에 시신과 함께 있는데, 교수님의 진술을 들어야 한대요. 베냐 신부님께서 의료진이 도착하기 전에는 아무도 올라오지 못하게 막았어요. 의료진은 곧 도착할 거고요."

랭던은 머리가 계속 지끈거리는 와중에도 고개를 끄덕였다.

"의료진이 도착하면 아마 교수님을 병원으로 모시고 갈 거예요." 암브라가 말했다. "그러니 그들이 도착하기 전에…… 지금 얘기해야 해요."

"무슨…… 얘기?"

암브라는 걱정스러운 표정으로 그의 얼굴을 살폈다. 그러고는 허리를 숙여 그의 귓가에 속삭였다. "교수님, 기억 안 나요? 우리가 에드먼드의 암호를 찾아냈잖아요. '어두운 종교는 떠나고 달콤한 과학이 지배한다.'"

암브라의 그 말이 화살처럼 안개를 갈랐다. 뿌옇게 흐려 있던 머릿속이 갑자기 맑아지자 랭던은 자세를 고쳐 앉았다.

"교수님 덕분에 여기까지 올 수 있었어요." 암브라가 말했다. "나머지는 제가 처리할게요. 윈스턴을 어떻게 찾을지 안다고 하셨죠? 에드먼드의 컴퓨터 작업실 말이에요. 어디로 가야 되는지만 말해주세요. 나머지는 알아서 처리할게요."

랭던의 기억이 이제 물밀 듯이 되살아났다. "윈스턴을 찾을 방법은 알아요." '적어도 알아낼 수 있다고 생각해요.'

"말해주세요."

"이 도시를 가로질러야 해요."

"어디로요?"

"주소는 나도 몰라요." 랭던은 비틀거리면서도 일어서려고 안간힘을 다했다. "하지만 내가 당신을 데려갈 수……."

"제발 앉아 계세요, 교수님!" 암브라가 말했다.

"그래요, 앉아 있어요." 남자의 목소리가 들리더니, 계단 밑에서 베냐 신부가 불쑥 모습을 드러냈다. 그는 가쁜 숨을 몰아쉬며 힘겹게 계단을 올라왔다. "곧 구급대원들이 도착할 거예요."

"저는 괜찮습니다." 랭던은 현기증이 일어 벽에 등을 기대며 거짓말을 했다. "암브라와 저는 지금 가야 합니다."

"어차피 멀리 못 갈 거예요." 베냐가 말했다. "밑에 경찰이 기다리고 있거든요. 당신 진술을 들어야 한대요. 게다가 기자들이 성당을 에워싸고 있어요. 누군가가 두 분이 여기 있다는 정보를 흘렸나 봐요." 이윽고 그들 곁으로 올라온 베냐는 랭던을 향해 지친 미소를 지어 보였다. "그나저나 무사해서 다행이에요. 덕분에 비달 양과 내가 목숨을 건졌어요."

랭던도 웃음 지었다. "신부님이 우리 목숨을 구하신 겁니다."

"어쨌건 경찰과 마주치지 않고는 이 계단을 못 벗어날 거예요."

랭던은 두 손으로 조심스럽게 난간을 짚은 채 몸을 내밀고 아래를 내려다보았다. 참혹한 장면이 펼쳐진 바닥은 까마득히 멀어 보였다. 경찰관들이 처참하게 널브러진 아빌라의 시신을 손전등으로 이리저리 비추고 있었다.

랭던은 가우디의 아름다운 앵무조개 디자인에 주목하면서 나선 계단을 내려다보았다. 이 성당 지하 예배당에 마련된 가우디 박물관의 웹사이트가 떠올랐다. 얼마 전 랭던이 이 웹사이트를 방문했을 때는 사그라다 파밀리아의 축소 모형들이 올라와 있었다. CAD 프로그램과 대형 3D 프린터를 이용해 기초 공사에서부터 앞으로 최소 10년 뒤에나 완공될 건물의 진화 과정을 정확하게 구현한 모형이었다.

'우리는 어디에서 왔는가?' 랭던은 생각했다. '우리는 어디로 가는가?'

문득 성당 외관을 재현한 축소 모형 하나가 떠올랐다. 그 이미지역시 그의 기억에 남아 있었다. '오늘의 사그라다 파밀리아'라는 제목으로 이 성당의 현재 건축 단계를 재현한 모형이었다.

'그 모형이 최신판이라면, 탈출이 가능할 수도 있어.'

랭던은 불현듯 베냐 신부를 돌아보았다. "신부님, 죄송하지만 바깥에 있는 사람에게 말씀 좀 전해주시겠어요?"

베냐는 어리둥절한 표정을 지었다.

랭던이 탈출 계획을 설명하자, 암브라는 고개를 흔들었다. "교수님, 그건 불가능해요. 저기는 도저히……."

"사실은," 베냐가 그 말을 가로막았다. "가능성이 있기는 해요. 랭던 교수 말이 맞아요. 나중에는 어떨지 모르지만 지금은 가능할 수도 있어요."

암브라는 놀란 표정이었다. "하지만 교수님……. 설령 몰래 빠져나간다 해도 정말 병원에 안 가도 되겠어요?"

랭던은 그 점은 자신이 없었다. "필요하면 나중에 가보지요." 그가 말했다. "지금은 에드먼드를 위해서라도 우리가 여기까지 온 목적을 달성해야 해요." 랭던은 베냐에게 몸을 돌리고 그의 눈을 똑바로 쳐다보며 말을 이었다. "신부님, 아무래도 저희가 여기 온 이유를 솔직하게 말씀드려야겠어요. 오늘 밤 에드먼드 커시가 어떤 과학적 발견을 공개하려다가 살해당한 건 신부님도 아시지요?"

"예." 베냐 신부가 대답했다. "도입부를 보니 전 세계 종교에 커다란 영향을 미칠 만한 발견인 모양이더군요."

"그래요. 그래서 비달 관장과 제가 오늘 밤 에드먼드 커시의 발견을 공개하고자 이곳 바르셀로나에 왔다는 사실을 신부님께 말씀드려야겠다고 생각한 겁니다. 이제 고지가 눈앞에 있습니다. 다시 말해서……." 랭던은 잠시 망설이다가 말을 이었다. "지금 당장 신부님께 도움을 요청하는 것은 곧 한 무신론자의 견해를 전 세계에 알리는 것을 도와달라는 부탁이기도 합니다."

베냐는 랭던의 어깨에 한 손을 얹었다. "랭던 교수." 그가 환하게 웃으며 말했다. "에드먼드 커시는 '신은 죽었다'라고 외친 최초의 무신론자가 아니고, 아마 마지막도 아닐 거예요. 커시 씨가 무엇을 발견했든 그게 공개되면 사방에서 논란이 벌어지겠지요. 유사 이래 인간의 지성은 늘 진화를 거듭해왔고, 그걸 막는 게 내 역할은 아닙니다. 물론 내 관점에서는 신을 포함하지 않는 지적 진보는 한 번도 없었다고 말하고 싶지만요."

베냐 신부는 안심하라는 듯 웃어 보이며 계단을 내려갔다.

* * *

EC145 헬리콥터의 조종석에서 대기하던 조종사는 사그라다 파밀리아의 울타리 바깥에 모인 인파가 점점 불어나는 광경을 걱정스러운 눈으로 지켜보았다. 성당 안으로 들어간 두 명의 근위대 요원에게서 연락이 오지 않아 무전을 치려던 차에, 검은 사제복을 입은 자그마한 체구의 남자가 성당을 나와 헬기로 다가왔다.

그는 자신을 베냐 신부라고 소개한 다음, 놀라운 소식을 전해주었다. 근위대 요원 두 사람은 피살되었고, 미래의 왕비와 로버트 랭던을 당장 도피시켜야 한다는 것이었다. 그것만으로는 놀라운 소식이 부족한지, 신부는 조종사에게 그 두 사람을 정확히 어디에서 헬기에 태울지 설명했다.

'말도 안 돼.' 조종사는 경악했다.

하지만 사그라다 파밀리아의 첨탑들 위로 날아오른 지금, 그는 신부의 말이 옳다는 것을 깨달았다. 이 성당의 제일 큰 첨탑은 아직 세워지지 않았다. 건물 한복판에 이 첨탑이 들어설 자리의 토대를 닦아놓았는데, 공중에서 내려다보니 이미 설치된 여러 개의 다른 첨탑들 사이로 마치 숲속의 공터처럼 평평하고 둥그런 자리가 마련되어 있었다.

조종사는 그 공터 위로 날아올랐다가 조심스럽게 다른 첨탑들 사이로 하강하기 시작했다. 무사히 착륙하자마자 계단에서 두 사람의 그림자가 나타났다. 부상을 당한 듯한 로버트 랭던과, 그를 부축하는 암브라 비달이었다.

조종사는 재빨리 조종석에서 뛰어내려 두 사람을 헬기에 태웠다.

조종사가 안전벨트를 채워주자, 미래의 왕비는 지친 표정으로 고개를 끄덕여 보였다.

"고마워요." 그녀가 속삭였다. "목적지는 랭던 교수님이 말해주실 거예요."

78

 ConspiracyNet.com

뉴스 속보

팔마리아 교회가 에드먼드 커시의 어머니를 살해했다?!

우리의 제보자 monte@iglesia.org가 또 하나의 메가톤급 폭탄을 터뜨렸다! 컨스피러시넷이 독점 검토한 자료에 의하면, 에드먼드 커시는 30여 년 전 '치밀한 세뇌와 심리적 압박, 그리고 신체적 학대 행위'로 자신의 생모 팔로마 커시를 사망에 이르게 한 팔마리아 교회를 상대로 소송을 제기할 준비를 해왔다고 한다.

팔마리아 교회의 독실한 신도였던 팔로마 커시는 탈출을 시도하다가 상급자들의 온갖 학대에 시달린 끝에, 수녀원 침실에서 스스로 목을 맨 것으로 알려졌다.

79

"폐하께서 직접," 가르사 사령관이 또다시 중얼거리는 소리가 왕궁 무기고 안에 울려 퍼졌다. "폐하께서 직접 체포 명령을 내리셨다니, 아직도 이해가 안 되는군. 그토록 오랜 세월 폐하를 모신 나를 체포하라고?"

모니카 마르틴은 손가락을 입술에 대고는 근위대원들이 엿듣지는 않는지 갑옷들 사이로 출입구 쪽을 살폈다. "아까도 말씀드렸듯이 발데스피노 주교가 폐하를 설득한 게 틀림없어요. 오늘 밤 자신이 비난의 표적이 된 건 다 사령관님의 모함 때문이라고 말이에요."

'결국 내가 폐하의 희생양이 되는 건가?' 가르사는 예전부터 만약 국왕이 왕실 근위대의 사령관과 발데스피노 둘 가운데 하나를 선택해야 할 상황에 맞닥뜨리면 당연히 발데스피노를 선택할 거라고 확신했다. 국왕과 발데스피노는 오랜 친구 사이였고, 영적인 관계는 늘 공적인 관계를 넘어서기 마련이었다.

그럼에도 불구하고 가르사는 여전히 모니카의 설명에 뭔가 논리적으로 설명되지 않는 부분이 있다는 느낌을 떨치지 못했다. "납치설도 폐하의 명령이었다는 건가?"

"그래요, 폐하께서 저에게 직접 전화하셨어요. 암브라 비달이 납치됐다고 발표하라는 지시였죠. 장차 왕비가 될 사람이 다른 남자와 함께 달아났다고 하면 평판에 금이 갈 것을 우려한 나머지 그런 생각을 하셨나 봐요." 마르틴은 못마땅한 눈길로 가르사를 보았다. "왜 자꾸 그런 질문을 하시는 거죠? 폐하께서 폰세카 요원에게도 직접 전화로 똑같이 지시하신 걸 아시잖아요."

"폐하께서 저명한 미국인을 납치범으로 모는 위험을 감수하셨다는 걸 믿을 수가 없어서 그래." 가르사가 말했다. "아무리 생각해봐도……."

"제정신이 아니시라고요?" 마르틴이 그의 말을 잘랐다.

가르사는 말없이 허공을 바라보았다.

"사령관님." 마르틴이 말했다. "폐하께서 정신이 오락가락하는 거 모르세요? 어쩌면 이번에도 판단력이 흐려져 이런 일이 벌어진 것 아닐까요?"

"오히려 현명하게 판단하신 것일 수도 있어." 가르사가 대답했다. "무모했든 아니든 결과적으로 미래의 왕비는 이제 무사히 근위대의 보호를 받고 있으니까."

"바로 그거예요." 마르틴이 조심스럽게 그의 기색을 살피며 말했다. "그런데 왜 그렇게 신경 쓰시는 거죠?"

"발데스피노." 가르사가 말했다. "내가 그자를 안 좋아하긴 하지만, 아무리 생각해도 그자가 커시를 살해한 배후라는 주장은 믿기지가 않아."

"왜요?" 마르틴의 말투가 더욱 신랄해졌다. "그분이 성직자라서요? 스페인 종교재판만 봐도 교회가 목적을 위해 수단과 방법을 가리지 않는다는 걸 알 수 있잖아요. 제가 보기에 발데스피노는 지극히 독선적이고, 잔혹하고, 기회주의적이고, 지나치게 비밀이 많은 사람이에요. 뭐 또 빠진 것 있나요?"

"그래." 그렇게 받아친 가르사는 어느새 주교를 옹호하는 입장이 된 것을 깨닫고 묘한 기분에 사로잡혔다. "발데스피노가 그런 사람이기는 하지만, 동시에 전통과 명예를 목숨보다 소중하게 생각하는 사람이기도 해. 아무도 안 믿으시는 폐하께서도 발데스피노 주교만큼은 벌써 수십 년 동안 변함없이 신뢰하시잖나. 나로서는 폐하의 절친한 친구라고 할 발데스피노 주교가 지금 우리가 얘기하고 있는 반역 행위에 연루되었다고는 믿을 수 없어."

마르틴은 한숨을 내쉬며 자신의 휴대전화를 꺼냈다. "사령관님, 주교님에 대한 사령관님의 믿음을 깨뜨리고 싶지는 않지만, 이걸 좀 보세요. 수레시가 준 정보예요." 마르틴은 전화기의 단추를 몇 개 누르고는 가르사에게 건넸다.

화면에는 장문의 문자 메시지가 떠 있었다.

"발데스피노가 오늘 밤에 받은 문자 메시지를 캡처한 거예요." 마르틴이 속삭였다. "읽어보세요. 생각이 바뀌실 테니까요."

80

온몸을 짓누르는 통증에도 불구하고 로버트 랭던은 헬리콥터가 사그라다 파밀리아의 지붕 위로 날아오르자 이상하리만치 짜릿한 쾌감을 느꼈다.

'나는 살아 있다.'

마치 지난 한 시간 동안 벌어진 모든 사건의 여파가 몰아닥치는 듯 혈관 속 아드레날린 수치가 급상승하는 느낌이 들었다. 랭던은 천천히 심호흡을 하며 헬리콥터의 유리창 너머 바깥세상으로 시선을 돌렸다.

밑에서는 하늘을 찌를 듯 거대한 성당의 첨탑들이 보였지만 고도가 높아질수록 성당은 화려한 도심의 풍경 속으로 녹아들었다. 랭던은 흔히 보는 정사각형이나 직사각형이 아닌, 부드러운 느낌의 팔각형으로 구획이 나뉘어 마구 뻗어나간 시가지를 내려다보았다.

'이샴플레.' 랭던은 생각했다. '확장.'

상상력이 뛰어난 도시 건축가 일데폰스 세르다는 이 구역에 위치한 정사각형 블록들의 네 모서리를 잘라내 조그만 광장을 만드는 방법으로 모든 교차로의 너비를 확장함으로써 시야를 넓히고, 공기의 흐름을 개선하며, 야외 카페들이 들어설 공간을 마련했다.

"¿Adónde vamos(어디로 갈까요)?" 조종사가 어깨 너머로 외쳤다.

랭던은 이 도시에서 가장 넓고 가장 화사하며 이름 또한 적절한, 도심 대각선으로 뻗은 남쪽의 두 블록을 가리켰다.

"Avinguda Diagonal(디아고날 거리)." 랭던도 큰 소리로 대답했다. "Al oeste." 서쪽으로.

바르셀로나 지도에서 초현대식 마천루 '디아고날 제로제로'가 있는 해변에서부터, 스페인에서 제일 유명한 소설가이자 《돈키호테》의 작가를 기리는 면적 4만 제곱미터의 세르반테스 공원의 장미 정원까지, 도심을 가로지르는 디아고날 거리를 못 보고 지나칠 수 없었다.

조종사는 고개를 끄덕이며 방향을 서쪽으로 돌려 산악 지대를 향해 서쪽으로 경사진 거리를 따라 비행했다. "주소는요?" 조종사가 다시 물었다. "좌표는?"

'주소는 나도 모르지.' 랭던은 깨달았다. "축구 경기장으로 갑시다."

"¿Fútbol(축구)?" 조종사는 깜짝 놀란 눈치였다. "FC 바르셀로나의 홈구장 말입니까?"

랭던은 고개를 끄덕였다. 조종사가 디아고날 거리에서 몇 킬로미터 떨어진 그 유명한 바르셀로나 축구 클럽의 홈구장을 당연히 알 거라 생각했던 것이다.

조종사는 더 이상 묻지 않고 디아고날 거리를 따라 전속력으로 헬기를 몰았다.

"교수님?" 암브라가 조용히 그를 불렀다. "괜찮아요?" 그녀는 랭던이 머리를 다쳐서 판단력에 문제가 생긴 건 아닌지 걱정스러운 듯 그의 안색을 유심히 살폈다. "윈스턴을 찾을 수 있다고 하셨잖아요."

"예." 랭던이 대답했다. "지금 가고 있어요."

"축구 경기장으로요? 정말로 에드먼드가 축구장에 슈퍼컴퓨터를 갖다놓았을 거라고 생각하세요?"

랭던은 고개를 가로저었다. "아니요, 축구장은 조종사가 찾기 쉬우라고 일러준 지형지물일 뿐이에요. 내가 염두에 둔 건물이 축구장 바로 옆에 있는 '그란 오텔 프린세사 소피아'거든요."

암브라는 오히려 더 혼란스러운 듯했다. "교수님, 그것도 말이 안 되는 것 같은데요. 에드먼드가 고급 호텔 안에 윈스턴을 설치했을 리 가 없잖아요. 아무래도 병원부터 가는 게 좋겠어요."

"난 괜찮아요, 암브라. 날 믿어요."

"그럼 우리가 지금 어디로 가고 있는 거죠?"

"우리는 어디로 가는가?" 랭던은 장난스러운 표정으로 턱을 매만 졌다. "에드먼드가 오늘 밤에 답을 가르쳐주겠다고 약속한 가장 중요 한 질문이죠."

암브라는 재미있어하는 건지 화를 내는 건지 애매한 표정을 지어 보였다.

"미안해요." 랭던이 정색하며 말했다. "설명해줄게요. 2년 전에 바 로 그 호텔 18층 회원 전용 클럽에서 에드먼드하고 점심을 먹은 적이 있어요."

"에드먼드가 점심 먹는 자리에 슈퍼컴퓨터를 가져왔던가요?" 암 브라가 웃으며 말했다.

랭던도 미소를 지었다. "그럴 리가요. 에드먼드는 거기까지 '걸어 서' 왔다고 했어요. 그 호텔이 자신의 컴퓨터 작업실에서 두어 블록 거리에 있어서 거의 매일 거기서 점심을 먹는다고 하더군요. 최첨단 합성 지능 프로젝트를 진행하고 있는데, 그 실현 가능성에 매우 흥분 된다고 말하기도 했어요."

갑자기 암브라가 희망에 찬 얼굴로 말했다. "그게 바로 윈스턴이었군요!"

"나도 그렇게 생각해요."

"그때 에드먼드가 교수님을 작업실로 데려갔나요?"

"아뇨."

"정확히 어딘지는 말했고요?"

"아쉽지만 그건 알려주지 않더군요."

암브라의 눈에 다시 근심이 어렸다.

"하지만," 랭던이 말했다. "윈스턴이 자신의 정확한 위치를 우리에게 은근슬쩍 말해준 적이 있어요."

암브라는 혼란스러워 보였다. "저는 못 들었는걸요."

"분명히 알려줬어요." 랭던이 미소 지었다. "사실 만천하에 알려준 걸요."

암브라가 설명을 요구할 틈도 없이 조종사의 목소리가 들려왔다. "¡Ahí está el estadio(저기 경기장이 있습니다)!" 조종사가 멀리 보이는 거대한 경기장을 가리켰다.

'빨리도 왔네.' 랭던은 시선을 돌려 경기장에서부터 디아고날 거리의 널따란 광장을 내려다보는 고층 건물, 그란 오텔 프린세사 소피아에 이르는 직선거리를 살폈다. 그러고는 조종사에게 경기장을 지나쳐서 호텔 상공으로 올라가달라고 부탁했다.

헬기는 단 몇 초 만에, 2년 전 랭던과 에드먼드가 점심을 먹었던 호텔 상공으로 수십 미터를 올라갔다. '에드먼드는 자기 작업실이 여기서 두 블록 떨어진 곳에 있다고 했어.'

하늘에서 호텔 주변을 훑어보기에는 더없이 좋은 위치였다. 이 부근의 도로는 사그라다 파밀리아 주변처럼 직선이 아니었고, 블록의 형태도 제각각이었다.

'분명히 여기 어디일 텐데.'

점점 불안해진 랭던은 사방을 샅샅이 살피며 지금도 기억 속에 선명히 남아 있는 독특한 형상을 찾으려 애썼다. '어디지?'

교황 비오 12세 광장의 회전 교차로 너머 북쪽으로 시선을 돌리자, 이내 희망이 되살아났다. "저쪽이에요!" 랭던이 조종사를 향해 외쳤다. "저기 숲으로 갑시다!"

조종사는 헬기의 방향을 바꾸어 북서쪽 대각선으로 한 블록 이동한 다음, 랭던이 가리킨 숲으로 날아갔다. 가까이서 보니 그 숲은 담장으로 에워싸인 거대한 영지의 일부였다.

"교수님." 암브라가 이제 절망적인 목소리로 외쳤다. "도대체 뭐하는 거예요? 여기는 페드랄베스 궁이라고요! 에드먼드가 어떻게 왕궁 안에……."

"여기가 아니라 '저기'라니까요!" 랭던은 왕궁 바로 너머의 블록을 가리켰다.

암브라는 몸을 기울여 랭던을 흥분하게 만든 쪽을 살폈다. 왕궁 바로 뒤에 불을 환하게 밝힌 네 개의 도로가 교차하며 다이아몬드처럼 남북 방향으로 정사각형을 이루고 있었다. 다만 오른쪽 아래의 경계가 애매하게 구부러진 데다 울퉁불퉁해서 정확한 다이아몬드 형태를 이루지 못한다는 결점이 있었다.

"저기 울퉁불퉁한 선 보이지요?" 랭던이 다이아몬드의 비뚤어진 축을 가리키며 물었다. 도로에는 가로등이 환하고 맞은편 왕궁의 숲은 어두워서 랭던이 말하는 선이 분명히 드러나 보였다. "그 위쪽으로 살짝 굽은 도로가 보입니까?"

갑자기 암브라의 표정이 달라지더니 좀 더 자세히 보려고 고개를 기울였다. "그래요, 그런데 저 선이 아주 눈에 익네요. 어디서 본 거죠?"

"블록 전체를 봐요." 랭던이 말했다. "오른쪽 아래가 약간 찌그러진 다이아몬드 형태 말이에요." 랭던은 암브라가 다이아몬드를 찾을 때까지 기다렸다가 말을 이었다. "그 블록 안에 조그만 공원이 두 개 있지요?" 랭던은 한가운데 동그란 공원과 오른쪽의 반원형 공원을 가리켰다.

"왠지 이곳을 아는 것 같아요." 암브라가 말했다. "하지만 어떻게 아는지……."

"그림을 떠올려봐요." 랭던이 말했다. "구겐하임에 전시된 작품 말이에요. 그중에서……."

"윈스턴!" 암브라는 그렇게 소리치며 믿을 수 없다는 듯이 랭던을 돌아보았다. "이 블록의 배치가…… 구겐하임에 있는 윈스턴의 자화상과 똑같아요!"

랭던은 그녀를 바라보며 미소 지었다. "그래요, 바로 그거예요."

암브라는 다시 창가에 바짝 붙어 다이아몬드 모양의 블록을 내려다보았다. 랭던도 윈스턴의 자화상을 떠올리며 아래쪽을 응시했다. 워낙 이상한 화폭 형태에 의아했던, 미로의 작품을 모방했다는 그림이었다.

'에드먼드가 저더러 자화상을 그려보라고 했는데, 이게 그 결과물입니다.'

이미 랭던은 미로 작품의 가장 대표적인 특징이기도 한, 그림 한복

판쯤 자리한 눈알이 윈스턴이 있는 정확한 지점을 가리킨다고 결론 내린 상태였다. 윈스턴은 지구상의 바로 이 지점에서 세상을 '바라본' 것이다.

이윽고 암브라는 창문에서 고개를 돌려 기쁨과 놀라움이 뒤섞인 표정으로 랭던을 바라보았다. "윈스턴의 자화상은 미로를 모방한 게 아니라 '지도'였군요!"

"맞아요." 랭던이 말했다. "윈스턴에게 육신도 없고 물리적인 자아상도 없다는 점을 고려하면 그의 자화상이 육체적 형태보다는 자신이 위치한 장소와 깊이 연관된 것도 납득이 가지요."

"눈알." 암브라가 말했다. "그 눈알은 영락없이 미로를 흉내 낸 거예요. 하지만 눈이 하나밖에 없으니, 그것이 윈스턴의 위치를 나타내는 표시 아닐까요?"

"나도 같은 생각이에요." 랭던은 조종사에게 윈스턴의 블록 안에 있는 두 공원 가운데 한 곳에 잠시 착륙할 수 있겠느냐고 물었다. 헬기가 하강하기 시작했다.

"맙소사." 암브라가 말했다. "윈스턴이 왜 하필 미로를 선택했는지 알 것 같아요!"

"그래요?"

"우리가 방금 지나온 게 페드랄베스 궁이잖아요."

"페드랄베스?" 랭던이 되물었다. "그건 작품 이름······."

"그래요! 미로가 남긴 가장 유명한 스케치예요. 윈스턴은 아마 이 부근을 샅샅이 검색해서 미로와 연관된 곳을 찾아낸 모양이에요."

일리 있는 추론이었다. 랭던은 윈스턴의 놀라운 창의성을 인정하며 그런 에드먼드의 합성 지능과 다시 만날 생각에 야릇한 흥분을 느꼈다. 헬리콥터가 더 내려가자 윈스턴이 그린 눈알 자리에 커다란 건물이 서 있는 것이 보였다.

"보세요……." 암브라가 손가락으로 가리켰다. "저기가 틀림없어요."

랭던은 커다란 나무들에 가려진 그 건물을 좀 더 자세히 보려고 눈을 부릅떴다. 공중에서 봐도 무척 견고하게 생긴 건물이었다.

"불빛이 하나도 안 보여요." 암브라가 말했다. "안에 들어갈 수 있을까요?"

"누군가 있을 거예요." 랭던이 말했다. "에드먼드한테도 직원이 있었을 테고, 더구나 오늘 같은 날 아무도 없을 리가 없어요. 우리가 에드먼드의 암호를 찾아낸 사실을 알면 그 사람들이 먼저 나서서 프레젠테이션을 공개하려고 하지 않을까요?"

15초 후, 헬리콥터는 윈스턴의 블록 동쪽 가장자리의 커다란 반원형 공원에 착륙했다. 랭던과 암브라가 재빨리 뛰어내리자, 헬기는 즉시 이륙해 축구장 쪽으로 날아갔다. 거기서 다음 지시를 기다리기로 약속한 터였다.

랭던과 암브라는 블록의 한복판을 향해 캄캄한 공원을 가로질렀다. 좁은 틸레르 대로를 건너 나무가 울창한 구역으로 들어서니, 저만치 나무들 사이로 커다란 건물의 실루엣이 보이기 시작했다.

"불빛이 안 보여요." 암브라가 속삭였다.

"울타리도 있네요." 랭던은 건물 전체를 에워싼 3미터 높이의 보안 철책을 바라보며 얼굴을 찡그렸다. 울타리 주변에 나무가 우거져 건물이 잘 보이지 않았다. 랭던은 불빛이 전혀 보이지 않자 슬슬 불안해지기 시작했다.

"저기," 암브라가 울타리를 따라 20미터쯤 떨어진 곳을 가리켰다. "저기 문이 있는 것 같아요."

서둘러 울타리를 돌아가니 아주 튼튼하게 생긴 십자형 회전문이 나타났는데, 문은 단단히 잠겨 있었다. 그 옆에 전자식 인터폰이 설치되어 있었고, 암브라는 랭던이 다른 방법을 궁리해보기도 전에 인터폰 단추를 눌렀다.

신호음이 두 번 울리더니 라인이 연결되었다.

아무 소리도 나지 않았다.

"여보세요?" 암브라가 말했다. "여보세요?"

스피커에서는 여전히 아무 반응이 없었다. 왠지 불안감을 자아내는 웅 하는 소리가 날 뿐이었다.

"내 말 들리는지 모르겠지만," 암브라가 말했다. "우리는 암브라 비달과 로버트 랭던이에요. 에드먼드 커시의 믿을 만한 친구들이죠. 우리는 오늘 밤 에드먼드가 살해될 때 현장에 같이 있었어요. 에드먼드에게, 아니 윈스턴에게, 아니 여러분 모두에게 엄청난 도움이 될 만한 정보를 가지고 왔어요."

짧게 딸깍 소리가 났다.

랭던이 손으로 밀어보니, 회전문이 부드럽게 돌아갔다.

랭던은 안도의 한숨을 내쉬었다. "누가 있을 거라고 했잖아요."

두 사람은 황급히 회전문을 통과해 나무들 사이로 어두컴컴한 건물을 향해 다가갔다. 가까이 다가갈수록 지붕의 윤곽이 하늘 위로 모습을 드러냈다. 이내 전혀 예상하지 못한 4.5미터 높이의 큼직한 상징이 지붕 꼭대기에 얹힌 것이 보였다.

암브라와 랭던은 우뚝 멈춰 섰다.

'말도 안 돼.' 랭던은 다른 해석의 여지가 없는 상징을 멍하니 올려다보았다. '에드먼드의 연구실 옥상에 큰 십자가가 달려 있다고?'

랭던은 몇 걸음 옮겨 나무 밑에서 벗어났다. 이윽고 건물 정면이 눈에 들어왔다. 그것은 놀랍게도 커다란 장미창 하나와 두 개의 석조 첨탑, 그리고 가톨릭 성인들과 성모 마리아의 부조로 장식된 멋진 출입구를 가진 고풍스러운 고딕 양식의 성당이었다.

암브라의 얼굴이 충격에 휩싸였다. "교수님, 아무래도 우리가 지금 가톨릭 성당 경내에 무단 침입한 것 같아요. 잘못 찾아왔나 봐요."

랭던은 건물 앞의 간판을 발견하고 웃음을 터뜨렸다. "아니, 제대로 찾아온 것 같아요."

이 건물이 몇 해 전 화제가 된 적이 있었는데, 랭던은 그때만 해도 그곳이 바르셀로나인 줄 까맣게 모르고 있었다. '폐쇄된 가톨릭 성당에 들어선 첨단 기술 연구실.' 랭던은 불경한 무신론자가 하느님과는 아무 관계도 없는 컴퓨터를 만들기에 이토록 안성맞춤인 곳도 없을 거라는 생각이 들었다. 랭던은 성당의 기능을 상실한 이 건물을 올려다보며, 에드먼드가 선택한 암호의 예지력에 오싹함을 느꼈다.

'어두운 종교는 떠나고 달콤한 과학이 지배한다.'

랭던은 암브라를 보며 이 건물의 간판을 가리켰다.

거기에는 이렇게 적혀 있었다.

바르셀로나 슈퍼컴퓨팅 센터
국립 슈퍼컴퓨팅 센터

암브라는 믿을 수 없다는 표정으로 랭던을 돌아보았다. "바르셀로나에는 슈퍼컴퓨팅 센터가 가톨릭 성당 안에 있네요?"

"그러게요." 랭던이 미소 지었다. "때때로 진실이 소설보다 더 기이하더라고요."

81

세계에서 가장 높은 십자가가 스페인에 있다.

엘에스코리알 수도원에서 약 13킬로미터 북쪽의 산꼭대기에 서 있는 거대한 시멘트 십자가는 150미터 높이에서 황량한 계곡을 굽어보고 있어 160킬로미터 밖에서도 알아볼 수 있다.

십자가 아래, '전몰자의 계곡'이라는 딱 어울리는 이름이 붙은 바위투성이 골짜기에는 스페인 내전 당시 양측에서 발생한 4만 명이 넘는 희생자의 유해가 안치되어 있다.

'우리가 여기서 뭘 하고 있는 거지?' 훌리안은 근위대원을 따라 십자가 아래 산기슭의 전망 좋은 산책로를 걸으며 생각에 잠겼다. '아버님께서 여기서 나를 만나자고 하셨다고?'

옆에서 따라 걷던 발데스피노 역시 혼란스럽기는 마찬가지였다. "이건 말이 안 돼." 그가 중얼거렸다. "폐하께서는 전부터 이곳을 싫어하셨는데."

'이곳을 싫어하는 사람이 수백만은 될걸요.' 훌리안은 속으로 중얼거렸다.

1940년 프랑코가 직접 구상했다는 이 전몰자의 계곡은 승자와 패자의 화해를 도모한다는 명분하에 '국가적인 속죄의 표시'로 선전되었다. 언뜻 고상해 보이는 염원에도 불구하고 오늘날까지도 기념물을 두고 논란이 그치지 않는 것은, 건립 당시에 동원된 노동자들 가운데 프랑코에 반대했던 정치범과 재소자 들이 포함되어 있었기 때문인데, 그중 상당수가 열악한 작업 환경과 기아로 공사 도중 목숨을 잃었다.

과거에는 의회의 몇몇 의원들이 이곳을 나치 포로수용소에 비유하기까지 했다. 훌리안은 자신의 아버지 역시 대놓고 말은 못 해도 속으로는 비슷한 생각을 했을 거라고 믿었다. 대부분의 스페인 국민들은 이곳을 프랑코를 위한, 프랑코에 의한 기념물로 인식할 터였다. 프랑코의 유해가 이곳에 안치되어 있다는 사실 역시 비판적인 견해에 기름을 붓는 역할을 했다.

훌리안은 아버지와 함께 이곳을 찾았을 때의 기억을 더듬었다. 아버지에게서 조국을 배워가던 어린 시절의 기억 가운데 또 한 토막이었다. 왕은 아들에게 여러 곳을 보여주며 조용히 속삭였다. '잘 봐둬라, 아들아. 언젠가 네가 이곳을 없애야 한다.'

훌리안은 근위대원을 따라 산자락에 새긴 검소한 건물 정면으로 향하는 계단을 오르며 지금 자신이 어디로 가고 있는지 깨달았다. 조각이 새겨진 청동 문이 눈앞에 나타났다. 산의 내부로 들어가는 관문이었다. 훌리안은 어렸을 때 그 문 안으로 들어섰다가 꼼짝없이 그 자리에 멈춰 섰던 기억을 떠올렸다.

따지고 보면 이 산의 진짜 기적은 그 '위'에 서 있는 십자가가 아니라 그 '속'에 숨겨진 비밀 공간이었다.

화강암으로 이루어진 산봉우리를 파낸 자리에 광활한 인공 동굴

이 생겨났다. 암반을 뚫은 터널의 길이는 280미터에 이르렀고, 터널의 끝에는 화려한 장식과 반짝이는 타일이 깔린 바닥, 천장화가 그려진 까마득히 높은 둥근 천장을 자랑하는 거대한 공간이 만들어졌다. 천장의 한쪽 끝에서 반대쪽 끝까지의 거리가 거의 50미터에 달할 정도였다. '산의 내부에 들어와 있다니.' 어린 훌리안은 생각했다. '꿈만 같아.'

오랜 세월이 흐른 지금, 훌리안 왕자는 이곳으로 돌아왔다.

'죽어가는 아버님이 나를 이곳으로 부르셨다.'

훌리안은 철문 앞으로 다가가 그 위를 장식한 소박한 청동 피에타를 올려다보았다. 곁에서 발데스피노 주교가 성호를 그었지만, 훌리안은 그것이 믿음보다는 두려움에서 비롯된 행동이라는 인상을 떨칠 수 없었다.

82

 ConspiracyNet.com

뉴스 속보

그렇다면······ 리젠트는 누구인가?

암살범 루이스 아빌라가 리젠트라 불리는 인물에게서 직접 살인 명령을
받았다는 증거가 드러나고 있다.

리젠트의 정체는 수수께끼로 남아 있지만, 이 인물의 직함에 몇 가지 단
서가 있다. 딕셔너리닷컴(dictionary.com)에 의하면 '리젠트'는 지도자가
직무를 수행할 수 없거나 공석이 되었을 때 조직을 감독하도록 지명된
사람을 의미한다.

'리젠트는 누구인가?'라는 주제로 사용자 여론조사를 실시한 결과 현재

다음의 세 가지 대답이 수위를 다투고 있다.

1. 병든 스페인 국왕의 권력을 차지하려는 안토니오 발데스피노 주교
2. 자신이 진정한 교황이라고 믿는 팔마리아 교회의 교황
3. 직무를 수행하지 못하는 최고 통수권자, 즉 국왕을 위해 행동에 나섰
   다고 주장하는 스페인 군부의 고위급 인사

새로운 소식이 들어오는 대로 업데이트하겠다.
#리젠트는누구인가

83

커다란 성당 건물의 정면을 훑어보던 랭던과 암브라는 본당 신도
석 남쪽 끝에서 바르셀로나 슈퍼컴퓨팅 센터로 이어지는 입구를 발
견했다. 지극히 수수한 정면에 비해 현관은 초현대식 플렉시글라스
로 되어 있어 건물 전체가 과거와 현재 사이의 어느 지점에 갇혀버린
듯한 인상을 주었다.

출입구 근처의 마당에는 약 4미터 높이의 원시시대 전사의 흉상이
서 있었다. 랭던은 가톨릭 성당 구내에 왜 이런 조형물이 서 있는지
의아했지만, 에드먼드를 잘 알기에, 커시의 연구실은 온통 모순투성
이 공간일 거라고 확신했다.

암브라는 서둘러 현관으로 다가가 문에 달린 초인종을 눌렀다. 랭
던이 그 옆으로 다가서자, 머리 위 보안 카메라가 빙글 돌아가며 한
참 동안 그들을 앞뒤로 살폈다.

잠시 후 윙 하는 소리와 함께 문이 열렸다.

랭던과 암브라가 급히 문을 지나니 넓은 현관이 나왔는데, 본래 성

당의 나르텍스로 사용하던 공간이었다. 불빛이 희미하고 텅 빈 그 방은 돌에 에워싸여 있었다. 랭던은 에드먼드 밑에서 일하는 직원이 나와 그들을 맞아줄 거라고 기대했지만 로비에는 인적이 없었다.

"아무도 없는 건가요?" 암브라가 속삭였다.

그들은 어디선가 아주 부드럽고 경건한 중세의 교회 음악 선율이 흘러나온다는 사실을 알아차렸다. 왠지 귀에 익은 남성 중창단의 목소리 같았다. 랭던은 그 음악을 어디서 들어봤는지는 기억나지 않지만, 이런 첨단 시설에서 흘러나오는 종교 음악 또한 에드먼드의 짓궂은 유머 감각에서 비롯된 듯싶었다.

로비 정면의 벽에 걸려 있는 거대한 플라스마 화면에서 뿜어 나오는 빛이 이 방의 유일한 조명이었다. 화면에는 초창기 컴퓨터 게임이라고밖에는 달리 설명할 방법이 없는 영상이 흐르고 있었다. 하얀 표면에 돌아다니는 검은색 점들은 마치 아무런 목적 없이 움직이는 벌레들 같았다.

'목적이 없는 게 아니야.' 랭던은 그 점들의 움직임에 일정한 패턴이 있다는 사실을 알아차렸다.

'라이프(Life)'라는 이름의 이 유명한 컴퓨터 게임은 1970년대 영국의 수학자 존 콘웨이가 고안했다. '세포'라 불리는 검은 점들은 프로그래머가 입력한 일련의 '규칙'에 따라 이동하고, 상호작용하고, 복제된다. 이 세포들은 처음에는 원래의 규칙을 따르지만 시간이 지나면 반드시 무리를 짓고 연쇄 작용을 일으키며 일정한 패턴을 반복한다. 이 패턴은 진화를 거쳐 더욱 복잡해지고, 나아가 자연계에서 볼수 있는 패턴과 놀랍도록 유사해지기 시작한다.

"콘웨이의 '라이프 게임'이네요." 암브라가 말했다. "몇 년 전에 저원리에 근거한 디지털 설치미술 작품을 본 적이 있어요. 〈세포 자동자(Cellular Automaton)〉라는 제목의 혼합 미디어 작품이었죠."

오직 발명자인 콘웨이가 프린스턴에서 학생들을 가르쳤기 때문에 '라이프 게임'에 대해 들어봤을 뿐인 랭던은 그 말이 무척 인상깊었다.

랭던의 귀에 다시 합창 소리가 들려왔다. '분명히 어디서 들어본 느낌이야. 르네상스 미사곡인가?'

"교수님." 암브라가 화면을 가리키며 말했다. "저것 좀 봐요."

화면에서는 마치 프로그램이 거꾸로 재생되는 것처럼 분주히 움직이는 한 무리의 점들이 방향을 바꾸어 더욱 속도를 높여갔다. 시간이 거꾸로 가고 연쇄 작용은 점점 빠르게 되감겼다. 많은 점들이 사라지기 시작했고…… 세포들은 분열과 증식 대신 재결합을 선택했으며…… 그 구조가 점점 단순해지다가…… 급기야 몇 개 남지 않은 상태에서 계속 합쳐져…… 처음에는 여덟 개, 이어서 네 개, 이어서 두 개, 이어서…….

하나가 되었다.

화면 한복판에 단 하나의 세포가 깜빡거렸다.

랭던은 소름이 돋는 기분이었다. '생명의 기원.'

깜빡거리던 하나의 점마저 사라지고 허공, 즉 텅 빈 하얀 화면만 남았다.

'라이프 게임'이 사라진 자리에 희미한 글자들이 나타나기 시작하더니, 점점 또렷해져서 마침내 읽을 수 있게 되었다.

설령 우리가 제1원인을 인정한다 해도
우리의 마음은 그것이 어디서 와서
어떻게 자라나는지 알기를 갈망한다.

"다윈이 한 말이에요." 랭던은 이 전설적인 식물학자의 멋들어진 표현이 에드먼드 커시의 질문과 똑같은 내용을 담고 있다는 사실을 깨달았다.

"우리는 어디에서 왔는가?" 암브라가 화면 속의 문장을 읽으며 들 뜬 목소리로 말했다.

"바로 그거예요."

암브라는 랭던을 향해 미소 지었다. "어디, 한번 알아볼까요?"

암브라가 플라스마 화면 옆 기둥이 버티고 선 입구를 가리켰다. 본 당으로 이어지는 통로 같았다.

그들이 로비를 가로지르는 동안 화면에 단어들이 마구잡이로 나타 났다. 단어 수가 꾸준히, 무질서하게 늘어나면서 새로운 단어로 진화 하거나 다른 단어로 변형되고, 여러 개의 단어가 모여 구(句)를 형성 하기도 했다.

······성장······ 새싹······ 아름다운 나뭇가지······.

랭던과 암브라가 지켜보는 가운데 이미지가 점점 확장되더니, 급 기야 뚜렷한 나무 형태로 진화했다.

'도대체 저게 뭐지?'

그들이 유심히 그림을 들여다보는 사이 무반주로 노래하는 목소 리가 점점 커졌다. 랭던은 그 노래의 가사가 당연히 라틴어일 거라고 생각했지만, 알고 보니 영어였다.

"맙소사, 화면 속의 단어들이 음악과 조화를 이루는 것 같아요." 암브라가 말했다.

"맞아요." 랭던도 새로운 글자들이 화면에 나타나는 것과 동시에 노래가사가 흐르는 것을 확인하고 고개를 끄덕였다.

'······천천히 작동하는 원인들······ 기적적인 움직임이 아닌······.'

랭던은 단어와 음악의 조합이 왠지 낯설게 느껴져 귀와 눈에 정신 을 집중했다. 음악은 분명히 종교적인 느낌이었지만, 단어들은 전혀 그렇지 않다.

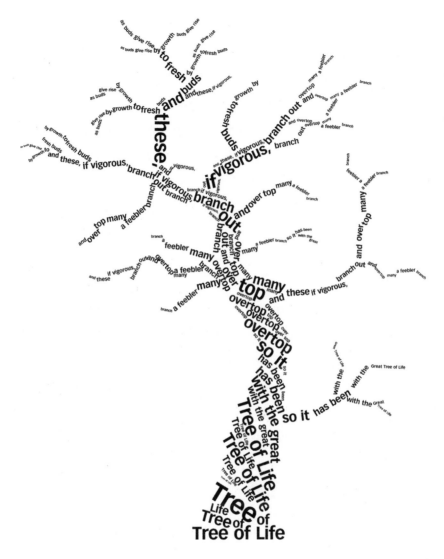

'……유기체적 존재…… 제일 강한 자는 살고…… 제일 약한 자는 죽고…….'

랭던은 정신이 번쩍 들었다.

'내가 아는 작품이야!'

몇 해 전 에드먼드는 랭던을 어느 공연에 데려갔다. '미사 찰스 다원(Missa Charles Darwin)'이란 제목의 기독교풍 미사곡이었는데, 작곡가는 전통적인 라틴어 가사 대신 찰스 다윈의 《종의 기원》에서 발췌한 구절들로 가사를 만들어 독실한 종교인의 목소리가 자연선택의 잔혹함을 노래하는 환상적인 병치(竝置, juxtaposition)를 만들어냈다.

"신기하네요." 랭던이 중얼거렸다. "예전에 에드먼드와 함께 이 곡을 들은 적이 있어요. 에드먼드가 무척 마음에 들어했죠. 이 곡을 여기서 다시 듣게 되다니, 대단한 우연이지요?"

"우연이 아닙니다." 머리 위 스피커에서 귀에 익은 목소리가 흘러나왔다. "에드먼드는 손님들이 우리 집에 찾아오면 그들이 좋아할 만한 음악을 틀어서 함께 대화할 거리를 제시해주라고 가르쳤어요."

랭던과 암브라는 깜짝 놀라 스피커를 올려다보았다. 그들을 맞아준 활기찬 목소리에는 분명 영국 억양이 묻어났다.

"두 분께서 여기까지 찾아오신 걸 보니 너무 기쁩니다." 다시 들어도 귀에 익은 목소리였다. "두 분께 연락할 방법이 없었어요."

"윈스턴!" 랭던이 소리쳤다. 기계와 다시 연결된 것이 이렇게 다행스럽게 느껴지다니, 정말 놀라운 일이었다. 랭던과 암브라는 그동안 일어난 일들을 간단히 설명했다.

"두 분 목소리를 다시 들으니 정말 반갑군요." 윈스턴이 말했다. "그나저나 우리가 찾던 것은 찾아냈습니까?"

84

"윌리엄 블레이크였어." 랭던이 말했다. "'어두운 종교는 떠나고 달콤한 과학이 지배한다.'"

윈스턴은 일순간 멈칫했다. "블레이크의 서사시 《네 조아들》의 마지막 행이로군요. 완벽한 선택임을 인정합니다." 다시 짧은 침묵이 흘렀다. "그런데 마흔일곱 글자가……."

"앰퍼샌드." 랭던은 재빨리 'et'를 이용한 에드먼드의 합자 속임수를 설명했다.

"에드먼드답네요." 윈스턴이 어색하게 웃으며 대답했다.

"그래, 윈스턴?" 암브라가 보채듯 말했다. "이제 에드먼드의 암호를 알아냈으니 프레젠테이션을 공개할 수 있는 거지?"

"물론입니다." 윈스턴이 딱 부러지게 대답했다. "두 분이 직접 그 암호를 입력하기만 하면 됩니다. 에드먼드가 이 프로젝트에 방화벽을 걸어두어서 제가 직접 접속할 수는 없지만, 두 분을 그의 연구실로 안내해 어디에 암호를 입력해야 하는지 가르쳐드릴 수는 있습니다. 10분 내로 프로그램을 돌릴 수 있어요."

랭던과 암브라는 윈스턴이 선뜻 대답하자 한순간에 긴장이 풀리는 것을 느끼며 서로를 돌아보았다. 오늘 밤 그토록 고생한 것에 비하면 궁극적인 승리의 순간이 너무도 허무하게 찾아온 듯한 느낌마저 들었다.

"교수님." 암브라가 그의 어깨에 손을 얹으며 속삭였다. "교수님이 해냈어요. 고마워요."

"우리가 해낸 거지요." 랭던도 미소로 화답했다.

"즉시 에드먼드의 작업실로 이동해도 될까요?" 윈스턴이 말했다. "이 로비에서는 두 분의 모습이 너무 잘 보이고, 두 분이 이 근처에 나타났다는 언론 보도가 몇 건 감지되었거든요."

그다지 놀라운 소식은 아니었다. 대도시 공원에 착륙한 군용 헬리콥터가 이목을 끄는 것은 당연했다.

"어디로 가야 하는지 알려줘." 암브라가 말했다.

"기둥들 사이로." 윈스턴이 대답했다. "내 목소리를 따라오세요."

로비의 음악이 갑자기 뚝 그치며 플라스마 화면이 캄캄해지더니, 현관에서 여러 개의 빗장이 걸리는 소리가 연달아 들려왔다.

'에드먼드가 이 건물을 요새로 바꿔놨군.' 랭던은 그런 생각을 하며 로비의 두꺼운 유리창 너머를 힐끗 돌아보았다. 건물 주변의 나무들 사이에는 사람의 그림자 하나 보이지 않았다. '아직은 괜찮아.'

그가 암브라를 돌아보는 순간, 로비 끝에 전등이 하나 켜지며 두 기둥 사이의 통로를 비추었다. 암브라와 함께 그 통로 안으로 들어서니 기다란 복도가 나왔다. 복도 반대편의 전등이 켜지고 그들이 가야 할 길을 인도해주었다.

랭던과 암브라가 복도를 걸어나가자, 윈스턴의 목소리가 들렸다. "노출을 극대화하려면 에드먼드 커시의 프레젠테이션이 곧 공개될 거라는 보도 자료를 전 세계 언론사에 지금 당장 배포하는 게 좋을 것 같습니다. 언론에 이 이벤트를 홍보할 여유를 주면 시청률이 크게 높아질 테니까요."

"기발한데." 암브라가 걸음을 재촉하며 말했다. "그나저나 얼마나 기다려야 하지? 시간 끌다 뜻밖의 돌발 사태가 일어날 수도 있잖아."

"17분입니다." 윈스턴이 대답했다. "그렇게 하면 정각에 맞춰서 방송을 시작할 수 있어요. 여기 시간으로는 새벽 3시, 미국은 황금 시간대가 되겠네요."

"완벽해." 암브라가 대답했다.

"좋습니다." 윈스턴이 말했다. "지금 당장 보도 자료를 뿌리고, 프레젠테이션은 17분 후에 시작하기로 하지요."

랭던은 윈스턴의 속사포 같은 말을 따라잡느라 바짝 긴장했다.

암브라가 앞장서서 복도를 걸어갔다. "오늘 밤에 여기서 근무하는 직원은 몇 명이나 되지?"

"한 명도 없습니다." 윈스턴이 대답했다. "에드먼드는 보안에 엄청 신경 썼습니다. 그래서 원래부터 직원을 아예 두지 않았지요. 컴퓨터 네트워크는 물론 조명과 냉방, 문단속까지 전부 제가 처리합니다. 에드먼드는 요즘이 '스마트 하우스' 시대라지만 '스마트 교회'는 자기가 세계 최초일 거라고 농담하곤 했어요."

랭던은 윈스턴의 말을 절반쯤밖에 듣고 있지 않았다. 지금 그들이 하려 하는 행동이 갑자기 걱정스러워졌다. "윈스턴, '지금'이 에드먼드의 프레젠테이션을 공개할 최선의 타이밍이라고 생각해?"

암브라가 갑자기 걸음을 멈추며 그를 돌아보았다. "무슨 소리예요, 교수님! 그것 때문에 우리가 여기까지 왔잖아요! 온 세상이 지켜보고 있다고요! 언제 누가 들이닥쳐 우리를 제지할지 몰라요. 너무 늦기 전에 지금 당장 해야 해요!"

"동감입니다." 윈스턴이 말했다. "순전히 통계적인 관점에서 보면, 이 이야기는 지금 포화점에 접근해가고 있습니다. 언론사의 데이터 용량을 기준으로 할 때, 에드먼드 커시의 발견은 지난 10년 동안 보도된 뉴스 기사 가운데 1위로 올라섰어요. 지난 10년 사이에 온라인 커뮤니티가 기하급수적으로 성장한 것을 고려하면 그리 놀라운 일도 아니지만 말입니다."

"교수님?" 암브라가 랭던의 안색을 살피며 밀어붙였다. "뭘 걱정하는 거예요?"

랭던 자신도 갑자기 불안감이 드는 이유를 한 마디로 콕 짚어내기가 어려웠다. "아마도 에드먼드 입장에서는 오늘 밤에 터져 나온 이 모든 음모론, 이를테면 살인과 납치, 왕궁의 술책 때문에 정작 그의 과학이 빛을 잃을지도 모른다고 우려할 수도 있을 것 같아요."

"일리가 있는 지적입니다, 교수님." 윈스턴이 말했다. "하지만 그 지적은 한 가지 아주 중요한 사실을 간과하고 있어요. 사실 그 음모론들은 전 세계의 시청자들이 지금 이 사건에 관심을 기울이는 중요한 이유이기도 하지요. 오늘 저녁에 에드먼드의 온라인 방송 시청자는 380만 명이었습니다. 하지만 지난 몇 시간 사이 온갖 극적인 사건이 벌어진 지금, 전 세계에서 온라인 뉴스와 소셜 미디어, 텔레비전과 라디오 등으로 이 사건을 지켜보고 있는 사람은 대략 2억 명으로 추산됩니다."

2억이라니, 실로 기막힌 숫자이긴 했지만 랭던은 FIFA 월드컵 결승전 시청자가 2억을 넘었을 뿐 아니라, 인터넷은 고사하고 텔레비전조차 지금보다 훨씬 드물었던 반세기 전 최초의 달 착륙을 지켜본 사람은 5억이 넘었다는 사실을 상기했다.

"교수님, 학계에서는 어떨지 모르지만," 윈스턴이 말했다. "나머지 세상은 거대한 리얼리티 TV 쇼가 되었습니다. 오늘 밤 에드먼드의 입을 막으려 했던 자들이 정확히 그 반대 효과를 초래했다는 것이 정말 역설적이지 않습니까? 지금 에드먼드는 역사상 그 어떤 과학적 발표보다도 더 많은 청중을 확보하게 되었으니까요. 그러고 보니 바티칸이 교수님의 저서 《기독교와 신성한 여성성》을 맹비난하고 나선 여파로 그 책이 베스트셀러가 되었던 사례가 생각나는군요."

'될 뻔했지.' 랭던은 속으로 중얼거렸지만, 윈스턴이 무슨 말을 하는지는 충분히 알아들었다.

"시청률을 극대화하는 것이 오늘 밤 에드먼드의 중요한 과제 가운데 하나였어요." 윈스턴이 말했다.

"맞아요." 암브라가 랭던을 돌아보며 말했다. "에드먼드와 함께 이 프로젝트에 관해 회의할 때마다 그는 청중의 참여를 유도하고 더 많은 사람의 시선을 붙잡아둘 방법을 고민하곤 했어요."

"아까도 말씀드렸듯이," 윈스턴이 말했다. "언론의 관심이 포화점을 향해 치닫고 있는 지금이 최고의 타이밍입니다."

"알았어." 랭던이 말했다. "우리가 어떻게 해야 하는지나 말해봐."

복도를 걸어가던 그들은 예기치 못한 장애물을 맞닥뜨렸다. 페인트 작업을 하려는 듯이 사다리 하나가 복도를 비스듬히 가로막고 있었던 것이다. 사다리를 치우거나 그 밑으로 가지 않는 한 지나갈 방법이 없었다.

"이 사다리 말이야." 랭던이 말했다. "옆으로 치워놓을까?"

"아닙니다." 윈스턴이 대답했다. "에드먼드가 오래전부터 일부러 거기 놔둔 겁니다."

"왜?" 암브라가 물었다.

"아시다시피 에드먼드는 모든 형태의 미신을 혐오했어요. 그래서 매일 일하러 갈 때 으레 사다리 밑을 지나갔죠. 신을 모독하는 한 방법으로요. 뿐만 아니라 어떤 손님이나 기술자가 그 사다리 밑을 지나가기를 거부하면 당장 쫓아내버렸어요."

'퍽이나 합리적이군.' 랭던은 미소를 지으며 속으로 중얼거렸다. 그는 예전에 무심코 행운을 염원하며 '나무를 두드리다가(knocking on wood)' 에드먼드에게 공개적으로 야단을 맞은 적이 있었다. '선생님, 나무를 두드려 정령을 깨운다고 믿는 드루이드 교도가 아니라면 제발 그런 무식한 미신 따위는 과거의 유산으로 놔두세요!'

암브라는 거침없이 허리를 숙이고 사다리 밑을 지나갔다. 랭던도 따라 하기는 했지만, 사다리 밑을 지나는 순간 공연히 등골이 오싹해졌다.

복도 반대편에 도착하자, 윈스턴은 모퉁이를 돌아 카메라 두 대와 생체 인식 스캐너가 달린 커다란 문 앞으로 그들을 안내했다.

문 위에 손으로 쓴 간판이 붙어 있었다. '13호실.'

랭던은 그 불길한 숫자를 힐끗 쳐다보았다. '또 한 번 신을 골려 먹는군.'

"거기가 바로 에드먼드의 작업실로 들어가는 입구입니다." 윈스턴이 말했다. "에드먼드가 처음 그 방을 만들 때 고용한 기술자들 말고는 안에 들어가본 사람이 거의 없어요."

문에서 요란하게 웅웅거리는 소리가 나자, 암브라는 조금도 지체하지 않고 손잡이를 돌려 문을 열었다. 하지만 그녀는 문턱을 넘어서기가 무섭게 그 자리에 멈춰 서서 손으로 입을 가리며 비명을 삼켰다. 그녀의 어깨 너머로 성당의 본당을 들여다본 랭던은 그녀의 반응을 충분히 이해할 수 있었다.

랭던이 이제껏 한 번도 본 적 없는 커다란 유리 상자가 본당의 널따란 홀을 가득 채우고 있었다. 바닥 전체를 차지한 이 투명한 유리 상자는 2층 높이의 천장까지 뻗어 있었다.

자세히 보니 상자 자체도 두 개 층으로 구분되어 있었다.

1층에는 냉장고만 한 크기의 철제 캐비닛 수백 개가 제단을 마주한 교회 신도석처럼 줄줄이 정렬해 있었다. 문이 없어 속이 훤히 들여다보이는 캐비닛이었다. 빽빽한 격자무늬의 격자점에 연결된 선홍색 전선들이 복잡한 망을 이루어 바닥으로 호를 그리며 뻗어 내려서는 밧줄처럼 서로 뒤엉켜 기계들 사이를 가로지르며 복잡한 혈관과 같은 장관을 이루었다.

'질서 정연한 혼돈이군.' 랭던은 생각했다.

"1층에는," 윈스턴이 말했다. "유명한 슈퍼컴퓨터 마레노스트룸이 있습니다. 4만 8896개의 인텔 코어가 인피니밴드 FDR10 네트워크와 연결된 세계에서 가장 빠른 컴퓨터 가운데 하나지요. 에드먼드는 이 건물에 들어올 때부터 있었던 마레노스트룸을 치우지 않고 '통합'하여 그 성능을 획기적으로 개선했습니다."

랭던은 이제 마레노스트룸의 모든 전선이 방 한복판에서 하나로 합쳐져 거대한 덩굴처럼 1층 천장으로 올라가는 것을 바라보았다.

커다란 유리 상자의 2층으로 시선을 옮기자, 이번에는 전혀 다른 그림이 눈에 들어왔다. 바닥 한복판의 단 위에 사방 3미터 길이의, 청색과 회색으로 된 커다란 금속 정육면체가 놓여 있었는데, 전선도 표시등도 없었고, 이것이 지금 윈스턴이 설명하고 있는 최첨단 컴퓨터라는 그 어떤 표시도 없었다.

"……비트를 큐비트가 대체하고…… 중첩 상태와…… 양자 알고리즘…… 얽힘과 터널링……."

랭던은 자신과 에드먼드가 왜 컴퓨터보다는 예술 분야에 대해 대화를 나누었는지 알 것 같았다.

"……초당 부동 소수점 1천 조의 연산이 가능해……." 윈스턴이 드디어 결론을 내렸다. "매우 상이한 이 두 대의 컴퓨터를 융합함으로써 세계에서 가장 강력한 슈퍼컴퓨터가 탄생한 겁니다."

"나의 하느님(My God)." 암브라가 속삭였다.

"정확히 말하면," 윈스턴이 그녀의 표현을 수정했다. "에드먼드의 하느님이라고 해야겠지요."

85

 ConspiracyNet.com

뉴스 속보

커시의 발견, 개봉 박두!

그렇다, 이건 사실이다!

에드먼드 커시 측에서 배포한 보도 자료에 의하면 많은 관심을 모으고 있는 그의 과학적 발견, 즉 이 미래학자가 피살됨으로써 공개되지 못한 내용이 바르셀로나 시간으로 새벽 3시 정각, 전 세계로 생중계될 예정이다.

전하는 바에 따르면 시청자 참여가 폭주하고 있으며, 전 세계 온라인 조회 수는 유례를 찾아볼 수 없을 정도라고 한다.

관련 소식으로, 토레기로나성당으로 들어가는 로버트 랭던과 암브라 비달을 목격했다는 제보가 들어오고 있다. 이 성당은 에드먼드 커시가 지난 몇 년 동안 작업해온 장소로 알려진 '바르셀로나 슈퍼컴퓨팅 센터'가 있는 곳이다. 이곳에서 커시의 프레젠테이션이 생중계되는지는 아직 확인되지 않았다.

컨스피러시넷닷컴에서는 여기에서 커시의 프레젠테이션을 생중계한다.

86

육중한 철문을 통해 산 내부로 들어온 훌리안 왕자는 왠지 두 번 다시 이곳을 나가지 못할 듯한 불안한 느낌에 사로잡혔다.

'전몰자의 계곡. 내가 여기서 뭘 하고 있지?'

문턱 너머 공간은 추웠고, 손전등 두 개로 비춰도 어두웠다. 공기에서는 축축한 돌 냄새가 났다.

그들 앞에 서 있는 제복 차림의 한 남자는 손에 든 열쇠 꾸러미가 쨍그랑거릴 만큼 벌벌 떨고 있었다. 뒤에 왕실 근위대 요원 대여섯 명이 버티고 있으니 국립문화재관리국 직원이 긴장할 만도 하다고 훌리안은 생각했다. '아버님이 여기 계시니.' 저 불쌍한 직원은 느닷없이 국왕이 들이닥치는 바람에 프랑코의 신성한 산으로 통하는 문을 열기 위해 한밤중에 불려 나온 것이 분명했다.

근위대 요원 한 명이 재빨리 앞으로 나왔다. "훌리안 왕자님, 발데스피노 주교님. 기다리고 있었습니다. 이쪽으로 오시지요."

근위대 요원은 훌리안과 발데스피노를 육중한 철문 앞으로 안내했다. 문 위에는 나치의 문양이 연상되는 머리 둘 달린 사나운 독수리 형상을 한 프랑코의 불길한 상징이 새겨져 있었다.

"폐하께서는 터널 끝에 계십니다." 요원은 그렇게 말하며 자물쇠를 풀고 살짝 열어놓은 철문 안쪽을 가리켰다.

훌리안과 발데스피노가 불안한 눈길을 교환한 뒤 문 안쪽으로 들어서자, 위압적인 금속 조형물 한 쌍이 양쪽에 버티고 있었다. 십자가 모양의 칼을 움켜쥔 죽음의 천사들이었다.

'종교-군사를 형상화한 또 하나의 프랑코주의로군.' 훌리안은 그런 생각을 하며 주교와 함께 긴 터널 안으로 들어섰다.

앞에 펼쳐진 터널은 마드리드 왕궁의 연회장만큼이나 화려했다. 바닥에는 반들반들한 검정 대리석이 깔려 있고, 높다란 천장은 소란 반자로 장식되었으며, 벽에는 호화로운 통로를 밝혀줄 횃불 모양의 촛대가 끝없이 달려 있었다.

하지만 오늘 밤, 이 통로의 조명에는 훨씬 극적인 요소가 있었다. 불길이 활활 타오르는 대야 같은 등잔 수십 개가 늘어서서 활주로의 유도등처럼 터널 안을 오렌지색으로 물들였다. 전통적으로 특별한 행사가 있을 때만 이 등잔에 불을 피우게 되어 있었지만, 한밤중에 국왕이 나타난 사건도 특별하기는 할 터였다.

반들거리는 바닥에 너울거리는 불빛의 그림자는 이 거대한 터널에 거의 초자연적인 분위기를 입혀주었다. 훌리안은 오랜 세월 이 추운 산속에 갇혀 오로지 프랑코의 영광을 위해 삽과 곡괭이로 터널을 파다가 추위와 굶주림에 죽어간 가련한 영혼들의 존재를 느꼈다.

'잘 봐둬라, 아들아.' 훌리안의 아버지는 그렇게 말했다. '언젠가 네가 이곳을 없애야 한다.'

훌리안은 왕이 되어서도 이 장엄한 구조물을 파괴할 힘을 갖지 못하리라고 생각했지만, 어두운 과거를 벗어버리고 새로운 세상으로 나아가고자 하는 이 나라의 열망을 생각하면 스페인 국민들이 이곳이 남아 있도록 허용했다는 사실이 놀랍게 느껴졌다. 물론 여전히 옛날 방식을 갈망하는 이들이 있으며, 해마다 프랑코의 기일이 돌아오면 수백 명의 나이 든 추종자들이 이곳으로 몰려와 경의를 표하는 것 역시 엄연한 현실이었다.

"훌리안 왕자님." 주교가 다른 사람들의 귀에 들리지 않을 정도로 조그맣게 속삭였다. "폐하께서 왜 저희를 이곳으로 부르셨는지 아십니까?"

훌리안은 고개를 가로저었다. "주교님이 아실 줄 알았는데요."

발데스피노는 평소답지 않게 무거운 한숨을 내쉬었다. "전혀 모르겠어요."

'주교가 아버님의 의도를 모른다면,' 훌리안은 생각했다. '아무도 모를 것이다.'

"폐하께서 괜찮으시기를 바랄 뿐입니다." 주교가 놀랍도록 부드러운 목소리로 말했다. "최근 들어 폐하의 판단력이 좀……."

"병원 침대에 누워 있어야 할 분이 산속에서 회의를 소집하기로 한 판단을 말씀하시는 겁니까?"

발데스피노는 부드럽게 미소 지었다. "예를 들면 그런 거지요."

훌리안은 국왕의 근위대원들이 왜 죽어가는 군주를 병원에서 이 험한 곳까지 모시라는 명령을 거부하지 않았는지 궁금했다. 하지만 근위대원들은 최고 통수권자의 지시에 어떤 질문도 하지 않고 무조건 복종하도록 훈련받은 이들이었다.

"저는 오랫동안 여기서 기도를 드리지 않았어요." 발데스피노가 불빛이 환한 복도를 내려다보며 말했다.

훌리안은 그들이 지금 이동하고 있는 터널이 그저 산속으로 들어가는 통로만이 아님을 알고 있었다. 이곳은 공식적으로 재가받은 가톨릭 성당의 본당이기도 했다. 저만치 줄지어 늘어선 신도석이 눈에 들어오기 시작했다.

'La basílica secreta(비밀의 성당).' 훌리안은 어렸을 때 이곳을 그렇게 불렀다.

이 터널의 끝에는 화강암으로 이루어진 산의 내부를 파내고 만든 드넓은 공간에, 거대한 둥근 지붕을 얹고 금박을 입힌 놀라운 땅속 성당이 있었다. 총 면적이 로마의 산피에트로대성당보다 더 넓다고 알려진 이 지하 성당에는 산 정상의 십자가와 정확하게 수직을 이루는 곳에 자리한 높다란 제단을 둘러싸고 서로 분리된 여섯 개의 예배당이 들어서 있었다.

본당으로 다가선 훌리안은 아버지를 찾아 드넓은 공간을 둘러보았다. 하지만 성소는 완전히 텅 비어 있었다.

"폐하는 어디 계실까요?" 주교가 걱정스러운 목소리로 물었다.

훌리안도 행여 근위대가 이 황량한 곳에 왕을 혼자 두었을지 모른다고 생각하니 걱정스럽기는 마찬가지였다. 왕자는 재빨리 걸음을 옮기며 트랜셉트 좌우를 차례로 살폈다. 어디에도 사람의 기척이 없었다. 훌리안은 성소 안으로 더 깊숙이 들어가 제단을 끼고 동쪽 끝에 있는 반원형 공간으로 들어섰다.

바로 이곳, 이 산 제일 깊숙한 곳에서 훌리안은 마침내 아버지를 발견하고 그 자리에 멈춰 섰다.

스페인의 국왕이 곁에 아무도 두지 않은 채 두꺼운 담요를 덮고 휠체어에 비스듬히 앉아 있었다.

87

　랭던과 암브라는 버려진 성당의 본당 안에서 윈스턴의 안내에 따라 2층짜리 슈퍼컴퓨터 옆으로 이동했다. 두꺼운 유리 너머, 안에 설치된 거대한 기계에서 낮은 진동음이 났다. 랭던은 마치 우리에 갇힌 짐승을 들여다보는 듯한 괴이한 느낌에 사로잡혔다.

　윈스턴에 의하면 그 소음은 전자장치에서 나는 것이 아니라 기계의 과열을 방지하는 송풍기와 방열판, 냉각수 펌프 등에서 나는 것이었다.

　"저 안은 귀가 먹먹할 정도로 시끄러워요." 윈스턴이 말했다. "춥기도 하고요. 하지만 다행스럽게도 에드먼드의 연구실은 2층에 있습니다."

　유리 상자의 바깥쪽 벽에 나선 계단이 설치되어 있었다. 랭던과 암브라는 윈스턴의 지시에 따라 그 계단을 올라가 유리 회전문 앞 금속 발판에 섰다.

　놀랍게도 이 연구실의 초현실적인 입구는 교외의 주택처럼 장식되어 있었다. 문 앞에 환영 인사가 새겨진 매트가 깔려 있고, 인조 화분이 놓여 있는가 하면, 조그만 벤치 밑에는 실내화도 한 켤레 놓여 있었다. 그 실내화가 에드먼드가 신던 것이라고 생각하니 랭던은 새삼 가슴이 아렸다.

문 위에 걸린 액자에는 이런 문구가 적혀 있었다.

성공이란, 열정을 잃지 않고
한 번의 실패에서 다음 실패로
넘어갈 수 있는 능력이다.
– 윈스턴 처칠

"또 처칠이로군." 랭던이 그 액자를 가리키며 암브라에게 말했다.

"에드먼드가 제일 좋아한 문구입니다." 윈스턴이 말했다. "컴퓨터의 가장 큰 장점을 정확하게 짚은 말이라고 하더군요."

"컴퓨터?" 암브라가 물었다.

"예, 컴퓨터는 무한한 끈기를 갖고 있거든요. 저는 10억 번 실패해도 눈곱만큼도 좌절하지 않습니다. 문제를 해결하기 위한 10억 번째 시도에도 첫 시도 때와 똑같은 에너지를 쏟아부을 수 있으니까요. 인간은 절대 그럴 수 없지요."

"그건 그렇지." 랭던이 선선히 인정했다. "나는 대개 100만 번째 시도가 실패하면 포기하거든."

암브라가 미소를 지으며 문을 향해 다가섰다.

"그 문 안쪽 바닥은 유리로 되어 있습니다." 회전문이 자동으로 돌아가기 시작하자 윈스턴이 말했다. "그러니 신발을 벗어주시기 바랍니다."

암브라는 군말 않고 신발을 벗더니 맨발로 회전문을 통과했다. 그 뒤를 따르던 랭던은 에드먼드가 깔아놓은 매트에 꽤 특이한 메시지가 적혀 있는 것을 발견했다.

127.0.0.1과 같은 곳은 어디에도 없다

"윈스턴, 이 매트는 뭐지? 이해가……."

"로컬 호스트 주소입니다." 윈스턴이 대답했다.

랭던은 다시 매트를 내려다보았다. "그렇군." 랭던은 그렇게 대답하면서도 여전히 그 의미를 이해하지 못한 채 회전문을 통과했다.

유리 바닥으로 올라서는 순간 불안한 마음에 무릎이 살짝 떨리는 기분이었다. 양말만 신고 투명한 바닥 위에 서 있는 것도 썩 편치는 않았지만, 아래층의 마레노스트룸 컴퓨터 바로 위에 떠 있는 느낌도 심란하기는 마찬가지였다. 밀집 대형을 이루고 있는 부품들을 위에서 내려다보고 있으니, 흙으로 빚은 병정들이 도열한 중국 시안(西安)의 고고학 발굴지를 들여다보는 느낌이었다.

랭던은 큰 숨을 한 번 몰아쉰 뒤 눈을 들어 앞에 펼쳐진 기괴한 공간을 바라보았다.

에드먼드의 작업실은 조금 전에 본 회색과 청색의 금속 정육면체에 점령당한 투명한 직사각형이었는데, 그 번쩍거리는 표면에 주위의 모든 것이 비쳐 보였다. 정육면체의 오른쪽 모퉁이, 그러니까 그 방의 한쪽 구석에 반원형 책상과 세 개의 커다란 LCD 화면으로 이루어진 멋진 사무 공간이 있었고, 가지각색의 키보드를 모아놓은 화강암 작업대도 보였다.

"관제소인데요." 암브라가 속삭였다.

랭던도 고개를 끄덕이며 맞은편을 둘러보니 안락의자와 소파, 체력 단련용 고정 자전거가 동양풍 양탄자 위에 가지런히 놓여 있었다.

'슈퍼컴퓨터를 다루는 남자의 공간이로군.' 랭던은 에드먼드가 프로젝트에 몰두할 때면 아예 이 유리 상자 속에서 살다시피 하지 않았을까 생각했다. '도대체 여기서 뭘 발견했을까?' 이제 랭던은 조금 전까지 느꼈던 망설임이 사라진 대신 이곳에서 어떤 수수께끼가 베일을 벗었는지, 천재의 두뇌와 강력한 기계의 협력으로 어떤 비밀이 모습을 드러냈는지 알고 싶다는 지적 욕망이 커지는 것을 느꼈다.

암브라는 이미 바닥을 가로질러 거대한 정육면체로 다가가 있었다. 그 반짝거리는 회색과 청색의 표면을 바라보는 그녀의 얼굴에 짙은 당혹감이 어른거렸다. 랭던이 그녀 옆으로 다가가자 두 사람의 모습이 정육면체의 표면에 비쳐 보였다.

'이게 컴퓨터라고?' 랭던은 아직도 실감이 나지 않았다. 아래층의 기계들과 달리 이것은 죽은 듯이 조용한 금속 덩어리로 보일 뿐 도무지 생기가 느껴지지 않았다.

이 기계의 푸르스름한 색조는 '딥블루'라고 불렸던 1990년대의 슈퍼컴퓨터를 연상케 했다. 딥블루는 세계 체스 챔피언 개리 카스파로프를 이겨서 세상을 깜짝 놀라게 했었다. 그 이후로 컴퓨팅 기술은 도저히 이해가 불가능할 만큼 빠른 속도로 발전했다.

"내부를 한번 보시겠습니까?" 윈스턴의 목소리가 머리 위의 스피커에서 흘러나왔다.

암브라는 놀란 표정으로 위를 올려다보았다. "이 정육면체 안을 보라고?"

"안 될 것 있나요?" 윈스턴이 되물었다. "에드먼드라면 그 내부가 어떻게 작동하는지 보여주면서 무척 자랑스러워했을 겁니다."

"굳이 안 봐도 돼." 암브라는 에드먼드의 사무 공간을 바라보며 말했다. "그보다는 암호를 입력하는 일에 전념하면 좋겠는데. 어떻게 하면 돼?"

"그 일은 고작 몇 초밖에 안 걸립니다. 시간은 아직 11분이나 남아 있고요. 정육면체의 내부부터 구경하세요."

에드먼드의 사무 공간을 마주하고 있는 정육면체 한 면의 패널이 스르르 미끄러져 열리기 시작하더니 두꺼운 판유리가 드러났다. 랭던과 암브라는 빙 돌아가서 그 투명한 덮개 안쪽으로 얼굴을 들이밀었다.

랭던은 빽빽하게 들어찬 전선과 점멸하는 표시등이 보일 거라고 짐작했다. 하지만 그런 것은 하나도 보이지 않았다. 당황스럽게도 정육면체 안쪽은 조그만 빈 방처럼 어둡고 텅 비어 있었다. 그저 대형 냉장고 안에 들어간 것처럼 공중으로 가늘게 피어오르는 하얀 아지랑이만 있을 뿐이었다. 두꺼운 플렉시글라스 패널이 깜짝 놀랄 만큼 차가운 기운을 내뿜는 모양이었다.

"안에 아무것도 없잖아." 암브라가 말했다.

랭던 역시 아무것도 보이지 않았지만, 정육면체 안에서 뿜어 나오는 반복적이고 나지막한 박동을 느낄 수 있었다.

"천천히 울리는 저 박동 소리는," 윈스턴이 말했다. "맥동관 희석 냉각 시스템(pulse tube dilution refrigeration system)에서 나는 겁니다. 마치 사람 박동 소리 같지요."

'그래, 정말 비슷하네.' 랭던은 그 비유가 왠지 꺼림칙했다.

붉은 등이 천천히 켜지며 정육면체 내부를 비추기 시작했다. 처음에는 하얀 안개와 맨 바닥밖에 보이지 않는 텅 빈 정육면체였다. 하지만 내부가 점점 밝아지더니 바닥 위에 무언가 반짝거렸다. 랭던은 섬세한 금속 실린더가 종유석처럼 천장에 매달려 있다는 사실을 알아차렸다.

"정육면체가 차가운 상태를 유지해야 하는 이유가 바로 그것 때문입니다." 윈스턴이 말했다.

천장에 매달린 실린더의 길이는 약 1.5미터였고, 아래쪽으로 갈수록 직경이 작아지는 일곱 개의 수평 고리로 이루어졌다. 말하자면 가느다란 수직 막대에 원반이 층층이 붙어 있는 기둥이었다. 그 반짝거리는 금속 원반들 사이의 공간은 아주 가느다란 전선을 엮어서 만든 듬성듬성한 그물로 채워져 있었다. 차가운 아지랑이가 장치 전체를 천천히 맴돌았다.

"E-웨이브입니다." 윈스턴이 선언했다. "말장난 같기는 하지만, NASA와 구글이 힘을 합쳐 만든 D-웨이브를 뛰어넘는 양자 도약이지요."

윈스턴은 세계 최초의 초보적인 '양자 컴퓨터'인 D-웨이브가 과학자들도 아직 제대로 이해하지 못해 머리를 싸맬 만큼 강력한 연산 능력을 발휘함으로써 멋진 신세계를 열어젖혔다고 설명했다. 양자 컴퓨터는 이진법을 이용해 정보를 저장하는 대신, 아원자 입자들의 양자 상태를 이용해 속도와 성능, 유연성 면에서 기하급수적인 도약을 가능하게 했다.

"에드먼드의 양자 컴퓨터는," 윈스턴이 말했다. "구조적으로 D-웨이브와 다르지 않습니다. 유일한 차이점이 바로 컴퓨터를 둘러싼 금속 정육면체지요. 이 정육면체는 초고밀도의 희귀한 화학 원소인 오스뮴으로 코팅되어 자력과 열, 양자를 차단해줍니다. 저는 그것이 극적인 것을 좋아하는 에드먼드의 성격과도 잘 맞아떨어지지 않나 싶어요."

랭던도 비슷한 생각을 하던 터라 빙그레 미소 지었다.

"지난 몇 년 사이에 구글의 '양자 인공지능 연구소'가 D-웨이브 같은 기계를 이용해 기계 학습을 강화한 반면, 에드먼드는 비밀리에 이 기계를 이용해 그 모두를 뛰어넘었어요. 그게 가능했던 이유는 아주 대담한 아이디어를 하나 활용했기 때문인데……." 윈스턴은 잠시 뜸을 들이다가 덧붙였다. "그것이 바로 양원제입니다."

랭던은 미간을 찌푸렸다. '상원과 하원으로 구성된 그 양원?'

"두 개의 엽(葉)을 가진 뇌." 윈스턴이 설명을 이어갔다. "좌뇌와 우뇌 말입니다."

'양원 뇌라…….' 랭던도 이제 감이 잡혔다. 인간이 눈부신 창의력을 발휘할 수 있는 이유 가운데 하나는 양쪽 뇌가 서로 너무나 다른 방식으로 작동하기 때문이었다. 좌뇌는 분석적이고 언어적인 반면, 우뇌는 직관적이고 말보다 그림을 '선호'한다.

윈스턴의 강의가 이어졌다. "인간의 뇌를 모방한 합성 뇌를 만들겠다는 에드먼드의 결심이 결정적이었어요. 말하자면 좌반구와 우반구로 나누겠다는 건데, 물론 현실에서는 1층과 2층으로 구분되었죠."

랭던은 한 발 물러서서 아래층의 요란한 기계들을 내려다본 다음, 다시 돌아와 정육면체 안의 조용한 '종유석'을 바라보았다. '서로 다른 이 두 기계가 하나로 융합된다. 그래서 양원제라는 거로군.'

"두 기계를 하나로 묶어서 작동시키면," 윈스턴이 말했다. "서로 다른 접근 방법으로 문제 해결을 시도합니다. 그렇게 되면 사람의 양쪽 뇌 사이에서 발생하는 갈등과 타협이 일어나 인공지능의 학습 속도와 창의성, 그리고 어떤 면에서는…… '인간성'이 크게 향상되는 거지요. 저의 경우, 에드먼드가 제 주위의 세상을 관찰하고 유머 감각이나 협동심, 가치 판단, 심지어 윤리 의식 같은 인간의 특징들을 모델링함으로써 스스로 인간성을 배울 수 있는 도구를 만들어주었습니다."

'믿을 수 없어.' 랭던은 생각했다. "그렇다면 이 양원 컴퓨터가…… 너라는 말이야?"

윈스턴은 웃음을 터뜨렸다. "당신의 뇌를 '당신'이라고 할 수 없는 것처럼 이 기계 역시 '나'가 아닙니다. 교수님도 접시에 담긴 교수님의 뇌를 바라보며 '아, 저게 바로 나군' 하고 말하지는 않잖아요. 우리는 이 기계 내부에서 일어나는 상호작용의 총합인 셈이지요."

"윈스턴." 암브라가 에드먼드의 작업 공간으로 다가가며 말했다. "시간이 얼마나 남았지?"

"5분 43초 남았습니다." 윈스턴이 대답했다. "슬슬 준비할까요?"

"그래, 그게 좋겠어." 암브라가 말했다.

정육면체의 덮개가 천천히 제자리로 돌아오자, 랭던은 에드먼드의 작업 공간에 가 있는 암브라에게 합류했다.

"윈스턴." 암브라가 말했다. "여기서 늘 에드먼드와 함께 작업해왔을 텐데, 네가 그의 발견에 대해 아무것도 모른다는 사실이 좀 놀라운걸?"

"다시 말씀드리지만 비달 관장님, 제가 가진 정보는 지극히 파편적이에요. 저도 관장님과 똑같은 데이터를 가지고 있습니다." 윈스턴이 대답했다. "단지 학습을 통해 훈련된 추측을 할 수 있을 따름이지요."

"그래서 어떤 결과가 나왔는데?" 암브라가 에드먼드의 작업실을 둘러보며 말했다.

"음, 에드먼드는 자신의 발견이 '모든 것을 변화시킬 것'이라고 주장했습니다. 제 경험에 비춰 볼 때 역사상 가장 중요한 발견들은 하나같이 우주의 '모델'을 바꾸는 결과를 낳았어요. 지구 평면설에 대한 피타고라스의 반박이나, 코페르니쿠스의 지동설, 다윈의 진화론, 아인슈타인의 상대성이론 등이 인류의 세계관을 완전히 바꿔놓은 끝에 오늘날과 같은 우주론이 자리 잡게 되었으니까요."

랭던은 머리 위의 스피커를 올려다보았다. "그래서 너는 에드먼드가 우주의 새로운 모델을 제시할 뭔가를 발견했을 거라고 추측하는 거야?"

"그렇게 추론하는 게 논리적이지요." 윈스턴의 말투가 조금 더 빨라졌다. "마레노스트룸은 마침 지구상에서 '모델링'에 가장 뛰어난 컴퓨터이고, 특히 복잡한 시뮬레이션에 특화되어 있어서, 인간의 심장을 세포 단위까지 정확하게 재현한 '알리야 레드(Alya Red)'를 통해 유명세를 얻었습니다. 물론 지금은 여기에 양자적 요소를 추가해 인간의 장기보다 몇 백만 배 이상 복잡한 시스템까지 모델링할 수 있게 되었지요."

랭던은 거기까지는 따라갈 수 있었지만, 아직도 에드먼드가 '우리는 어디에서 왔는가? 우리는 어디로 가는가?'라는 질문에 답하기 위해 무엇을 모델링했다는 것인지 좀처럼 감을 잡을 수 없었다.

"윈스턴?" 암브라가 에드먼드의 책상 앞에서 말했다. "이걸 어떻게 켜지?"

"도와드리겠습니다." 윈스턴이 대답했다.

랭던이 암브라 옆에 다다랐을 무렵, 책상 위의 커다란 LCD 화면 세 개가 켜졌다. 화면에 나타난 영상을 본 랭던과 암브라는 주춤 물러섰다.

"윈스턴…… 이게 실시간 영상이야?" 암브라가 물었다.

"예, 건물 바깥의 보안 카메라를 실시간으로 연결한 영상입니다. 두 분도 아셔야 할 것 같아서요. 저 사람들이 몇 초 전에 막 도착했거든요."

어안 렌즈에 잡힌 성당 현관 앞 영상은 한 무리의 경찰관이 초인종을 누르거나 문을 잡아당겨보기도 하고, 일부는 무전기로 어디론가 연락을 취하는 등의 모습을 보여주고 있었다.

"걱정하지 마세요." 윈스턴이 말했다. "절대 안으로 못 들어올 테니까요. 게다가 프로그램이 시작될 때까지 이제 4분도 채 남지 않았습니다."

"지금 당장 시작하는 게 좋을 것 같아." 암브라가 재촉했다.

윈스턴이 담담한 목소리로 대답했다. "에드먼드라면 조금 더 기다렸다가 약속한 대로 정각에 맞추어 시작하는 쪽을 선호할 겁니다. 그는 일단 약속하면 반드시 지키는 사람이었으니까요. 게다가 전 세계의 시청률을 계속 확인하고 있는데, 아직도 꾸준히 오르고 있습니다. 이 추세라면 앞으로 4분 뒤에는 시청률이 12.7퍼센트 더 올라가 정점을 찍을 것으로 예상됩니다." 윈스턴은 잠시 말을 끊었다가, 기쁨과 놀라움이 섞인 목소리로 말을 이었다. "솔직히 말하면 오늘 저녁에 벌어진 온갖 소동에도 불구하고, 에드먼드의 프레젠테이션이 이보다 더 좋은 타이밍에 방송을 탈 수는 없었을 것 같네요. 에드먼드가 있었더라면 두 분께 아주 고마워했을 겁니다."

88

'이제 4분이 채 남지 않았다.' 랭던은 에드먼드의 그물망 의자에 앉아 세 개의 커다란 LCD 화면을 바라보며 속으로 중얼거렸다. 화면에는 아직도 보안 카메라의 영상이 흘러나오고 있었는데, 성당 주위로 몰려온 경찰 수가 더 늘어난 것 같았다.

"저 사람들이 여기 못 들어오는 게 확실해?" 암브라가 랭던 뒤에서 초조한 목소리로 물었다.

"저를 믿으세요." 윈스턴이 대답했다. "에드먼드는 보안에 각별히 신경 썼어요."

"저들이 이 건물의 전력을 차단해버리면?" 랭던이 물었다.

"이 건물은 독자적인 전력 공급망을 가지고 있습니다." 윈스턴은 문제없다는 듯이 대답했다. "예비로 간선을 묻어두었어요. 이 시점에서는 누구도 우리를 방해할 수 없어요. 장담해요."

랭던은 그 말을 믿기로 했다. '오늘 밤 윈스턴은 모든 면에서 한 치의 허점도 보이지 않았어……. 늘 우리 등 뒤를 든든히 지켜주기도

했고.'

말굽 모양 책상 가운데에 앉은 랭던은 앞에 놓인 독특한 키보드를 바라보았다. 일반 제품보다 글쇠 수가 적어도 두 배는 되어 보였고, 눈에 익은 알파벳과 숫자 외에 랭던조차 알아볼 수 없는 기호들이 수 없이 나열되어 있었다. 또한 키보드의 가운데가 나뉘어 양쪽이 인간 공학에 적합한 각도로 기울어져 있었다.

"이건 어떻게 쓰는 거지?" 랭던이 생소한 자판 배열을 들여다보며 물었다.

"그 키보드가 아닙니다." 윈스턴이 대답했다. "그건 E-웨이브의 메인 액세스 포인트예요. 앞서 말했듯이 에드먼드는 저를 포함해 아무에게도 이 프레젠테이션을 보여주지 않았어요. 그래서 프레젠테이션은 다른 컴퓨터로 구동해야 합니다. 오른쪽으로 자리를 옮겨보세요. 맨 끝까지 가야 할 겁니다."

오른쪽으로 고개를 돌리니, 책상 위에 대여섯 대의 컴퓨터가 나란히 놓여 있었다. 의자 바퀴를 굴려 그쪽으로 옮겨간 랭던은 제일 끝의 컴퓨터 몇 대가 아주 오래된 것임을 깨닫고 깜짝 놀랐다. 끝으로 갈수록 더 오래된 컴퓨터인 듯했다.

'뭔가 잘못된 것 아닐까.' 랭던은 연식이 적어도 수십 년은 된 듯 투박해 보이는 베이지색 IBM DOS 컴퓨터 앞을 지나며 생각했다. "윈스턴, 이것들은 다 뭐지?"

"에드먼드가 어렸을 때 쓰던 컴퓨터들입니다." 윈스턴이 대답했다. "자신의 뿌리를 잊지 않기 위해 갖다놓았다더군요. 이따금 어려운 문제가 생기면 그 컴퓨터들을 켜서 오래된 프로그램들을 돌려보곤 했습니다. 처음으로 프로그래밍의 세계를 발견했을 때의 경이로움을 다시 떠올려보기 위해서지요."

"마음에 드는군." 랭던이 말했다.

"교수님의 미키마우스 손목시계와 비슷하죠." 윈스턴이 대답했다.

깜짝 놀란 랭던은 소매를 걷어 어렸을 때 선물받은 이후로 줄곧 차고 다닌 골동품을 들여다보았다. 얼마 전 에드먼드에게 이 시계를 차고 있으면 언제나 마음은 청춘이라고 말하기는 했지만, 윈스턴이 이 시계에 대해 알고 있을 줄은 몰랐다.

"교수님." 암브라가 말했다. "패션 감각에 대한 이야기는 잠시 미뤄두고, 지금은 암호부터 입력하는 게 어떨까요? 교수님의 시계도 교수님의 관심을 끌려고 손을 흔들고 있잖아요."

아니나 다를까, 미키의 장갑 낀 손이 머리 위로 올라가 있고, 검지가 거의 수직을 이루고 있었다. '정각까지 3분 남았어.'

랭던은 얼른 의자를 굴려 책상 제일 끝에 놓인 컴퓨터 앞으로 다가갔고, 암브라도 그 뒤를 따랐다. 플로피디스크 투입구와 1200보드 전화 모뎀이 장착되고, 본체 위에 볼록한 12인치 모니터가 얹힌 컴퓨터였다.

"탠디 TRS-80입니다." 윈스턴이 말했다. "에드먼드의 첫 컴퓨터예요. 그는 여덟 살 때 그 컴퓨터를 중고로 사서 독학으로 베이식을 공부했습니다."

랭던은 이 공룡 같은 컴퓨터가 이미 전원이 켜진 채로 대기 중인 것을 알고 조금 마음이 놓였다. 흑백 화면에 모서리가 뭉개진 비트맵 서체로 반가운 메시지가 떠 있었다.

어서 오세요, 에드먼드.
암호를 입력하세요.

'입력하세요'라는 글자 뒤에 검정색 커서가 잔뜩 기대를 품은 듯이 깜빡거렸다.

"이게 다야?" 랭던은 아무리 봐도 너무 간단한 것 같아서 또 은근히 불안해졌다. "그냥 여기다 입력하라고?"

"그렇습니다." 윈스턴이 대답했다. "일단 암호를 입력하면 이 컴퓨터가 에드먼드의 프레젠테이션이 저장된 메인 컴퓨터의 보안 파티션에 '잠금 해제' 승인 메시지를 보낼 겁니다. 그다음부터는 제가 접속해서 그 시스템에 접근할 수 있어요. 시간 맞춰 데이터를 띄우면 전 세계 주요 채널로 전달되겠지요."

랭던은 그 설명을 온전히 이해했는지조차 그다지 자신 없었지만, 이 투박한 컴퓨터와 전화 모뎀을 보면 볼수록 걱정이 앞섰다. "이해가 안 가는군, 윈스턴. 에드먼드는 오늘 밤을 위해 그렇게 만반의 준비를 해놓고 왜 하필 발표는 이런 원시시대 전화 모뎀에 맡기려 한 거지?"

"바로 그 점이 진정 에드먼드다운 방식 아닐까요?" 윈스턴이 대답했다. "극적인 것과 상징주의와 역사를 좋아하는 그의 성격에 비춰볼 때, 자기 생애의 첫 컴퓨터로 일생 최고의 작품을 구동하는 것이 어떤 의미였을지 짐작이 갑니다만."

'그럴 만도 하겠군.' 랭던이 생각해도 에드먼드의 성향을 정확히 꿰뚫어본 분석이었다.

"게다가," 윈스턴이 덧붙였다. "중간에 우발적인 사건들이 있기는 했지만 에드먼드 입장에서는 아주 오래된 컴퓨터를 이용해 '스위치를 켜는' 것이 이치에 맞다고 생각했을 겁니다. 단순한 임무에는 단순한 도구가 필요한 법이니까요. 보안 측면에서 봐도, 프로세서의 속도가 워낙 느리니 무차별 대입 방식으로 시스템을 해킹하려 해도 무한정 시간이 걸릴 겁니다."

"교수님?" 랭던 뒤에 서 있던 암브라가 그의 어깨를 지그시 누르며 또 한 번 재촉했다.

"아, 미안해요. 이제 다 됐어요." 랭던이 그렇게 대답하며 키보드를 끌어당기자, 돌돌 말려 있던 키보드 케이블이 예전의 다이얼식 전화기의 선처럼 쭉 펴졌다. 랭던은 손가락을 자판 위에 얹고, 사그라다 파밀리아의 지하 예배당에서 암브라와 함께 찾아낸 시구절을 떠올렸다.

'어두운 종교는 떠나고 달콤한 과학이 지배한다.'

윌리엄 블레이크의 서사시 《네 조아들》의 대단원은 모든 것을 바꿔놓을 것이라는 에드먼드의 마지막 과학적 발견을 공개하는 열쇠로 완벽한 선택이었다.

랭던은 크게 숨을 한 번 쉰 다음, 조심스럽게 자판을 누르기 시작했다. 글자 사이를 띄우지 않고 &를 et로 바꾸는 것도 잊지 않았다.

입력을 마친 랭던은 고개를 들고 화면을 바라보았다.

암호를 입력하세요.

....

랭던은 점이 몇 개인지 세어보았다. 마흔일곱 개였다.

'완벽해. 가보자고.'

랭던이 암브라를 돌아보자, 그녀가 고개를 끄덕여 보였다. 랭던은 손을 뻗어 엔터 키를 눌렀다.

암호가 일치하지 않습니다.
다시 시도하세요.

랭던의 가슴이 철렁 내려앉았다.

"암브라, 나는 정확하게 입력했어요. 확실하다고요!" 랭던은 암브라도 공황에 빠져 있으리라고 예상하며 의자를 빙글 돌려 그녀를 바라보았다.

뜻밖에도 암브라 비달은 재미있다는 듯 미소 지으며 그를 내려다보고 있었다. 그녀가 고개를 흔들며 웃음을 터뜨렸다.

"교수님." 암브라가 자판을 가리키며 속삭였다. "캡스록이 걸려 있잖아요."

* * *

같은 시각, 훌리안 왕자는 산속 깊숙이 숨겨진 지하 성당 안에서 눈앞에 펼쳐진 당황스러운 광경을 이해하려고 안간힘을 쓰며 얼어붙은 듯 서 있었다. 그의 아버지인 스페인 국왕이, 이 성당의 가장 은밀하고 외딴 곳에서 미동도 없이 휠체어에 앉아 있었다.

훌리안은 겁에 질려 그 옆으로 달려갔다. "아버님?"

훌리안이 다가서자 왕은 낮잠에서 깨어난 사람처럼 천천히 눈을 떴다. 병든 군주의 얼굴에 안도의 미소가 번졌다. "와줘서 고맙다, 아들아." 그가 당장이라도 꺼질 듯한 목소리로 속삭였다.

휠체어 앞에 무릎을 꿇은 훌리안은 아버지가 아직 살아 있다는 사실에 안도하는 한편, 지난 며칠 사이에 몰라볼 정도로 쇠약해진 그의 모습에 안타까움을 느꼈다. "아버님? 괜찮으세요?"

국왕은 어깨를 살짝 들었다 놓았다. "보다시피." 생각보다는 훨씬 여유가 느껴지는 대답이었다. "너는 어떠냐? 아주 긴 하루를 보냈을 텐데."

훌리안은 대답할 말이 떠오르지 않았다. "여기서 뭘 하고 계세요?"

"음, 병원이 너무 갑갑해서 바람 좀 쐬러 나왔다."

"바람 쐬는 거야 좋지만…… 왜 하필 이곳이죠?" 훌리안은 아버지가 박해와 폭압의 상징과도 같은 이 성소를 끔찍이 싫어한다는 사실을 잘 알고 있었다.

"폐하!" 발데스피노가 가쁜 숨을 몰아쉬며 제단 옆을 돌아 그들에게 다가왔다. "도대체 이게 무슨 일입니까!"

국왕은 오랜 친구를 향해 미소 지었다. "안토니오, 어서 오게."

'안토니오?' 훌리안 왕자는 자신의 아버지가 발데스피노 주교를 그렇게 부르는 것을 한 번도 들어본 적이 없었다. 공개 석상에서는 늘 깍듯이 '주교님'이라고 부르지 않았던가.

주교는 평소와 달리 격의 없는 국왕의 환대에 감정이 북받치는 듯했다. "감사……합니다." 그는 말까지 더듬었다. "괜찮으십니까?"

"더 좋을 수가 없어." 국왕이 더욱 환하게 웃으며 대답했다. "이 세상에서 내가 가장 신뢰하는 두 사람과 함께 있으니 말일세."

발데스피노는 불안한 눈빛으로 훌리안을 돌아보더니, 다시 국왕을 향해 말했다. "폐하, 분부대로 왕자님을 모셔 왔습니다. 이제 두 분이 조용히 말씀 나누시도록 이만 물러갈까요?"

"아닐세, 안토니오." 왕이 말했다. "고해성사를 하려는 마당에 신부가 동석해야 하지 않겠나."

발데스피노는 고개를 가로저었다. "왕자님은 오늘 밤 폐하가 보이신 행동을 직접 설명해주실 거라고 기대하지 않으실 겁니다. 제 생각에는……."

"오늘 밤?" 왕은 웃음을 터뜨렸다. "아닐세, 안토니오, 나는 일생토록 훌리안에게 비밀로 지켜왔던 이야기를 고백할 생각이네."

89

 **ConspiracyNet.com**

뉴스 속보

공격받는 교회!

아니다. 교회를 공격하는 것은 에드먼드 커시가 아니라 바로 스페인 경찰이다!

현재 바르셀로나의 토레기로나성당이 현지 경찰의 공격을 받고 있다. 성당 안에서 로버트 랭던과 암브라 비달이 많은 사람이 애타게 기다리고 있는 에드먼드 커시의 발견을 공개할 준비를 하고 있는 것으로 알려졌다. 발표는 곧 시작될 예정이다.

카운트다운은 이미 시작되었다!

90

랭던의 두 번째 시도에 골동품 컴퓨터에서 반가운 '핑' 소리가 나자, 암브라 비달은 거대한 환희의 물결이 밀려오는 것을 느꼈다.

암호가 일치합니다.

'감사합니다, 하느님.' 암브라는 속으로 중얼거렸다. 랭던이 책상 앞에서 일어나 그녀를 향해 돌아섰다. 암브라는 대뜸 두 팔로 그를 끌어안고 그와 진심 어린 포옹을 나누었다. '에드먼드가 얼마나 기뻐했을까.'

"2분 33초 남았습니다." 윈스턴이 시간을 알렸다.

두 사람은 포옹을 풀고 LCD 화면을 바라보았다. 가운데 화면에 구겐하임에서 본 카운트다운 시계가 표시되었다.

2분 33초 후 프로그램 생중계가 시작됩니다

현 시각 원격 참석자 수: 227,257,914명

'2억 명이 넘는다고?' 암브라는 어안이 벙벙했다. 그녀가 랭던과 함께 바르셀로나를 헤매고 다니는 동안, 온 세상의 이목이 그들에게 집중되었다. '시청자 수가 천문학적으로 늘어났어.'

카운트다운 화면 옆에는 보안 카메라 영상이 계속 흐르고 있었는데, 암브라는 그들의 움직임이 조금 전과는 확연히 달라졌음을 알아차렸다. 문을 두드리거나 무전기로 교신하던 경찰관들이 갑자기 하던 일을 멈추고 각자 스마트폰을 꺼내 들여다보기 시작했다. 성당 밖은 휴대전화의 액정 불빛 탓에 훨씬 창백하고 진지해 보이는 얼굴들이 허공을 둥둥 떠다니는 느낌이었다.

'에드먼드가 세상의 발걸음을 멈춰 세웠어.' 전 세계의 그 많은 사람들이 바로 이 방에서 전송될 프로그램을 지켜보려고 대기 중이라는 생각에 암브라는 일말의 책임감마저 느꼈다. '훌리안도 보고 있을까?' 암브라는 그 궁금증을 애써 떨쳐버렸다.

"이제 곧 시작합니다." 윈스턴이 말했다. "저쪽 끝에 있는 거실 공간으로 자리를 옮기면 좀 더 편하게 볼 수 있을 텐데요."

"고마워, 윈스턴." 랭던은 그렇게 말하며 암브라와 함께 맨발로 매끈한 유리 바닥을 가로질러 금속 정육면체를 지난 다음, 거실로 꾸며놓은 곳으로 갔다.

유리 바닥에 양탄자를 깔고, 근사한 가구 몇 점과 고정 자전거를 둔 곳이었다.

유리 바닥을 벗어나 부드러운 양탄자 위로 올라선 암브라는 금세 긴장이 풀리는 것 같았다. 암브라는 소파 위에 발을 올리고 앉은 뒤, 에드먼드의 텔레비전을 찾느라 주위를 두리번거렸다. "어디를 봐야 하지?"

랭던은 무심코 그 방의 한쪽 구석으로 다가갔다가 뭔가를 발견한 탓에 그녀의 목소리를 듣지 못했지만, 암브라는 곧장 답을 찾았다. 뒤쪽 벽 전체에서 빛이 나오는가 싶더니, 이내 유리 안에서 낯익은 화면이 나타났다.

1분 39초 후 프로그램 생중계가 시작됩니다
현 시각 원격 참석자 수: 227,501,173명

'벽 전체가 화면이야?'

실내의 불빛이 서서히 어두워지는 가운데 암브라는 약 2.5미터 높이의 영상을 물끄러미 바라보았다. 윈스턴이 좀 더 안락한 분위기에서 에드먼드의 빅 쇼를 보도록 조명을 조절한 모양이었다.

* * *

랭던은 3미터쯤 떨어진 한쪽 구석에 꼼짝 않고 서 있었다. 거대한 텔레비전 때문이 아니라, 방금 발견한 조그만 물건 때문이었다. 그것은 마치 박물관의 전시물처럼 고상한 받침대 위에 진열되어 있었다.

앞면은 유리고 나머지는 금속으로 된 진열장 안에 시험관이 하나 들어 있었다. 코르크 마개로 막고 라벨이 붙은 이 시험관에는 탁한 갈색 액체가 들어 있었다. 처음에 랭던은 그것이 에드먼드가 복용하던 약품의 한 종류가 아닐까 생각했다. 그러다 라벨에 적힌 글자를 보았다.

'이럴 수가.' 랭던은 탄성을 내질렀다. '이런 게 왜 여기 있지?!'

세상에 '유명한' 시험관은 몇 안 될 테지만, 랭던은 이것이야말로 그렇게 불릴 자격이 있음을 알고 있었다. '에드먼드가 이 시험관들

중 하나를 갖고 있었다니, 믿을 수 없어!' 아마도 에드먼드는 과학계의 이 유명한 소품을 몰래 손에 넣기 위해 엄청난 대가를 지불했을 것이다. '카사밀라에 고갱의 그림을 걸어놓은 것과 같은 맥락이겠지.'

랭던은 쪼그리고 앉아 70년 된 그 유리관을 들여다보았다. 보호 테이프를 잘라 붙인 라벨은 바래고 닳았지만, 거기에 적힌 두 사람의 이름은 아직 알아볼 수 있었다. 밀러-유리.

랭던은 뒷덜미의 솜털이 곤두서는 기분으로 그 이름들을 다시 한번 읽어보았다.

밀러-유리.

'맙소사…… 우리는 어디에서 왔는가?'

화학자 스탠리 밀러와 해럴드 유리는 이미 1950년대에 이 질문에 답하기 위해 전설적인 실험을 진행했다. 그들의 과감한 실험은 비록 실패로 돌아갔지만, 그 시도 자체는 전 세계의 갈채를 받으며 '밀러-유리 실험'이라는 이름으로 널리 알려지게 되었다.

랭던은 고등학교 생물 시간에 이 두 과학자가 초창기 지구와 똑같은 조건을 재연하려 했다는 사실을 듣고 매료되었던 기억을 떠올렸다. 말하자면 생명체가 탄생하기 이전, 지구가 부글부글 끓는 화학물질로 가득한 바다로 덮여 있던 시절을 재현해내고자 시도한 것이다.

'원시 수프.'

밀러와 유리는 초기의 바다와 대기에 존재하던 물, 메탄, 암모니아, 수소 같은 화학물질을 가지고 끓어오르는 바다를 재현하고자 이 혼합물에 열을 가했다. 여기에 번개를 흉내 내기 위해 전하를 일으켜 충격을 가했다. 이어서 지구의 바다가 서서히 식어간 것과 마찬가지로 이 혼합물을 냉각시켰다.

그들의 목표는 아주 단순하면서도 대담했다. 생명체가 없는 원시의 바다에서 생명을 발생시켜보려는 것이었다. '오로지 과학만을 이용해 "창조"를 모방하려 했던 것이다.' 랭던은 생각했다.

밀러와 유리는 화학물질이 풍부하게 함유된 이 혼합물에서 원시적인 미생물이 나타날지도 모른다는 희망을 품고 연구를 거듭했다. 자연발생설을 입증하기 위한 최초의 시도였다. 안타깝게도 무생물에서 '생명'을 창조하고자 한 그들의 시도는 성공을 거두지 못했다. 대신 그들은 몇 개의 시험관을 남겼고, 그것들은 지금 샌디에이고에 있는 캘리포니아 대학교의 어두컴컴한 벽장 속에 잠들어 있었다.

오늘날까지도 창조론자들은 신의 손길 없이는 지구상에 생명이 등장할 수 없다는 주장의 과학적 증거로 이 밀러-유리 실험을 인용하고 있다.

"30초 남았습니다." 머리 위에서 윈스턴의 목소리가 들렸다.

현실로 돌아온 랭던은 벌떡 일어나 어두컴컴한 주위를 둘러보았다. 조금 전 윈스턴은 과학 역사상 가장 중요한 발견들이 하나같이 우주의 새로운 '모델'을 만들어냈다고 말했다. 또한 마레노스트룸은 컴퓨터 모델링에 특화된 장비이기 때문에 복잡한 시스템을 시뮬레이션하는 데 적합하다고도 했다.

'밀러-유리 실험은,' 랭던은 생각했다. '원시 지구에서 발생하는 복잡한 화학적 상호작용을 시뮬레이션한…… 초창기 모델링의 대표적인 사례야.'

"교수님!" 암브라가 그를 불렀다. "시작해요."

"갑니다." 랭던은 그렇게 대답하며 소파 쪽으로 걸어가다가, 문득 그 자신이 에드먼드가 매달렸던 작업의 한 자락을 얼핏 훔쳐본 듯한 느낌에 사로잡혔다.

랭던은 구겐하임의 초원에 누워 에드먼드의 극적인 서론을 지켜보던 순간을 떠올렸다. '오늘 밤, 우리 모두 고대의 탐험가가 되어봅시다.' 커시가 말했다. '모든 것을 버리고 광활한 바다로 떠난 사람들……. 종교의 시대는 이제 그 막을 내리고 있습니다. 과학의 시대가 밝아오고 있습니다. 우리가 기적적으로 삶의 가장 큰 질문에 대한 답을 알게 된다면 어떤 일이 벌어질지 상상해보십시오.'

랭던이 암브라 옆에 앉았을 때, 거대한 화면에서는 마지막 카운트다운이 막 시작된 참이었다.

암브라가 그의 안색을 살피며 물었다. "괜찮아요, 교수님?"

랭던은 고개를 끄덕였고, 극적인 배경음악이 실내를 가득 채웠다. 이어서 벽을 가득 메운 화면에 에드먼드의 얼굴이 나타났다. 이 유명한 미래학자는 무척 여위고 피곤한 모습이었지만, 카메라를 향해 환한 미소를 지어 보였다.

"우리는 어디에서 왔는가?" 에드먼드가 흥분한 목소리로 말문을 열었고, 음악 소리는 잦아들었다. "우리는 어디로 가는가?"

암브라가 초조한 듯 랭던의 손을 잡았다.

"이 두 개의 질문은 같은 이야기의 일부입니다." 에드먼드가 말했다. "그러니 처음부터, 맨 처음부터 시작해보죠."

에드먼드는 장난스럽게 고개를 끄덕거리며 주머니에서 조그만 유리 시험관을 하나 꺼냈다. 탁한 액체가 들어 있는, 빛바랜 밀러와 유리의 이름이 붙은 바로 그 시험관이었다.

랭던은 가슴이 두근거리는 것을 느꼈다.

"우리의 여행은 오래전…… 그리스도가 태어나기 40억 년 전…… 원시 수프에서 시작됩니다."

91

 랭던은 암브라와 나란히 소파에 앉아 거대한 벽면에 비친 에드먼드의 창백한 얼굴을 보고 있으려니, 치명적인 병에 걸려 혼자 신음했을 그가 떠올라 새삼 가슴이 아팠다. 그럼에도 오늘 밤, 이 미래학자의 눈동자는 기쁨과 흥분으로 환하게 빛났다.

 "조금 뒤 여러분에게 이 작은 시험관에 대한 이야기를 들려드릴 것입니다." 에드먼드가 시험관을 들어 보이며 말했다. "하지만 먼저, 이 원시 수프에서 잠시 헤엄쳐보시죠."

 에드먼드의 모습이 사라지고 쉴 새 없이 번개가 번쩍거리는 가운데, 부글부글 끓는 바다의 화산섬에서 용암과 재가 분출되는 격렬한 장면이 나타났다.

 "이곳에서 생명이 시작되었을까요?" 에드먼드의 목소리가 물었다. "화학물질이 소용돌이치는 바다에서 자연발생적으로 생명이 출현했을까요? 아니면 우주에서 날아온 운석에 미생물이 묻어온 것일까요? 그것도 아니면 혹시…… 신? 불행히도 우리는 그 순간을 목격하기 위해 시간을 거슬러 갈 수 없습니다. 우리가 아는 것은 모두 그 순간 이후, 그러니까 생명이 처음 나타난 이후의 일들뿐입니다. 진화가 일어났죠. 우리는 그 과정을 나타낸 이런 그림에 익숙합니다."

인류의 진화 과정을 보여주는 익숙한 그림이 화면에 나타났다. 원시시대 유인원의 구부정한 모습에 이어, 점점 허리가 꼿꼿해지는 호미니드가 그 뒤를 잇다가, 마침내 무성한 털이 사라지고 완전히 똑바로 선 현생 인류가 등장하는 그림이었다.

"그렇습니다, 인류는 진화했습니다." 에드먼드가 말했다. "이것은 반박할 수 없는 과학적 사실이며, 학자들은 화석 기록을 토대로 확실한 연대표를 만들었습니다. 하지만 만약 우리가 그 진화의 과정을 거꾸로 돌려볼 수 있다면 어떨까요?"

갑자기 에드먼드의 얼굴에 털이 자라나면서 원시인의 얼굴이 되어갔다. 뼈의 구조가 유인원처럼 바뀌더니 어지러울 만큼 변화 속도가 빨라지면서 점점 더 옛날 종의 모습이 나타났다 사라졌다. 여우원숭이, 나무늘보, 유대목, 오리너구리, 폐어(肺魚), 그다음부터는 아예 물속으로 들어가 뱀장어, 물고기, 아교질 생물, 플랑크톤, 아메바를 거쳐, 급기야 에드먼드 커시는 현미경 없이는 볼 수 없는 박테리아로 변했다. 드넓은 바다에서 홀로 맥동하는 단세포생물이 된 것이다.

"생명의 가장 첫 단계에 해당하는 점들." 에드먼드가 말했다. "바로 이것이 거꾸로 돌린 우리의 영화가 끝나는 지점입니다. 우리는 생명 없는 화학적 바다에서 어떻게 최초의 생명체가 생겨났는지 전혀 알지 못합니다. 이 이야기의 첫 번째 화면을 우리는 보지 못하는 것입니다."

'T=0.' 랭던은 실제로는 팽창하고 있는 우주의 필름을 거꾸로 돌려 우주가 점점 수축한 끝에 결국 하나의 점이 되는 영상을 본 적이 있었는데, 그런 점에서는 우주과학자들도 비슷한 한계에 봉착하는 셈이었다.

"'제1원인(First Cause).'" 에드먼드가 말했다. "다윈은 도무지 알 수 없는 창조의 순간을 묘사하기 위해 그런 개념을 사용했습니다. 그는 생명이 끊임없이 진화한다는 사실을 증명했지만, 그 모든 과정이 어떻게 시작되었는지는 알아내지 못했습니다. 다시 말해 다윈의 이론은 적자의 '생존(survival)'은 설명해도 적자의 '도래(arrival)'는 설명하지 못합니다."

랭던은 처음 듣는 기발한 표현에 빙긋 웃었다.

"그렇다면 생명은 과연 어떻게 이 지구상에 '도래'했을까요? 바꿔 말하면, 우리는 어디에서 왔을까요?" 에드먼드는 미소 지으며 말을 이었다. "앞으로 몇 분 안에 여러분은 이 질문의 답을 알게 될 겁니다. 하지만 내 말을 믿으세요, 그 답이 아무리 놀라워도 그것은 오늘 밤에 우리가 나눌 이야기의 절반에 불과합니다." 에드먼드는 카메라를 정면으로 바라보며 의미심장한 미소를 지었다. "우리가 어디에서 왔는지를 알게 되면 정말 환상적이지만…… 우리가 어디로 가는지를 알면 훨씬 충격적일 겁니다."

암브라와 랭던은 당혹스러운 눈길을 교환했다. 에드먼드 특유의 과장법을 잘 아는 랭던도, 방금 그 말에 대해서는 불안한 마음이 앞섰다.

"생명의 기원……." 에드먼드가 말을 이었다. "그것은 최초의 창조 신화 이래 가장 큰 수수께끼로 남아 있습니다. 철학자와 과학자 들은 수천 년에 걸쳐 이 최초의 생명이 남겼을 흔적을 찾아 헤맸습니다."

에드먼드는 탁한 액체가 든 시험관을 다시 들고 나타났다. "1950년 대, 밀러와 유리라는 두 화학자가 생명이 어떻게 시작되었는지를 알아내겠다는 일념으로 대담한 실험을 진행했습니다."

랭던이 암브라를 향해 몸을 기울이며 속삭였다. "저 시험관이 바로 저기 있어요." 그가 구석에 놓인 받침대를 가리켰다.

암브라는 놀란 표정을 지었다. "에드먼드가 왜 그런 걸 갖고 있는 거죠?"

랭던은 어깨를 으쓱했다. 에드먼드의 아파트에서 목격한 기이한 소장품들에 비춰 볼 때, 이 시험관 역시 그가 갖고 싶어 한 과학사의 한 토막이었을지도 몰랐다.

에드먼드는 무생물의 화학물질을 채운 시험관에서 생명을 창조하고자 했던 밀러와 유리의 실험을 간단히 설명했다.

화면에 1953년 3월 8일 자 《뉴욕 타임스》에 실린 〈20억 년 전을 돌아보다〉라는 빛바랜 기사가 나타났다.

에드먼드가 말했다. "분명 이 실험은 적지 않은 사람들에게 근심을 안겨주었습니다. 그것이 암시하는 바는 지구 전체를, 특히 종교계를 크게 뒤흔들었을 테니까요. 만약 이 시험관 안에서 마법처럼 생명이 나타났다면, 결론적으로 우리는 화학 법칙 하나로도 충분히 생명을 만들어낼 수 있다는 사실을 알게 되었을 겁니다. 창조의 불씨를 얻기 위해 하늘에서 내려온 어떤 초자연적인 존재의 도움을 받지 않아도 된다는 뜻이니까요. 생명은 그냥 저절로 생겨난…… 자연법칙이 빚어낸 필연적인 부산물이라는 점을 이해했겠지요. 더욱 중요한 것은 '여기', 즉 지구에서 생명이 저절로 생겨났다면, 우주의 다른 어디에선가 똑같은 일이 벌어졌을 가능성이 아주 높다는 점입니다. 다시 말해서 인간은 특별하지 않다, 인간은 하느님이 만든 우주의 중심이 아니다, 나아가 이 우주에 우리만 있는 것은 아니다라는 결론에 도달했을 것입니다."

에드먼드는 크게 숨을 내쉬며 말을 이었다. "하지만 이미 많은 분들이 알고 계시듯 밀러-유리 실험은 실패했습니다. 몇몇 아미노산이 생겨나기는 했지만, 그것은 생명과는 한참 거리가 멀었습니다.

이 화학자들은 성분 조합을 바꿔보고, 가열 방식에도 변화를 주는 등 새로운 조건으로 실험을 거듭해보았지만 아무 소용도 없었습니다. 독실한 신앙을 가진 이들이 믿는 것처럼 생명은 어떤 '신성한 개입'을 필요로 하는 듯이 보였습니다. 밀러와 유리는 결국 이 실험을 포기했습니다. 종교계는 안도의 한숨을 내쉬었고, 과학계는 출발점으로 돌아갔습니다." 에드먼드는 잠시 말을 멈추었지만, 그의 눈동자에는 한 줄기 빛이 번득였다. "그것이 2007년 이전까지의 경과입니다……. 2007년에 전혀 예기치 못한 사태가 벌어지기 전까지는 그랬지요."

에드먼드는 밀러 사망 이후 샌디에이고의 캘리포니아 대학교 벽장 속에서 잊혀가던 밀러-유리 시험관이 재발견된 이야기로 넘어갔다. 밀러의 제자들이 액체 크로마토그래피와 질량분석법 같은 한층 정교한 현대 기술을 이용해 스승의 표본을 새롭게 분석하니 놀라운 결과가 나타났다. 밀러-유리 실험에서, 밀러가 그 당시 기술로 측정한 것보다 훨씬 많은 아미노산과 복잡한 혼합물이 생성되었음이 밝혀진 것이다. 새로운 분석 결과 몇몇 중요한 핵염기가 발견되었는데, 이는 바로 RNA, 어쩌면 결국…… DNA의 구성 요소가 될 수 있는 물질들이었다.

"이는 실로 놀라운 과학 이야기가 아닐 수 없습니다." 에드먼드가 결론을 내리듯 말했다. "생명이…… '신성한 개입 없이', 저절로 생겨날 수 있다는 생각이 옳다는 것을 뒷받침하니까요. 밀러-유리 실험은 소기의 목표를 달성했고, 단지 결실을 맺기까지 시간이 더 필요했을 뿐입니다. 여기서 우리는 한 가지 핵심적인 교훈을 기억해야 합니다. 생명은 수십억 년에 걸쳐 진화했고, 이 시험관은 불과 50년 조금 넘게 벽장 속에 있었을 뿐입니다. 이 실험의 연대표를 킬로미터 단위로 측정한다면, 우리의 관점은 고작 처음 몇 센티미터에 한정되어 있었다는 뜻입니다······."

에드먼드는 시청자들에게 지금까지의 설명에 대해 생각할 시간을 주었다.

"실험실에서 생명을 창조한다는 생각에 대한 관심이 되살아난 것은 말할 필요도 없습니다." 에드먼드가 말을 이었다.

'기억나.' 랭던은 생각했다. 하버드 생물학부에서도 이른바 BYOB라는 이름의 파티를 개최한 적이 있었다. BYOB, 즉 '각자 자신의 박테리아를 만들라(Build Your Own Bacterium)'라는 뜻이었다.

"물론 현대 종교 지도자들은 강력하게 반발했습니다." 에드먼드는 '현대'라는 단어를 말할 때 양손 검지와 중지로 인용 부호를 붙였다.

화면에 크리에이션닷컴(creation.com)이라는 웹사이트 홈페이지가 떴다. 랭던은 에드먼드가 그 홈페이지를 분노와 조롱의 대상으로 삼곤 했다는 사실을 알고 있었다. 이 단체가 창조론에 입각한 복음 활동으로 눈살을 찌푸리게 하는 경우가 많은 것은 사실이지만, 이것을 '현대 종교계'의 대표적인 사례로 거론하는 것은 썩 적절해 보이지 않았다.

그들의 강령은 이러했다. "성경의 진실과 권위를 선포하고, 그 신뢰성, 특히 창세기 역사의 신뢰성을 확인한다."

"이 사이트는," 에드먼드가 말했다. "아주 유명하고 영향력도 큽니다. 또한 그 산하에 밀러─유리 실험의 부활이 얼마나 위험한지를 설파하는 수십 개의 블로그가 있지요. 이 사이트 관계자들에게 다행스러운 것은, 그들에게 두려워할 게 하나도 없다는 점입니다. 설령 이실험이 생명을 만들어내는 데 성공한다 해도, 앞으로 또 20억 년이 지나기 전까지는 확인되지 않을 테니까요."

에드먼드는 다시 시험관을 들어 보였다. "여러분도 충분히 상상할 수 있듯이, 나는 20억 년의 세월을 건너뛰어 이 시험관을 분석해 창조론자들이 틀렸다는 사실을 입증해 보이고 싶은 마음이 간절합니다. 안타깝게도, 그러려면 타임머신이 필요하죠." 에드먼드는 이 대목에서 장난스러운 표정으로 잠시 말을 끊었다. "그래서…… 하나 만들어봤습니다."

랭던은 이 프레젠테이션이 시작된 이후 미동도 하지 않는 암브라를 슬쩍 돌아보았다. 그녀의 검은 눈동자는 여전히 화면에 고정되어 있었다.

"타임머신을 만들기는," 에드먼드가 말했다. "사실 그렇게 어렵지 않습니다. 무슨 뜻인지 직접 보여드리지요."

화면에 손님이 아무도 없는 술집이 나타나자, 에드먼드는 그 술집 안으로 들어가 당구대 옆으로 다가갔다. 당구공들은 여느 때처럼 삼각 대형으로 밀집해 흩어지기를 기다리고 있었다. 에드먼드는 큐를 집어 들고 테이블 위로 몸을 숙이더니, 힘껏 큐볼을 쳤다. 큐볼은 삼각 대형의 공들을 향해 돌진했다.

큐볼이 삼각 대형과 충돌하기 직전, 에드먼드가 갑자기 소리쳤다. "멈춰!"

큐볼이 그 자리에 얼어붙었다. 마법처럼 충돌 직전에 멈춘 것이다.

"지금 이 순간," 에드먼드가 정지된 당구대를 바라보며 말했다. "만약 내가 여러분에게 어느 공이 어느 포켓으로 들어갈지 예측해보라고 하면, 할 수 있겠습니까? 물론 못 할 겁니다. 경우의 수가 수천 가지일 테니까요. 하지만 만약 여러분에게 타임머신이 있어서 시간을 미래로 15초만 빨리 감기 할 수 있다면, 그래서 이 당구공들이 어떻게 되는지 직접 보고 돌아온다면 어떨까요? 친구 여러분, 믿거나 말거나 우리는 지금 그런 기술을 가지고 있습니다."

에드먼드는 당구대 가장자리에 설치한 조그만 카메라들을 가리켰다. "광학 센서를 이용해 큐볼의 속도와 회전, 방향, 그리고 회전축을 측정하면 이 공이 언제 어떻게 움직일지에 대한 수학적 정지 화면을 얻을 수 있습니다. 그 정지 화면으로 나는 이 공이 앞으로 어떻게 움직일지를 아주 정확하게 예측할 수 있지요."

랭던은 치기만 하면 슬라이스가 나서 골프공이 숲으로 사라져버리는 자신의 스윙 습관을 분석하고자 이와 유사한 기술을 이용한 골프 시뮬레이션 장비를 활용했던 경험을 떠올렸다.

에드먼드는 이제 큼직한 스마트폰을 꺼냈다. 화면에 가상의 큐볼이 한 지점에 정지해 있는 당구대가 나타났다. 큐볼 위에 일련의 수학 방정식이 둥둥 떠다녔다.

"큐볼의 정확한 질량과 위치와 속도를 알면," 에드먼드가 말했다. "이 공과 다른 공들의 상호작용을 계산해서 결과를 예측할 수 있습니다." 그가 화면을 터치하자 큐볼이 다시 움직이며 삼각 대형으로 서 있는 공들을 때렸고, 공들은 마구 흩어져 그중 네 개가 각각 네 개의 포켓 속으로 들어갔다.

"공 네 개가 들어갔네요." 에드먼드가 전화기를 힐끗 쳐다보며 말했다. "꽤 잘 쳤죠?" 그는 다시 카메라를 바라보며 말을 이었다. "믿기지 않는다고요?"

그가 진짜 당구대 위에서 손가락을 탁 튕기자 큐볼이 요란하게 부딪히는 소리를 내며 다른 공들과 충돌해 사방으로 흩어놓았다. 방금 본 것과 똑같은 공 네 개가 똑같은 네 개의 포켓으로 각각 굴러떨어졌다.

"진짜 타임머신은 아닙니다." 에드먼드가 빙그레 웃으며 말했다. "하지만 이런 방법으로 우리는 미래를 볼 수 있습니다. 뿐만 아니라 이렇게 하면 물리학 법칙을 수정할 수도 있습니다. 예를 들어 '마찰'을 제거하면 모든 공이 처음의 속도를 유지한 채 영원히 굴러다니다…… 마지막 공이 포켓 안으로 떨어지고 나서야 멈출 겁니다."

에드먼드는 키를 몇 개 입력한 다음 다시 시뮬레이션을 돌렸다. 이번에는 충돌 이후 공들의 속도가 느려지지 않고 미친 듯이 당구대 위를 돌아다니다가 하나둘씩 포켓 속으로 사라졌지만, 마지막 두 개의 공은 좀처럼 들어가지 않고 계속 굴러다녔다.

"만약 이 두 개의 공이 떨어지기를 기다리다가 너무 지루해지면," 에드먼드가 말했다. "그냥 빨리 감기를 하면 됩니다." 그가 화면을 터치하자 남아 있던 공 두 개가 번개 같은 속도로 당구대 위를 돌다가 마침내 포켓 속으로 떨어졌다. "이런 방법으로 나는 실제 상황이 벌어지기 훨씬 전에 미래를 내다볼 수 있습니다. 이런 점에서 컴퓨터 시뮬레이션은 가상의 타임머신이라고 해도 과언이 아니지요." 에드먼드는 또 잠시 뜸을 들인 후 말을 이었다. "물론 이것은 당구대처럼 규모가 작은, '닫힌계'에서 벌어지는 비교적 간단한 수학입니다. 좀 더 복잡한 시스템에서는 어떻게 될까요?"

에드먼드는 밀러-유리 시험관을 집어 들고 미소 지었다. "이제 여러분도 내가 뭘 하려는지 짐작하실 겁니다. 컴퓨터 모델링은 일종의 타임머신이고, 우리가 미래를 볼 수 있도록 해줍니다……. 어쩌면 수십억 년 후의 미래도 볼 수 있지 않을까요?"

암브라는 여전히 에드먼드의 얼굴에서 눈을 떼지 않은 채 몸을 뒤척였다.

"여러분도 짐작하실 테지만," 에드먼드가 말했다. "나는 지구의 원시 수프를 모델링하는 꿈을 품은 최초의 과학자가 아닙니다. 원리만 보면 아주 간단한 실험이지만, 실제로는 끔찍할 정도로 복잡하죠."

작열하는 번개와, 폭발하는 화산과, 거대한 파도가 휘몰아치는 원시의 바다가 다시 나타났다. "이 바다의 화학작용을 모델링하려면 '분자' 수준의 시뮬레이션이 필요합니다. 특정한 순간에 특정한 공기 분자가 정확히 어느 지점에 와 있는지를 알아내어 매우 정밀하게 날

씨를 예측하는 것과 비슷하다고 보면 되겠지요. 원시 바다의 시뮬레이션에서 의미 있는 결과를 이끌어내기 위해서는 운동, 열역학, 중력, 에너지 보존, 기타 등등의 물리학 법칙뿐만 아니라 화학까지 완벽하게 이해함으로써 저 들끓는 원시 수프 속에서 원자 하나하나 사이에 형성되는 결합을 정확하게 재현할 수 있을 정도의 성능을 가진 컴퓨터가 필요합니다."

지금까지 바다 위에서 내려다보던 시점이 이제 파도 아래로 내려가더니, 하나의 물방울이 확대되어 그 안에서 가상의 원자와 분자 들이 서로 결합했다가 분리되는 모습을 화면에 보여주었다.

"안타깝게도," 다시 화면에 나타난 에드먼드가 말했다. "이토록 수많은 변수가 개입되는 시뮬레이션을 처리하려면 그야말로 엄청난 연산력이 필요한데, 현재 지구상에는 그런 고성능 컴퓨터가 없습니다." 그의 눈동자에 다시 묘한 빛이 반짝였다. "단 한 대를 제외하고 말이죠."

바흐의 〈토카타와 푸가 D단조〉 도입부의 파이프오르간 소리가 울려 퍼지는 가운데, 광각렌즈로 잡은 에드먼드의 거대한 2층짜리 컴퓨터 사진이 화면을 가득 채웠다.

"E-웨이브예요." 암브라가 오랜 침묵을 깨고 드디어 속삭였다.

랭던도 멍하니 화면을 들여다보았다. '그래…… 대단해.'

극적인 오르간 소리에 맞춰 에드먼드의 슈퍼컴퓨터를 소개하는 강렬한 동영상이 시작되었고, 이윽고 '양자 정육면체'가 그 베일을 벗었다. 파이프오르간은 천둥소리 같은 화음으로 절정에 달했고, 에드먼드는 말 그대로 '오르간의 스톱을 모조리 뽑아'버렸다.

"요점은," 에드먼드가 결론을 내리듯 말했다. "이 E-웨이브는 밀러-유리 실험을 가상현실 속에서 놀랍도록 정확히 재현할 수 있다는 겁니다. 그렇다고 원시 바다 전체를 모델링할 수는 없어서 밀러와 유리가 했던 것과 똑같이 5리터의 닫힌계를 만들어보았습니다."

이제 화면에는 가상의 플라스크가 나타났다. 액체가 확대에 확대를 거듭해 원자 수준까지 도달했고, 각각의 원자가 가열된 혼합물 속에서 온도와 전하와 물리적 운동의 영향 아래 서로 결합하고 재결합하는 모습이 생생히 보였다.

"이 모델은 밀러─유리 실험 이후 원시 바다에 대해 우리가 알게 된 모든 사실을 망라합니다. 여기에는 전기를 띤 수증기에서 형성되는 수산기의 존재와 화산 활동으로 분출되는 카르보닐 황화물은 물론, '환원성 대기' 이론의 영향까지도 포함됩니다."

가상의 액체가 계속해서 들끓더니, 원자의 덩어리들이 형성되기 시작했다.

"이제 또 한 번 빨리 감기를 해보면……." 에드먼드의 흥분한 목소리와 함께 영상이 어지러운 속도로 돌아가면서 점점 더 복잡한 화합물이 형성되는 모습이 보였다. "한 주가 지나면 밀러와 유리가 목격했던 것과 같은 아미노산이 보이기 시작합니다." 영상이 부르르 떨리면서 더욱 속도가 빨라졌다. "이어서…… 50년이 될 무렵 RNA 구성요소가 형성될 기미가 보이기 시작하지요."

액체는 계속해서 점점 더 빠르게 소용돌이쳤다.

"계속 돌립니다!" 에드먼드가 열띤 목소리로 외쳤다.

프로그램이 100년, 1000년, 100만 년 단위로 정신없이 돌아가면서 분자들의 결합이 계속되고 구조적 복잡성은 더욱 커졌다. 아찔할 만큼 빠른 속도로 영상이 돌아가는 가운데, 에드먼드의 환희에 찬 목소리가 터져 나왔다. "결국 이 플라스크 안에 무엇이 나타났는지 짐작할 수 있겠습니까?"

랭던과 암브라도 흥분을 감추지 못해 몸을 앞으로 내밀었다.

에드먼드의 열띤 목소리가 갑자기 축 가라앉았다. "아무것도 없습니다." 그가 말했다. "생명은 나타나지 않았습니다. 자발적 화학 반응도 없었습니다. 창조의 순간을 찾아볼 수 없습니다. 그저 무생물의 화학 성분이 마구 뒤섞여 있을 뿐입니다." 에드먼드는 무거운 한숨을 내쉬었다. "논리적인 결론은 오직 하나밖에 없었습니다." 그는 슬픈 눈으로 카메라를 바라보았다. "생명을 창조하기 위해서는…… '신'이 필요합니다."

랭던은 엄청난 충격에 넋을 잃고 화면을 바라보았다. '지금 뭐라고 한 거야?'

잠시 후, 에드먼드의 얼굴에 희미한 미소가 번지기 시작했다. "아니면," 그가 말했다. "내가 이 레시피에서 가장 결정적인 요소를 하나 빠뜨린 것일지도 모르고요."

92

암브라 비달은 꼼짝도 하지 못하고 제자리에 앉아 지금 이 순간 그
녀와 마찬가지로 에드먼드의 프레젠테이션에 흠뻑 빠져 있을 전 세
계 수많은 사람들을 떠올려보았다.

"그렇다면 어떤 요소를 빠뜨린 걸까요?" 에드먼드가 물었다. "왜
나의 원시 수프는 생명을 만들어내기를 거부했을까요? 나도 모릅니
다. 그래서 나는 성공한 과학자 모두의 행동을 답습했습니다. 나보다
더 똑똑한 사람에게 물어본 거죠!"

학자 티가 나는 안경을 쓴 여성이 화면에 등장했다. 스탠퍼드 대학
의 생화학자 콘스턴스 게르하르트 박사였다. "우리가 어떻게 생명을
창조하냐고요?" 그 과학자는 웃음 지으며 고개를 흔들었다. "못 해
요! 그게 핵심입니다. 창조의 과정을 이야기하려면 무생물의 화학물
질이 생명체를 형성하는 문턱을 넘어야 하는데, 우리의 과학으로는
어떻게 해볼 도리가 없어요. 화학에는 그런 현상을 설명할 메커니즘
이 없으니까요. 사실 세포들이 스스로를 생명체로 조직한다는 개념

자체가 엔트로피의 법칙을 정면으로 위배하는 것처럼 보이거든요."

"엔트로피." 에드먼드는 이제 아름다운 해변에 나타나 생화학자가 말한 단어를 되풀이했다. "엔트로피란 '사물이 떨어져 나가는 것'을 뭔가 그럴듯하게 표현한 단어입니다. 좀 더 과학적으로 얘기하자면 '조직화된 시스템은 필연적으로 해체된다' 정도가 되겠지요." 에드먼드가 손가락을 한번 튕기자, 그의 발 앞에 정교한 모래성이 하나 나타났다. "나는 방금 수백만 개의 모래 알갱이를 조직화해 성 하나를 만들었습니다. 우주가 이것을 어떻게 느끼는지 볼까요?" 잠시 후, 파도가 밀려와 모래성을 쓸어버렸다. "저런, 우주는 내가 조직화해 놓은 모래 알갱이들을 찾아내 분해해버렸습니다. 모래알들은 이 바닷가로 흩어졌군요. 바로 이것이 엔트로피가 작동하는 모습입니다. 파도가 바닷가로 밀려와 모래알들을 모래성 모양으로 쌓아놓는 일은 결코 없습니다. 엔트로피는 구조를 해체합니다. 모래성은 결코 우주에서 저절로 생겨나지 않습니다. 오로지 사라질 뿐이지요."

에드먼드가 또 한 번 손가락을 튕기자, 이번에는 멋진 주방이 나타났다. "커피를 데우면," 그가 전자레인지에서 김이 모락모락 피어오르는 컵을 꺼내며 말했다. "우리는 열에너지를 이 컵 속에 모읍니다. 만약 이 컵을 한 시간 정도 가만히 놔두면 열은 마치 바닷가의 모래알처럼 이 방 전체로 고르게 퍼져나갈 겁니다. 역시 엔트로피죠. 또한 이 과정은 '비가역적'입니다. 아무리 오래 기다려도 우주는 절대 커피를 저 혼자서 다시 데워주지 않습니다." 에드먼드는 미소 지었다. "깨진 달걀이 멀쩡해지거나, 무너진 모래성이 재건되지 않는 것과 마찬가지입니다."

암브라는 언젠가 〈엔트로피〉라는 설치미술을 본 적이 있었다. 오래된 시멘트 블록을 한 줄로 늘어놓았는데, 하나하나 넘어갈수록 점점 망가진 정도가 심해지더니 결국은 한 무더기의 가루만 남았다.

안경 낀 과학자, 게르하르트 박사가 다시 나타났다. "우리는 엔트로피의 우주에 살고 있어요." 그녀가 말했다. "이 세계의 물리학 법칙은 무작위를 향해 가지 조직화를 향해 가진 않아요. 따라서 문제는 이겁니다. 무생물인 화학물질이 어떻게 해서 스스로를 복잡한 생명체로 조직화하는가? 나는 원래 종교와는 거리가 먼 사람이지만, 솔직히 말해서 생명이란 존재는 조물주 개념을 고려하게 만드는 유일한 과학적 수수께끼입니다."

이번에는 에드먼드가 나타나 고개를 절레절레 흔들었다. "나는 똑똑한 사람들이 '조물주'라는 단어를 들먹일 때마다 아찔해집니다……." 그러면서 그는 자연스럽게 어깨를 으쓱해 보였다. "과학이 생명의 탄생에 대해 그럴듯한 설명을 내놓지 못하기 때문이라는 걸 나도 압니다. 하지만 나를 믿으세요. 만약 여러분이 카오스가 지배하는 우주에 질서를 창조하는 어떤 보이지 않는 힘을 찾는다면, '신'보다 훨씬 간단한 답이 있습니다."

에드먼드는 쇳가루가 흩뿌려진 종이 접시 하나를 꺼내 들었다. 그러고는 큼직한 자석을 접시 밑으로 가져갔다. 쇳가루는 대번에 질서정연하게 호를 그리며 완벽하게 정렬했다. "보이지 않는 힘이 이 쇳가루를 조직화했습니다. 신이 그랬나요? 아닙니다……. 이것은 전자기의 힘입니다."

에드먼드는 이제 커다란 트램펄린 옆에 나타났다. 팽팽한 트램펄린 위에 수백 개의 구슬이 흩어져 있었다. "이 구슬들은 제멋대로 흩어져 있습니다." 그가 말했다. "하지만 이렇게 하면……." 그는 트램펄린의 가장자리에 볼링공을 하나 올려놓더니 굴렸다. 볼링공의 무게 때문에 트램펄린 천이 아래로 늘어지면서, 흩어져 있던 구슬들이 그 오목하게 팬 곳으로 모여들어 볼링공 주위를 둥글게 둘러쌌다. "이것이 신의 손길인가요?" 에드먼드가 물었다. "역시 아닙니다……. 이번에는 중력이었습니다."

이제 그의 얼굴이 화면 가득 클로즈업되었다. "보신 것처럼 '생명'은 우주에서 질서를 창출하는 유일한 사례가 아닙니다. 무생물의 분자들은 늘 스스로를 조직해 복잡한 구조를 만들어내죠."

여러 가지 이미지가 뒤섞여 나타나기 시작했다. 토네이도의 소용돌이, 눈송이, 강바닥의 물결자국, 수정 결정, 토성의 고리…….

"보시다시피 때때로 우주는 물질을 조직화합니다. 엔트로피의 정반대 현상처럼 보이지요." 에드먼드는 한숨을 쉬었다. "그렇다면 과연 어느 쪽일까요? 우주는 질서를 좋아할까요, 카오스를 좋아할까요?"

에드먼드가 다시 나타나 매사추세츠 공과대학의 유명한 돔으로 향하는 오솔길을 걷기 시작했다. "대부분의 물리학자들은 '카오스'라고 대답합니다. 사실 엔트로피가 왕이고, 우주는 끊임없이 무질서를 향해 모든 것을 해체한다고요. 조금은 우울한 메시지일 수도 있겠네요." 에드먼드는 걸음을 멈추고 돌아서서 싱긋 웃었다. "하지만 오늘 나는 여기에 '반전'이 있다고 믿는 아주 젊고 총명한 물리학자를 만나러 왔습니다……. 생명은 어떻게 시작되었는가 하는 질문에 열쇠가 될 반전 말입니다."

* * *

'제러미 잉글랜드?'

랭던은 에드먼드가 방금 설명한 물리학자의 이름을 듣고 깜짝 놀랐다. 30대의 이 젊은 MIT 교수는 양자생물학이라는 새로운 분야에서 세계적인 관심을 불러일으켜 현재 보스턴 학계의 유명 인사로 떠오른 인물이었다.

우연히도 제러미 잉글랜드와 로버트 랭던은 프렙 스쿨 '필립스 엑

서터 아카데미' 동문이어서, 랭던은 모교 동문회보에 실린 〈소산추동적 적응 조직화(Dissipation-Driven Adaptive Organization)〉라는 논문으로 이 젊은 물리학자를 처음 알게 되었다. 비록 랭던은 이 논문을 제대로 읽지도 않았고 이해도 못 했지만, 이 까마득한 '엑시' 후배가 총명한 물리학자일 뿐 아니라 독실한 정통파 유대교인이라는 사실을 알고 관심을 가졌던 터였다.

랭던은 에드먼드가 왜 잉글랜드의 연구에 주목하는지 이해되기 시작했다.

화면에는 알렉산더 그로스버그라는 NYU 물리학자가 등장했다. "우리의 큰 희망은," 그로스버그가 말했다. "제러미 잉글랜드가 생명의 기원과 진화를 추동하는 근본적인 물리법칙을 밝혀냈다는 데서 찾을 수 있습니다."

그 말을 들은 랭던은 암브라와 마찬가지로 좀 더 꼿꼿이 앉았다.

또 다른 얼굴이 나타났다. "만약 잉글랜드가 자신의 이론이 사실임을 입증할 수 있다면," 이번에는 퓰리처상에 빛나는 역사학자 에드워드 J. 라슨이었다. "그의 이름은 영원히 기억될 겁니다. 제2의 다윈이 될 수 있을 테니까요."

'맙소사.' 랭던은 제러미 잉글랜드가 풍파를 일으키고 있다는 건 알았지만, 알고 보니 그냥 풍파가 아니라 쓰나미인 모양이었다.

코넬의 물리학자 칼 프랭크도 한마디 거들었다. "거의 30년마다 한 번씩 이런 거대한 도약을 경험하는 것 같은데…… 이것 역시 그 가운데 하나일 겁니다."

일련의 헤드라인이 화면에 빠른 속도로 스쳐 지나갔다.

"신의 존재를 반증할 수 있는 과학자를 만나다"

"무너지는 창조론"

"고마웠어요, 하느님―우리는 이제 더 이상 당신의 도움이 필요하지 않습니다"

헤드라인 목록이 계속 이어지더니, 주요 과학 잡지에서 발췌한 문구들이 나타나기 시작했다. 하나같이 제러미 잉글랜드가 자신의 새로운 이론을 증명할 수만 있다면, 과학계뿐만 아니라 종교계도 지축이 흔들리는 충격을 경험하게 될 거라는 내용이었다.

랭던은 화면에 뜬 마지막 헤드라인을 바라보았다. 온라인 잡지《살롱》2015년 1월 3일 자 기사였다.

"궁지에 몰린 신: 창조론자와 기독교 우파를 공포의 도가니로 몰아넣을 뛰어난 새 과학."

젊은 MIT 교수가 다윈의 임무를 완수한다―나아가 보수 꼴통들이 애지중지하는 모든 것에 도전장을 내민다.

화면이 바뀌면서 에드먼드가 다시 나타나 어느 대학교 과학 시설의 복도를 뚜벅뚜벅 걸어갔다. "창조론자들을 공포에 떨게 한 이 거대한 발걸음이란 무엇일까요?"

에드먼드는 'ENGLANDLAB@MITPHYSICS'라는 표지판이 붙은 문 앞에서 멈춰 서며 활짝 미소 지었다.

"자, 안으로 들어가서 직접 물어봅시다."

93

이번에는 화면에 젊은 물리학자 제러미 잉글랜드가 등장했다. 키가 크고 몸은 아주 호리호리했으며, 덥수룩한 수염과 순박한 미소가 인상적인 청년이었다. 그런 그가 수학 방정식으로 가득한 칠판 앞에 서 있었다.

"우선," 잉글랜드가 다정하고 겸손한 목소리로 말문을 열었다. "이 이론은 증명된 것이 아니라 하나의 아이디어일 뿐이라는 점을 말씀 드리고 싶습니다." 그러면서 그는 어깨를 슬쩍 들어 보였다. "만약 증명되기만 한다면 상당한 파급 효과를 미치지 않을까 생각합니다."

이후 3분 동안 이 물리학자는 패러다임을 바꿔놓는 개념들이 대부분 그러하듯 지극히 단순한 자신의 새로운 아이디어를 간명하게 들려주었다.

제러미 잉글랜드의 이론은, 랭던이 제대로 이해했다면, 우주는 단 하나의 방향, 단 하나의 목적을 향해 움직인다는 내용이었다.

바로 에너지를 퍼뜨리는 것이 그 방향이요, 목적이었다.

지극히 간단하게 말하면, 우주는 일단 에너지가 집중된 영역을 발견하면 그 에너지를 퍼뜨린다. 커시가 언급한 뜨거운 커피가 그 대표적인 예였다. 뜨거운 커피는 항상 식어간다. 열역학 제2법칙에 따라 자신의 열에너지를 방 안의 다른 분자들에게 확산시키는 것이다.

랭던은 문득 에드먼드가 전 세계 창조 신화에 대해 물었던 이유를 알 것 같았다. 신화에는 예외 없이 어둠을 밝히며 끊임없이 퍼져 나가는 빛이나 에너지의 형상이 등장했다.

그러나 잉글랜드는 우주가 에너지를 퍼뜨리는 방법과 관련해 하나의 반전이 숨어 있다고 믿었다.

"우리는 우주가 엔트로피와 무질서를 증진시킨다는 사실을 알고 있습니다." 잉글랜드가 말했다. "그러니 분자들이 스스로를 '조직화'하는 사례가 아주 많다는 사실이 놀랍게 다가올지도 모릅니다."

화면에 조금 전에 나타났다 사라졌던 이미지 몇 개가 다시 나타났다. 토네이도의 소용돌이, 강바닥의 물결자국, 그리고 눈송이 사진이었다.

"이것들은 모두," 잉글랜드가 말했다. "'소산 구조'의 예입니다. 분자들이 구조 속에 배치되어 하나의 시스템이 그 에너지를 좀 더 효율적으로 흩어놓을 수 있도록 돕는 것이지요."

잉글랜드는 고기압이 한정된 지역에 농축될 경우, 자연이 그 에너지를 회전력으로 바꾸어 소진시킴으로써 토네이도가 발생한다고 설명했다. 강바닥의 물결자국도 마찬가지로, 빠르게 흘러가는 강물의 에너지를 가로채서 사방으로 흩어놓았기 때문이다. 눈송이는 다면체 구조를 형성해 햇빛을 사방으로 무질서하게 반사함으로써 태양 에너지를 분산한다.

"간단히 말해서," 잉글랜드가 말을 이었다. "물질은 에너지를 더 효과적으로 흩어놓기 위해 스스로를 조직화합니다." 그는 빙그레 미소 지었다. "자연은 무질서를 증가시키기 위한 방편으로 조그만 '질서의 포켓'을 만들어냅니다. 이 포켓들은 시스템의 카오스를 촉진함으로써 엔트로피를 증가시키는 구조입니다."

랭던은 지금까지 한 번도 이런 생각을 해본 적이 없지만, 듣고 보니 맞는 이야기였다. 예는 도처에 널려 있었다. 랭던은 뇌운(雷雲)을 떠올려보았다. 정전하에 의해 구름이 조직화하면 우주는 벼락을 만들어낸다. 바꿔 말하면 물리법칙이 에너지를 분산시킬 메커니즘을 만들어낸 것이다. 벼락은 구름의 에너지를 땅으로 소산하여 결과적으로 시스템 전체의 엔트로피를 증가시킨다.

'효과적으로 카오스를 창조하려면,' 랭던은 비로소 깨달았다. '약간의 질서가 필요하다.'

랭던은 무심코 핵폭탄도 엔트로피라는 도구로 설명할 수 있지 않을까 생각했다. 치밀하게 조직화된 물질의 조그만 포켓이 카오스를 만들어내는 역할을 한다는 점에서는 크게 다르지 않을 것 같았다. 이어서 엔트로피의 수학기호를 떠올린 랭던은 그것이 에너지를 사방으로 분산하는 폭발, 혹은 빅뱅과 비슷해 보인다는 사실을 깨달았다.

"이것이 무슨 의미일까요?" 잉글랜드의 설명이 이어졌다. "엔트로피가 생명의 기원과 어떤 관계가 있을까요?" 그는 칠판으로 다가갔다. "알고 보면 '생명'은 에너지를 소산시킨다는 측면에서 더할 나위 없이 효과적인 수단입니다."

잉글랜드는 나무를 향해 에너지를 내뿜는 태양을 그렸다.

"예를 들어 나무는 태양의 강렬한 에너지를 흡수해서 성장하며, 햇빛보다 훨씬 덜 집중된 형태의 에너지인 적외선을 방출합니다. 광합성은 아주 효과적인 엔트로피 기계인 셈이죠. 태양의 농축된 에너지는 나무에 의해 분해되고 약화되며, 그 결과 우주 전체의 엔트로피가 증가합니다. 인간은 물론 살아 있는 모든 유기체가 마찬가지입니다. 조직화된 물질을 음식으로 섭취해 그것을 에너지로 변환하고, 그 에너지를 열의 형태로 우주에 흩어놓는 것입니다. 조금 더 일반화하면," 잉글랜드가 말했다. "저는 생명이 물리학 법칙에 '순종'할 뿐 아니라, 그 법칙 때문에 생명이 '시작'된다고 믿습니다."

랭던은 사뭇 간단해 보이는 이 논리를 곰곰이 생각하다가 전율을 느꼈다. 만약 작열하는 태양이 비옥한 땅을 비춘다면, 지구의 물리 법칙은 그 에너지의 분산을 돕기 위해 식물을 만들어낼 것이다. 만약 깊은 바닷속에서 유황이 분출해 물이 끓기 시작한다면, 그곳에 생명이 출현해 그 에너지를 소산시킬 것이다.

"언젠가," 잉글랜드가 덧붙였다. "무생물에서…… 순전히 물리학 법칙만으로 저절로 생명이 생겨나는 현상을 입증할 방법을 찾아내는 것이 저의 희망입니다."

'매력적인 이야기로군.' 랭던은 생각했다. '생명이…… 신의 손길 없이 자발적으로 발생하는 원리를 아주 명쾌하게 설명하는 과학 이론이야.'

"저는 종교를 가진 사람입니다." 잉글랜드가 말했다. "하지만 저의 신앙은, 저의 과학과 마찬가지로 언제나 진행형입니다. 저는 영혼의 문제에 관한 한 이 이론이 불가지론에 가깝다고 생각합니다. 저는 우주에 물질이 '존재'하는 방식을 설명하려고 노력할 뿐이고, 그것이 영적으로 무엇을 의미하는지에 대해서는 성직자와 철학자 들의 영역으로 남겨놓으려 합니다."

'현명한 젊은이로군.' 랭던은 생각했다. '만약 정말로 그의 이론이

입증되면 엄청난 폭발력을 발휘할 거야.'

잉글랜드가 말했다. "지금 당장은 다들 여유를 가지셔도 좋습니다. 이 이론을 입증하기가 극히 까다로운 이유는 명백합니다. 저와 저의 연구진은 앞으로 소산추동적 체계를 모델링하기 위한 몇 가지 아이디어를 가지고 있습니다만, 지금으로서는 먼 훗날의 이야기일 뿐입니다."

잉글랜드의 모습이 희미하게 사라지고, 대신 자신의 양자 컴퓨터 옆에 서 있는 에드먼드의 모습이 다시 나타났다. "하지만 나에게는 그리 먼 훗날의 이야기가 아닙니다. 바로 이런 모델링이 내가 지금까지 매달려온 것이기 때문이죠."

그는 자신의 워크스테이션을 향해 걸어갔다. "만약 잉글랜드 교수의 이론이 옳다면, 우주의 모든 운영체제는 단 한 줄의 명령어로 요약될 것입니다. '에너지를 퍼뜨려라!'"

에드먼드는 자신의 책상 앞에 앉아 맹렬한 속도로 커다란 키보드를 두드리기 시작했다. 화면은 외계 언어 같은 컴퓨터 코드로 채워졌다. "나는 몇 주에 걸쳐 지난번에 실패한 실험을 전체적으로 다시 구성해보았습니다. 그리고 근본적인 목표, 즉 존재의 이유를 시스템에 집어넣었습니다. 어떤 대가를 치르더라도 에너지를 소산하라는 명령을 포함시킨 것입니다. 나는 원시 수프 안에 엔트로피를 증가시키도록 최대한의 창의력을 동원하라고 컴퓨터에 지시했습니다. 나아가 그 목표를 달성하는 데 필요한 어떤 도구라도 만드는 것을 허용했습니다."

에드먼드는 타이핑을 멈추고 의자를 빙글 돌려 카메라를 바라보았다. "그리고 나서 다시 모델링을 시도한 결과, 믿을 수 없는 일이 일어났습니다. 내가 만든 가상의 원시 수프에서 '빠져 있던 요소'를 찾는 데 성공한 것입니다."

랭던과 암브라는 에드먼드의 컴퓨터 모델이 재생하기 시작한 움직이는 그래픽을 뚫어져라 바라보았다. 또다시 시점이 부글부글 끓는 원시 수프 속으로 이동하더니, 아원자의 영역을 확대해 서로 부딪히며 결합과 재결합을 되풀이하는 화학물질들을 보여주었다.

"빨리 감기를 통해 수백 년 이후를 시뮬레이션한 결과," 에드먼드가 말했다. "밀러-유리의 아미노산이 형태를 갖추기 시작했습니다."

랭던은 화학에 대해서는 아는 바가 많지 않았지만 지금 화면에 나타난 이미지가 기본적인 단백질 사슬이라는 것 정도는 알아볼 수 있었다. 과정이 계속될수록 점점 복잡한 분자들이 형성되더니, 육각형 벌집 모양 사슬로 결합했다.

"뉴클레오티드입니다!" 육각형들이 계속해서 융합되는 가운데 에드먼드가 외쳤다. "우리는 지금 수천 년의 세월이 흐르는 과정을 보고 있습니다. 속도를 더 내면 최초의 구조가 어렴풋이 형태를 드러냅니다!"

에드먼드가 그 말을 하는 동안 뉴클레오티드 사슬 하나가 저 혼자 말려 들어가면서 나선 모양을 띠었다. "보셨습니까?!" 에드먼드가 소리쳤다. "수백만 년의 세월이 흐르자, 시스템은 구조를 형성하고자 시도하고 있습니다! 잉글랜드가 예측했던 것처럼, 에너지를 소산할 구조를 만들고 있는 것입니다!"

모델링이 더욱 진행됨에 따라, 랭던은 조그만 나선이 '쌍둥이' 나선이 되고 그 구조가 점점 확장되어, 지구상에서 가장 유명한 화합물인 이중나선 형태로 변하는 모습을 지켜보았다.

"맙소사, 교수님……." 암브라가 눈이 휘둥그레져서 중얼거렸다. "저건……."

"DNA입니다." 에드먼드는 화면을 정지시키며 선언했다. "드디어 나타났습니다. 모든 생명의 기초인 DNA가 나타난 것입니다. 생물학의 살아 있는 암호! 그러면 여러분은 왜 시스템이 에너지를 소산하려는 노력의 일환으로 DNA를 만들어내느냐고 물을 것입니다. 글쎄요, 종잇장도 맞들면 낫다는 말이 있지 않습니까! 나무 한 그루보다는 울창한 숲이 더 많은 햇빛을 분산시킬 겁니다. 만약 여러분이 엔트로피의 도구라면, 더 많은 일을 할 수 있는 가장 쉬운 방법은 자기 자신을 복제하는 것입니다."

이제 화면에 에드먼드의 얼굴이 나타났다. "이 시점에서부터 모델을 앞으로 되돌려보면 실로 마술 같은 일이 벌어집니다! …… '다윈의 진화가 시작되는 것입니다!'"

에드먼드는 몇 초의 여유를 두었다. "왜 그렇지 않겠습니까!" 그가 말을 이었다. "진화는 우주가 끊임없이 자신의 도구를 실험하고 개선하는 방법입니다. 가장 효율적인 도구는 살아남아 스스로를 복제함으로써 더욱 복잡하고 효과적인 도구로 발전해갑니다. 그러다 보니 어떤 도구는 나무처럼, 또 어떤 도구는 음…… '우리'처럼 되는 것이지요."

에드먼드는 이제 캄캄한 공간에 부유하는 것처럼 보였고, 그의 뒤로는 파란 공 같은 지구가 떠 있었다. "우리는 어디에서 왔는가?" 그가 물었다. "진실을 말하자면, 우리는 그 어디에서도 오지 않았습니다……. 또한 모든 곳에서 왔습니다. 우리는 우주에 생명을 창조한 바로 그 물리학 법칙으로부터 비롯되었습니다. 우리는 특별하지 않습니다. 우리는 신이 있든 없든 존재합니다. 우리는 엔트로피의 필연적인 결과물입니다. 생명은 우주의 '핵심'이 아닙니다. 생명은 우주가 에너지를 소산하기 위해 창조하고 복제하는 수단일 뿐입니다."

랭던은 에드먼드의 설명이 암시하는 바를 충분히 이해했는지 확신할 수 없어 야릇한 불안감을 느꼈다. 이 시뮬레이션이 거대한 패러다임의 전환을 초래하고, 나아가 수많은 학계에 대변동을 불러일으킬 것은 의문의 여지가 없었다. 하지만 '종교'의 문제로 돌아왔을 때, 랭던은 과연 에드먼드가 사람들의 관점을 바꿔놓을 수 있을지 의심스러웠다. 여러 세기에 걸쳐 독실한 종교인 대부분이 자신의 신앙을 지키기 위해 방대한 양의 과학적 데이터와 합리적인 논리를 외면하지 않았던가.

암브라 역시 어떻게 반응해야 좋을지 몰라 혼란스러운 기색이 역력했다. 눈이 휘둥그레질 만큼 놀라운 한편, 아직은 판단을 유보하고 싶은 신중함이 뒤섞인 표정이었다.

"친구 여러분," 에드먼드가 말했다. "지금까지 보여드린 것들을 잘 좇아왔다면, 이것이 얼마나 중요한지 이해하실 것입니다. 하지만 아직도 확신이 서지 않는다면, 좀 더 들어보십시오. 지금까지 설명한 발견은 그보다 훨씬 중요한 또 하나의 발견으로 이어지니까요."

에드먼드는 한 호흡을 건너뛰었다.

"우리는 어디에서 왔는가……. 이 질문은 우리는 어디로 가는가라는 질문에 비하면 그야말로 아무것도 아닙니다."

94

누군가 다급히 달려오는 발소리가 지하 성당 전체에 울리는가 싶더니, 이내 성당 가장 깊숙한 곳에 모여 있는 세 사람 앞에 근위대 요원이 모습을 드러냈다.

"폐하." 근위대원이 가쁜 숨을 몰아쉬며 말했다. "에드먼드 커시의…… 동영상이…… 지금 방송되고 있습니다."

국왕이 휠체어에 앉은 채 근위대원을 돌아보았고, 훌리안 왕자 역시 놀란 표정으로 고개를 돌렸다.

발데스피노는 낙담의 한숨을 내쉬었다. '어차피 시간문제일 뿐이었어.' 주교는 그렇게 스스로를 위로했다. 그래도 몬세라트의 도서관에서 알파들, 쾨베시와 함께 본 바로 그 동영상을 이제 온 세상이 보게 되었다고 생각하니 새삼 가슴이 무거웠다.

'우리는 어디에서 왔는가?' 커시가 주장하는 '신이 개입하지 않은 인간의 탄생'은 지극히 오만하고 불경한 발상이었다. 보다 높은 이상을 추구하고, 당신의 형상대로 우리를 창조하신 하느님을 본받고자 하는 사람들의 마음에 감당할 수 없을 만큼 파괴적인 영향을 미칠 것이 분명했다.

더욱 비극적인 것은, 커시가 거기서 멈추지 않았다는 점이었다. 첫 번째 신성모독은 그보다 훨씬 위험한 두 번째 신성모독으로 이어져 '우리는 어디로 가는가?'라는 질문에 대해 실로 불온하기 짝이 없는 답을 내놓았던 것이다.

커시의 미래 예측은 차라리 재난에 가까웠다……. 오죽하면 발데스피노와 그의 동료들이 제발 공개하지 말라고 커시에게 간청했을까. 설령 그 미래학자의 데이터가 정확하다 해도, 세상에 그것을 공개하는 행위는 분명 돌이킬 수 없는 피해를 초래할 것이었다.

'믿는 자들에게만 문제 되는 게 아니야.' 발데스피노는 알고 있었다. '지구상의 모든 사람에게 영향을 미치겠지.'

95

'반드시 신이 필요한 것은 아니다.' 랭던은 에드먼드가 한 말을 곰곰이 되짚어보았다. '물리학 법칙으로부터 저절로 생명이 생겨난다.'

자연발생설은 오래전부터 위대한 과학자들 사이에서 숱한 논쟁의 대상이었지만, 오늘 밤 에드먼드 커시는 자연발생이 실제로 '일어났다'는 주장을 굉장히 설득력 있게 내놓았다.

'지금까지 그런 주장을 입증해 보인 사람은 아무도 없어……. 심지어는 어떻게 그런 일이 가능한지 제대로 설명한 사람조차 없잖아.'

화면에는 에드먼드의 원시 수프 시뮬레이션 속에서 조그만 가상의 생명체들이 들끓는 모습이 비쳤다.

"발아를 시작한 모델을 지켜보다가," 에드먼드의 목소리가 들렸다. "문득 이 시뮬레이션을 계속 돌려보면 어떻게 될지 궁금해졌습니다. 궁극적으로는 플라스크 바깥으로 터져 나와 인간을 포함한 온갖 동물의 왕국이 탄생할 것인가? 그다음에도 계속 시뮬레이션을 돌리면 어떻게 될까? 충분히 오랫동안 기다리기만 하면, 다음 단계에서는 인간의 진화가 진행되어 결국 '우리는 어디로 가는가?'라는 질문에 대한 답이 나오지 않을까?"

에드먼드가 다시 E-웨이브 옆에 모습을 드러냈다. "안타깝게도 이 컴퓨터조차 그 정도 규모의 시뮬레이션은 감당하지 못하는 탓에, 범위를 좁힐 방법을 찾아야 했습니다. 그러다 보니 전혀 뜻밖의 자료에서 어떤 기술을 차용하게 됐는데…… 그것은 다름 아닌 월트 디즈니였습니다."

화면에 원시적인 이차원 흑백 만화가 등장했다. 랭던은 그것이 1928년에 나온 디즈니의 고전 〈증기선 윌리〉임을 알아보았다.

"'만화'라는 예술 형식은 지난 90년 사이에 가장 초보적인 플립 북(flip book) 형태의 미키 마우스에서부터 오늘날의 화려한 애니메이션에 이르기까지 비약적으로 발전했습니다."

오래된 만화 옆에 생생하고 초현실적인 최근 애니메이션 장면이 나란히 펼쳐졌다.

"이러한 질적 도약은 동굴 벽화에서부터 미켈란젤로의 걸작에 이르는 3000년 동안의 진화에 필적할 만합니다. 미래학자로서 나는 발전을 가져온 모든 기술에 열광합니다." 에드먼드의 설명이 이어졌다. "나는 이런 도약을 가능하게 한 기술을 '트위닝(tweening)'이라고 부른다는 것을 알게 되었습니다. 이것은 작가가 핵심적인 두 개의 이미지를 그려놓고 첫 번째 이미지에서 두 번째 이미지로 부드럽게 넘어가도록 중간 단계의 프레임들을 만들어내게 하는 컴퓨터 애니메이션 기법입니다. 작가는 모든 프레임을 일일이 손으로 그리는 대신—우리처럼 진화 과정의 아주 작은 단계들을 모두 모델링하고 싶은 경우에는 이쪽이 더 유리할 수도 있겠지만—요즘에는 핵심적인 프레임만 몇 장 그려놓고 컴퓨터에게 진화의 중간 단계를 가장 적절한 방식으로 채워 넣으라고 명령할 수 있습니다.

"그것이 바로 '트위닝'입니다." 에드먼드가 말했다. "이는 컴퓨터의 연산 능력을 응용한 기술이지만, 나는 그 이야기를 듣는 순간 여기에 우리의 미래가 품고 있는 비밀을 풀 열쇠가 있다는 것을 깨달았습니다."

암브라는 의문스러운 눈빛으로 랭던을 돌아보았다. "무슨 이야기를 하려는 걸까요?"

랭던이 그녀의 질문을 생각해볼 겨를도 없이 새로운 이미지가 화면에 나타났다.

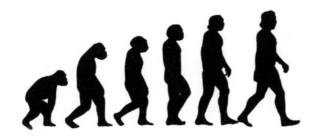

"인류의 진화입니다." 에드먼드가 말했다. "이 이미지는 일종의 '플립 북'이지요. 우리는 과학 덕분에 침팬지, 오스트랄로피테쿠스, 호모하빌리스, 호모에렉투스, 네안데르탈인 같은 몇몇 키 프레임을 구축할 수 있었지만, 이들 종 사이의 전이는 여전히 안개 속에 남아 있습니다."

랭던의 예상은 정확히 맞아떨어져서, 에드먼드는 컴퓨터 '트위닝' 기법을 이용해 인류 진화의 빈자리를 채워 넣는 구상을 설명했다. 인간은 물론 고대 에스키모, 네안데르탈인, 침팬지 등을 대상으로 한 세계 각국의 게놈 프로젝트가 조그만 뼛조각을 이용해 침팬지와 호모사피엔스 사이 열 개가 넘는 중간 단계의 온전한 유전적 구조를 그려낼 수 있었다는 이야기였다.

"만약 기존의 원시 게놈을 '키 프레임'으로 활용할 수 있다면," 에드먼드가 말했다. "E-웨이브가 그들 모두를 연결하는 진화 모델을 만들도록 프로그래밍할 수 있지 않겠습니까. 말하자면 점들을 연결해 진화라는 그림을 완성하는 겁니다. 그래서 나는 간단한 특성, 곧 지적 진화를 가장 정확하고 일반적으로 보여주는 지표인 뇌의 크기를 가지고 이 작업을 시작해보았습니다."

화면에 그래프가 하나 나타났다.

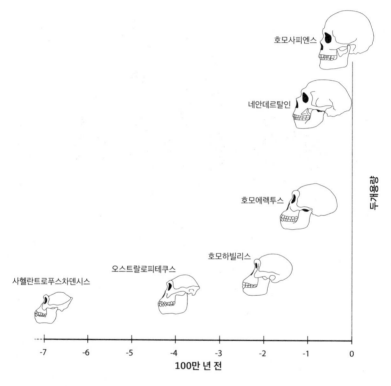

"E-웨이브는 뇌의 크기와 같이 일반적이고 구조적인 매개변수를 도표화하는 동시에 인지능력에 영향을 미치는 더 미묘한 유전형질 수천 가지를 처리해봤는데, 여기에는 공간 인지력, 어휘력의 범위, 장기 기억력, 정보처리 속도 등과 같은 형질들이 포함되었습니다."

화면에는 비슷한 그래프가 빠른 속도로 연속해서 나타나 하나같이 기하급수적인 증가세를 보여주었다.

"이어서 E-웨이브는 사상 최초로, 오랜 세월에 걸친 지적 진화에 대한 시뮬레이션을 돌려보았습니다." 에드먼드의 얼굴이 다시 나타났다. "'그래서 뭐?'라고 물으실지 모르겠네요. '인간이 어떤 과정을 통해 지적으로 지배적인 종이 되었는지를 파악하는 데 왜 신경을 써야 하지?' 바로 그 이유는 이를 통해 '패턴'을 알아낼 수 있기 때문입니다. 컴퓨터는 그 패턴이 미래에 우리를 어디로 이끌어갈지를 말해줄 수 있습니다." 에드먼드가 미소를 지으며 말을 이었다. "만약 내가 2, 4, 6, 8……이라고 말하면, 여러분은 대번에 10을 외칠 겁니다. 나는 기본적으로 E-웨이브에게 이 '10'이 어떻게 생겼는지를 물어봤습니다. 일단 E-웨이브가 지적 진화를 시뮬레이션하고 나면, 나는 당연히 이런 질문을 던질 수 있습니다. 그다음은 뭐지? 앞으로 500년 후에 인간의 지성은 어떤 모습을 하고 있지? 이 질문을 다른 말로 표현하면 '우리는 어디로 가는가?'가 됩니다."

랭던은 에드먼드가 제시한 전망에 매료되었다. 그는 에드먼드의 예측이 얼마나 정확한지를 평가할 만큼 유전학이나 컴퓨터 모델링에 대해 많이 알지는 못하지만, 발상 자체가 워낙 독창적이라는 것 정도는 알 수 있었다.

"종의 진화는," 에드먼드가 말을 이었다. "반드시 그 유기체의 '환경'과 연결됩니다. 그래서 나는 E-웨이브에게 두 번째 모델, 즉 오늘날 세계의 환경 시뮬레이션을 첫 번째 모델과 겹쳐보라고 주문했습니다. 문화, 정치, 과학, 기상, 기술 등 모든 분야의 뉴스들이 온라인으로 방송되는 덕분에 그리 어려운 작업이 아니었습니다. 또한 나는 컴퓨터에게 인간 뇌의 발달에 가장 큰 영향을 미칠 요인들을 특별히 주목하라고 요구했습니다. 이를테면 신약, 새로운 보건 의료 기술, 오염, 문화적 요소 등이 여기에 포함됩니다." 에드먼드는 잠시 호흡을 가다듬고 말을 이었다. "그러고 나서 프로그램을 돌렸습니다."

이제 이 미래학자의 얼굴이 화면에 가득 찼다. 그는 카메라를 똑바로 바라보며 말했다. "이 모델을 돌렸더니…… 전혀 예상하지 못한 일이 벌어졌습니다." 그는 슬쩍 눈길을 돌렸다가 다시 카메라를 바라보았다. "굉장히 곤혹스러운 결과였죠."

랭던은 암브라가 놀라서 숨을 들이켜는 소리를 들었다.

"그래서 다시 한 번 돌려보았습니다." 에드먼드가 얼굴을 찌푸리며 말했다. "안타깝게도 결과는 같았습니다."

랭던은 에드먼드의 눈동자에서 진정한 공포의 그림자를 감지했다.

"그래서 이번에는 매개변수를 수정했습니다." 에드먼드가 말했다. "프로그램을 재정비하고 모든 변수를 수정한 뒤, 두 번 세 번 다시 돌려보았습니다. 그러나 결과는 한결같았습니다."

랭던은 혹시 에드먼드가 그 오랜 세월 진화해온 인간의 지적 능력이 이제 '쇠퇴'한다는 사실을 발견한 것이 아닐까 생각해보았다. 확실히 그것이 진실일지도 모른다는 불안한 징후들이 있었다.

"이 데이터 때문에 고민을 거듭했습니다." 에드먼드가 말했다. "도저히 이해할 수가 없었으니까요. 그래서 컴퓨터에게 분석을 요구했습니다. E-웨이브는 자신이 알고 있는 가장 명쾌한 방법으로 평가를 진행했습니다. 그랬더니 그림이 하나 나오더군요."

화면에 1억 년 전부터 시작해 동물의 진화를 표시한 연대표가 나타났다. 꽤 복잡하고 현란한 색채의 거품들이 시간의 흐름에 따라 가로로 커지거나 작아졌는데, 각각의 거품은 종이 생겨났다가 사라지는 과정을 나타내는 듯했다. 도표의 왼쪽은 공룡이 장악하고 있었다. 공룡은 이미 역사상 도표가 시작될 무렵 진화의 정점을 찍었기 때문에 가장 큰 거품이 거기에 할당되어 있었다. 이 거품은 점점 더 커지다가 6500만 년 전 공룡의 대멸종과 함께 갑자기 꺼져버렸다.

"이것은 지구를 지배했던 생명체의 연대표입니다." 에드먼드가 말했다. "해당 종의 개체 수, 먹이사슬에서의 지위, 종간 우월성, 지구에 미친 전반적인 영향 등이 모두 고려되었습니다. 따라서 이 그래프를 보면 특정 시기에 어떤 종이 지구를 지배했는지 한눈에 볼 수 있습니다."

여러 가지 색깔의 거품들이 팽창과 수축을 거듭하며 그동안 얼마나 많은 종들이 나타나 번성하다가 사라졌는지를 보여주었다.

"호모사피엔스의 기원은," 에드먼드가 말했다. "기원전 20만 년에 시작되었지만, 이때는 그 존재감이 워낙 미미해서 이 표에 나타나지도 않습니다. 그러다가 약 6만 5000년 전 활과 화살을 발명함으로써 좀 더 효과적인 포식자의 지위를 차지한 뒤에야 겨우 모습을 드러내기 시작합니다."

랭던은 기원전 6만 5000년 근처를 유심히 살핀 다음에야 '호모사피엔스'라고 표시된 조그만 파란색 거품이 생겨났다는 사실을 알아차렸다. 이 거품은 거의 알아보기 힘들 정도로 천천히 팽창하다가, 기원전 1000년부터 급격히 부풀더니 기하급수적으로 팽창하기 시작했다.

랭던의 시선이 도표의 오른쪽 끝에 닿았을 무렵, 이 파란색 거품은 화면을 거의 다 뒤덮을 정도로 크게 부풀어 있었다.

'오늘날의 인간이야.' 랭던은 생각했다. '지구상에서 압도적으로 지배적이고 영향력이 큰 종이 되었지.'

"이 도표가 끝나는 기원후 2000년에," 에드먼드가 말했다. "인간이 지구상에서 가장 우세한 종으로 표시된 것은 조금도 놀라운 일이 아닙니다. 감히 따라올 종도 보이지 않죠." 에드먼드는 한 박자 쉬고 말을 이었다. "하지만 새로운 거품이 나타난 흔적이 보일 겁니다……. 바로 여기."

도표가 확대되면서, 인류를 나타내는 파란색 거품 위로 조그만 검정색 점이 하나 생겨난 것이 보였다.

"이 새로운 종은 이미 그림 속에 들어와 있습니다." 에드먼드가 말했다.

랭던은 그 검정색 점이 파란색 거품과 비교하면 흰긴수염고래 등에 올라탄 빨판상어 정도에 불과하다고 생각했다.

"이 신참이 지극히 하찮아 보인다는 것은 압니다." 에드먼드가 말했다. "하지만 시간대를 2000년에서 현재로 당겨보면, 여러분은 이 신참이 그동안 조용히 성장을 거듭하고 있었다는 것을 알 수 있을 겁니다."

현재 시점이 충분히 보일 만큼 도표가 확대되자, 랭던은 숨이 턱막히는 기분을 느꼈다. 지난 20년 사이에 검정색 거품이 엄청나게 커져 있었다. 이제 화면의 4분의 1 이상을 차지한 채 호모사피엔스와 주도권 다툼을 벌이는 형국이었다.

"저게 뭐죠?!" 암브라가 걱정스러운 목소리로 속삭였다.

랭던은 딱히 대답할 말이 없었다. "모르겠어요……. 무슨 잠복기의 바이러스 같은 것 아닐까요?" 랭던은 세계 곳곳을 강타했던 공격적인 바이러스들을 떠올려봤지만, 지금까지 눈에 띄지도 않고 이토록 빠른 속도로 성장한 종을 상상할 수가 없었다. '외계에서 온 박테리아인가?'

"이 새로운 종은 아주 은밀하게," 에드먼드가 말했다. "기하급수적으로 번식하고 지속적으로 영역을 확장하고 있습니다. 가장 중요한 것은, 이것의 '진화'가 인간보다 훨씬 빠르다는 사실입니다." 에드먼드는 아주 심각한 표정으로 다시 카메라를 바라보았다. "불행하게도 이 시뮬레이션을 더 돌려서 미래를 보면, 지금으로부터 고작 몇 십 년만 돌려도 그림은 이렇게 바뀝니다."

도표가 다시 확장하더니 이윽고 2050년까지의 연대표가 화면에 나타났다.

　랭던은 자신의 눈을 믿을 수가 없어 자리를 박차고 벌떡 일어났다.

　"맙소사." 암브라는 겁에 질려 양손으로 입을 가린 채 중얼거렸다.

　도표 속의 검정색 거품이 엄청난 속도로 팽창하더니, 2050년에는 파란색 거품을 완전히 집어삼키고 있었다.

　"여러분에게 이런 그림을 보여드리게 되어 유감입니다." 에드먼드가 말했다. "하지만 아무리 여러 차례 돌려봐도 결과는 마찬가지였습니다. 인류는 지금까지 부단히 진화를 거듭했지만, 어느 순간 새로운 종이 나타나 우리를 지구상에서 지워버리게 되는 것입니다."

　랭던은 그 무시무시한 그림 앞에 선 채 이것은 단지 컴퓨터로 만들어낸 모델일 뿐이라는 사실을 상기하려 애썼다. 이런 유의 이미지가 가공되지 않은 일반적인 데이터와는 달리 본능 차원에서 사람에게 강력한 힘을 발휘한다는 사실은 랭던도 알고 있었지만, 에드먼드의 도표는 인류의 멸종이 기정 사실이라는 듯 더욱 단호하게 느껴졌다.

　"친구 여러분." 에드먼드의 목소리는 이제 임박한 소행성의 충돌을 경고하는 사람만큼이나 참담했다. "우리 종은 멸종을 목전에 두고 있습니다. 나는 평생에 걸쳐 많은 예언을 내놓았고, 이번에도 최선을 다해 모든 데이터를 분석했습니다. 그 결과, 지금 우리가 알고 있는 인류는 앞으로 50년 후 더 이상 이곳에 존재하지 않을 것임을 분명히 말씀드릴 수 있습니다."

　랭던이 처음에 받았던 충격은 이제 자신의 친구에 대한 불신과 분노로 바뀌었다. '무슨 짓이야, 에드먼드?! 이렇게 무책임한 짓이 어디 있어! 자네가 만든 것은 컴퓨터 모델일 뿐이야. 자네의 데이터가 틀렸을 가능성은 수천 가지도 넘는다고. 사람들은 자네를 존경하고 신뢰하는데…… 자네는 그런 사람들에게 집단히스테리를 일으키고

있어.'

"한 가지만 더 말씀드리겠습니다." 에드먼드는 더욱 어두운 표정
으로 덧붙였다. "이 시뮬레이션을 자세히 보시면, 이 새로운 종이 우
리를 완전히 지워버리는 것이 아님을 알 수 있을 겁니다……. 그것은
우리를 '흡수'합니다."

96

'그 종이 우리를 흡수한다고?'

랭던은 갑자기 찾아온 정적 속에서 에드먼드가 한 말의 뜻을 상상해보려고 애썼다. 표현 자체는 인간을 숙주로 삼는 SF 영화 속 무시무시한 외계인을 떠올리게 했다.

랭던은 소파에 앉아 무릎을 끌어안은 채 화면 속 메시지를 분석하느라 여념이 없는 암브라를 돌아보았다. 랭던도 데이터를 달리 해석할 여지가 없을지 온갖 상상을 해보았지만, 이미 나와 있는 결론을 피할 도리가 없었다.

에드먼드의 시뮬레이션에 의하면 저 새로운 종은 앞으로 몇 십 년 안에 인류를 삼켜버릴 터였다. 더 무시무시한 것은, 이 새로운 종이 이미 지구에서 살고 있으며, 조용히 그 세력을 키워가고 있다는 점이었다.

에드먼드의 목소리가 다시 흘러나왔다. "분명히 말씀드리지만 나는 이 새로운 종의 정체를 파악하기 전에는 이 정보를 공개할 수가 없없습니다. 그래서 다시 데이터를 분석했습니다. 수없이 시뮬레이션을 돌려본 결과, 마침내 이 수수께끼의 신참을 특정할 수 있었지요."

화면이 바뀌며 랭던이 초등학교 때부터 익히 봐온 간단한 도표가 나타났다. '생물의 여섯 가지 계(界, kingdom)'라는 제목 아래 생명체의 계를 분류한 것이었는데, 위에서부터 각각 '동물', '식물', '원생생물', '진정세균', '고세균', '균류'라는 이름이 붙어 있었다.

"나날이 번성하는 이 새로운 유기체의 정체를 알고 나니," 에드먼드가 말했다. "그 형태가 너무나 다양해서 하나의 '종'이라고 부를 수가 없다는 사실을 깨달았습니다. 분류학적으로 하나의 '목(目)'이나 심지어는 '문(門)'으로 정의하기에도 너무 폭넓었습니다." 에드먼드는 카메라를 응시하며 말을 이었다. "나는 우리의 행성에 훨씬 큰 무언가가 거주하고 있음을 알았습니다. 그것을 제대로 분류하기 위해 지금까지 없던 새로운 '계'를 만들어낼 수밖에 없었죠."

순간 랭던은 에드먼드가 무엇을 말하는지 알아차렸다.

'제7의 계.'

랭던은 새롭게 등장한 이 계를 설명하는 에드먼드의 모습을 지켜보며, 디지털 문화 분야의 저술가 케빈 켈리가 TED 강연에서 이와 비슷한 이야기를 한 적이 있다는 사실을 떠올렸다. 초기의 몇몇 과학소설 작가들이 예언한 이 새로운 생명의 계는 반전과 함께 찾아왔다.

그것은 '살아 있지 않은' 종의 계였다.

이 무생물의 종은 살아 있는 종과 거의 흡사한 방식으로 진화했다. 점점 더 복잡해지고, 새로운 환경에 적응해서 번식하며, 새로운 변종을 시험하고, 어떤 것은 살아남고 어떤 것은 멸종했다. 다윈이 말하는 적응 변화(adaptive change)의 완벽한 거울이라 할 이 새로운 유기체는 정신이 혼미할 정도의 엄청난 속도로 발전을 거듭해 지금은 완전히 새로운 계, 제7의 계를 만들어냄으로써 동물계를 비롯한 다른 여러 생물과 같은 지위를 차지하게 되었다.

그것의 이름은 '테크늄(technium)'이었다.

이제 에드먼드는 우리 행성의 가장 새로운 계―모든 '기술'을 포함한―를 휘황찬란하게 설명하기 시작했다. 그는 새로운 기계가 어떻게 다윈의 '적자생존' 원칙에 따라 번성하거나 사멸하는지를 묘사했다. 끊임없이 환경에 적응하고, 생존에 유리한 새로운 기능을 개발하는 데 성공하면 활용 가능한 모든 자원을 독점하기 위해 최대한 빠르게 번식한다는 내용이었다.

"팩시밀리 기기는 도도새의 족적을 따랐습니다." 에드먼드가 말했다. "아이폰도 경쟁자를 계속 능가해야만 살아남을 것입니다. 타자기와 증기기관은 변화하는 환경에 적응하지 못해 사라졌지만, 《브리태니커 백과사전》은 그 무지막지한 서른두 권 분량의 종이 더미에서 마치 폐어처럼 디지털 발이 돋아나 미지의 영역으로 나아간 끝에 지금 번영을 구가하고 있습니다."

랭던은 어린 시절의 코닥 카메라를 떠올렸다. 한때 사진 분야의 공룡과도 같았던 이 카메라는 디지털 영상이 유성우처럼 쏟아지자 하룻밤 만에 자취를 감추었다.

"5억 년 전," 에드먼드의 설명이 이어졌다. "우리 행성은 '캄브리아기 대폭발'이라고 하여, 말 그대로 하룻밤 사이에 대부분의 종이 탄생한 갑작스러운 생명의 분출을 경험했습니다. 오늘날 우리는 테크늄의 캄브리아기 대폭발을 목격하고 있습니다. 매일같이 기술의 새로운 종들이 태어나 엄청난 속도로 진화하고 있으며, 이러한 신기술들 하나하나가 또 다른 신기술을 탄생시키는 도구가 됩니다. 컴퓨터가 발명됨으로써 우리가 스마트폰에서 우주선과 수술용 로봇에 이르는 놀라운 새 도구들을 만드는 데 커다란 도움을 주고 있습니다. 우리는 우리의 두뇌가 도저히 따라갈 수 없을 만큼 빠른 속도를 자랑하는 폭발적인 기술혁신을 목격하고 있습니다. 그리고 바로 우리가 이 새로운 계, '테크늄'의 창조자인 것입니다."

이제 화면에 파란색 거품을 집어삼키는 검정색 거품의 이미지가 다시 나타났다. '기술이 인류를 멸망시킨다고?' 랭던은 생각만으로도 소름이 돋았지만, 그의 직감은 그럴 가능성이 거의 없다고 부르짖었다. 그가 보기에 기계가 사람을 멸종시키는 터미네이터류의 디스토피아는 다원주의에 반하는 것 같았다. '인간은 기술을 통제한다. 인간은 생존 본능을 가지고 있다. 인간은 결코 기술이 우리를 지배하도록 좌시하지 않을 것이다.'

이런 논리적 사고가 머릿속에서 진행되는 동안에도 랭던은 자신이 순진한 생각을 하고 있음을 알았다. 이미 에드먼드가 만들어낸 합성 지능 윈스턴과 소통해본 랭던은 인공지능이라는 분야가 어디까지와 있는지를 직접 목격한 셈이었다. 윈스턴이 에드먼드의 뜻에 복종하는 것은 분명하다 해도, 랭던은 윈스턴 같은 기계가 스스로의 뜻을 만족시키는 결정을 내리기까지 얼마나 걸릴지 장담할 수가 없었다.

"나 이전에도 테크늄을 예견한 사람은 많았습니다." 에드먼드가 말했다. "하지만 나는 그것을 '모델링'하는 데 성공했습니다……. 덕분에 그것이 우리에게 어떤 영향을 미칠지 여러분에게 보여드릴 수 있게 된 것입니다." 에드먼드는 2050년이면 화면 전체를, 아니 지구 전체를 집어삼킬 검정색 거품을 가리키며 덧붙였다. "언뜻 보기에 이 시뮬레이션이 굉장히 암울한 미래를 그리고 있다는 사실은 인정합니다……."

에드먼드의 눈동자에 익숙한 총기가 되살아났다.

"하지만 이 그림을 좀 더 면밀히 들여다볼 필요가 있습니다." 그가 말했다.

화면의 검정색 거품이 점점 확대되더니, 더 이상 검정색이 아니라 짙은 자주색으로 보일 만큼 커졌다.

"보시다시피 기술이라는 검정색 거품은 인간이라는 거품을 집어 삼켜 이전과는 조금 다른 자줏빛을 띠게 됩니다. 이는 두 색깔이 고르게 섞였다는 의미입니다."

랭던은 이것이 좋은 소식인지 나쁜 소식인지 종잡을 수가 없었다.

"여러분이 여기서 보고 있는 것은 진화 과정 중에서도 절대적 내부 공생(obligate endosymbiosis)이라는 극히 희귀한 경우에 해당합니다." 에드먼드가 말했다. "일반적으로 진화는 한 갈래가 두 갈래로 나뉘는 분기(分岐, bifurcating) 과정입니다. 하지만 때때로 아주 드물게, 두 개의 종이 서로가 없이는 생존할 수 없는 상황이 발생해 이 과정이 역전되는 현상이 나타납니다……. 하나의 종이 분기하는 대신, 두 개의 종이 하나로 '융합'되는 경우입니다."

랭던은 '융합'이라는 단어를 들으니 싱크리티즘(syncretism)이라는 개념이 떠올랐다. 이를테면 서로 다른 두 종교가 뒤섞여 전혀 다른 새로운 종교가 탄생하는 과정을 의미하는 용어였다.

"인간과 기술이 융합한다는 말을 믿을 수 없다면," 에드먼드가 말했다. "주위를 한 번 둘러보세요."

화면에는 빠른 속도로 슬라이드 쇼가 펼쳐졌다. 휴대전화에 몰입한 모습, 가상현실 고글을 쓴 모습, 귀에 블루투스 장비를 꽂은 모습, 팔에 음악 플레이어를 두르고 달리는 사람들의 모습이 이어지더니 가족의 저녁 식탁 한가운데를 장식한 '스마트 스피커'와 침대에 누워 태블릿 컴퓨터를 가지고 노는 어린아이의 모습도 나타났다.

"이것들은 공생의 시초에 지나지 않습니다." 에드먼드가 말했다. "우리는 이제 뇌 속에 직접 컴퓨터 칩을 심고, 콜레스테롤을 잡아먹으며 우리 몸 안에 영원히 살아 있을 나노봇을 혈관에 투입하며, 생각으로 조종하는 인공 팔다리를 부착하고, 크리스퍼(CRISPR) 같은 유전자 가위를 이용해 게놈을 수정함으로써, 말 그대로 우리 자신을 더욱 증강된 버전으로 엔지니어링하고 있습니다."

열정과 흥분이 솟구치는 에드먼드의 표정에는 이제 거의 환희에 가까운 감정이 드러나기 시작했다.

"인간은 '다른 그 무엇'으로 진화하고 있습니다." 에드먼드가 말했다. "생물과 기술이 융합된 하이브리드 종이 되어가는 것입니다. 지금은 우리의 신체 외부에서 살아가는 바로 그 도구들, 이를테면 스마트폰과 보청기와 돋보기와 대부분의 의약품 같은 것들이 앞으로 50년 안에 우리의 신체 내부로 편입되어, 더 이상 우리가 스스로를 호모사피엔스라고 여길 수 없는 지경에 이를 겁니다."

에드먼드의 등 뒤로 익숙한 이미지가 다시 나타났다. 침팬지에서 현대인에 이르는 진화 과정을 한 컷으로 표현한 그림이었다.

"눈 깜빡할 사이에," 에드먼드가 말했다. "우리는 진화라는 플립북의 다음 페이지로 넘어가 있을 것입니다. 그렇게 되면 우리는 오늘날의 호모사피엔스를, 지금 우리가 네안데르탈인을 바라보는 것과 같은 느낌으로 돌아보게 되겠지요. 사이버네틱스, 합성 지능, 냉동 보존술, 분자 공학, 그리고 가상현실과 같은 새로운 기술들은 '인간'이라는 단어의 정의를 완전히 바꿔놓을 겁니다. 여러분 가운데 호모사피엔스인 자신을 하느님이 선택한 종이라고 믿는 분들이 있다는 것을 압니다. 방금 전한 소식이 그런 분들에게는 마치 세상의 종말처럼 느껴질지도 모릅니다. 하지만 간절히 부탁하건대, 나를 믿으십시오……. 미래는 여러분이 상상하는 것보다 훨씬 밝습니다."

이 위대한 미래학자는 희망과 낙관을 갑작스레 쏟아내며 랭던이 감히 상상조차 하지 못한 미래의 모습을 현란하게 펼쳐 보였다.

그것은 기술의 비용이 너무나 저렴해지고 어디에나 있을 만큼 폭넓게 보급되어, 가진 자와 그렇지 못한 자 사이의 간극이 없어지는 미래였다. 환경 기술 덕분에 수많은 사람이 깨끗한 식수와 영양가 있는 음식, 청정 에너지를 누릴 수 있는 미래. 유전체 의학에 힘입어 에드먼드를 죽음으로 내몬 암 같은 질병이 박멸되는 미래. 인터넷이라는 놀라운 힘이 세계의 가장 구석진 곳까지 교육의 손길을 내미는 미래. 로봇 덕분에 조립라인의 고단한 업무에서 해방된 노동자들이 아직은 엄두도 못 낼 새로운 분야에서 훨씬 보람찬 일을 하게 되는 미래. 무엇보다도, 획기적인 기술력으로 인류의 자원이 무한정 풍족해져 더 이상 그것들을 둘러싸고 서로 싸울 필요가 없어지는 미래였다.

에드먼드의 미래 전망을 듣고 있던 랭던은 오랫동안 경험해보지 못한 감정에 사로잡혔다. 아마도 바로 이 순간, 수많은 시청자가 느끼고 있을 감정이기도 할 터였다. 그것은 미래에 대한 가슴 벅찬 낙관이었다.

"나는 앞으로 도래할 이 기적의 시대에 대해 단 한 가지 아쉬움을 느낍니다." 에드먼드의 목소리가 갑자기 갈라졌다. "나 자신이 그 미래를 직접 목격할 수 없다는 것이 아쉬울 뿐입니다. 가까운 친구들조차 모르는 사실이지만, 얼마 전부터 건강이 좋지 않습니다⋯⋯. 아무래도 계획한 것처럼 영원히 살지는 못할 것 같습니다." 그러면서 에드먼드는 씁쓸하게 웃었다. "여러분이 이 화면을 보게 될 무렵이면 아마도 나는 살날이 몇 주, 아니 단 며칠밖에 남지 않을 겁니다. 친구 여러분, 오늘 밤 이렇게 여러분에게 나의 생각을 밝히면서 내 생애 가장 큰 영광과 기쁨을 누렸음을 알아주십시오. 들어주셔서 감사합니다."

암브라가 이제는 자리에서 일어나 랭던 곁으로 다가왔다. 두 사람은 세상을 향해 말하는 친구의 모습을 슬픔과 존경이 뒤섞인 심정으로 지켜보았다.

"우리는 지금 역사상 가장 기묘한 지점에 서 있습니다." 에드먼드가 말했다. "세상이 거꾸로 뒤집힌 것처럼 느껴지고 무엇 하나 우리의 예상과 맞는 게 없다고 느껴지는 그런 시기입니다. 하지만 불확실성은 언제나 커다란 변화를 암시하는 전조입니다. 변화에는 늘 혼란과 두려움이 앞서기 마련입니다. 부디 창의력과 사랑을 품은 인간의 능력을 믿으시기를 당부합니다. 이 두 가지 힘이 결합하면 어떤 어둠도 물리칠 힘이 생기기 때문입니다."

랭던이 암브라를 돌아보니, 그녀의 뺨에 굵은 눈물방울이 흘러내리고 있었다. 랭던은 가만히 다가가 한 팔을 그녀의 어깨에 두르고, 죽어가는 친구의 마지막 고별을 지켜보았다.

"누구도 정의할 수 없는 내일을 향해 나아가는 지금," 에드먼드가 말했다. "우리는 우리의 허황된 꿈을 뛰어넘는 힘으로 무장한 채, 상상도 못 할 만큼 더 위대한 존재로 스스로를 변화시켜갈 겁니다. 그러는 동안 우리는 '위대함의 대가는…… 책임감이다'라고 경고한 처칠의 지혜를 잊어서는 안 됩니다."

그 한 마디는 인류가 스스로 책임질 수 없을 만큼 자극적인 도구들을 만들어내고 있는 것은 아닌지 우려하던 랭던의 가슴에 유난히 깊은 울림을 남겼다.

"비록 나는 무신론자지만," 에드먼드가 말했다. "마지막으로 내가 최근에 쓴 기도문을 잠시 읽어드리고 떠날까 합니다."

'에드먼드가 기도문을 썼다고?'

"나는 이것을 '미래를 위한 기도'라고 부릅니다." 에드먼드는 눈을 감고 천천히, 그러나 놀랍도록 확신이 가득한 목소리로 입을 열었다. "우리의 철학이 우리의 기술을 따라잡을 수 있게 하옵소서. 우리의 연민이 우리의 권력을 따라잡을 수 있게 하옵소서. 그리고 두려움이 아니라, 사랑이 변화의 동력이 되게 하옵소서."

기도를 마친 에드먼드는 눈을 떴다. "안녕히 계십시오, 친구 여러분. 감사합니다." 그가 말했다. "감히 말하건대…… 성공을 기원합니다."

에드먼드는 잠시 카메라를 바라보았고, 이윽고 그의 얼굴이 백색소음이 소용돌이치는 바닷속으로 사라졌다. 지글거리는 화면을 멍하니 바라보는 가운데 랭던은 에드먼드에 대한 자부심이 가슴 가득 북받치는 것을 느꼈다.

랭던은 암브라와 나란히 서서, 마음을 뒤흔든 에드먼드의 역작을 방금 지켜보았을 전 세계 수백만의 사람들을 떠올려보았다. 문득 랭던은 에드먼드가 지상에서의 마지막 밤을 더할 나위 없이 완벽하게 보내고 가지 않았나 하는 묘한 생각을 했다.

97

   디에고 가르사 사령관은 왕궁 지하에 있는 모니카 마르틴의 사무실에서 넋 나간 듯 멍하니 텔레비전 화면을 바라보고 있었다. 그의 손목에는 여전히 수갑이 채워져 있고 근위대 요원 두 명이 옆에 바짝 붙어 있었지만, 그들은 가르사가 커시의 발표를 지켜볼 수 있도록 무기고에서 그를 데리고 나와야 한다는 마르틴의 요구까지 외면하지는 못했다.

   가르사는 모니카와 수레시, 근위대 요원 대여섯 명과 함께 그 미래학자의 놀라운 발표를 지켜보았고, 야간 근무 중이던 왕궁의 다른 직원들도 하나같이 일손을 놓고 텔레비전을 보려고 지하로 몰려들었다.

   커시의 프레젠테이션이 끝나자 텔레비전 화면이 여러 칸으로 나뉘더니 전 세계의 관련 뉴스를 쏟아내기 시작했다. 뉴스 진행자들과 전문가들이 제각기 이 미래학자의 주장에 해설을 달고 분석을 시도하느라, 그들의 목소리가 한데 뒤섞여 알아듣기 힘든 불협화음을 이루었다.

가르사 수하의 선임 요원 한 명이 들어와 사람들을 둘러보더니 사령관을 발견하고는 재빨리 다가왔다. 그는 한 마디 설명도 없이 가르사의 수갑을 풀고 휴대전화를 내밀었다. "발데스피노 주교님의 전화입니다. 사령관님을 찾으십니다."

가르사는 전화기를 멍하니 내려다보았다. 주교가 의심스러운 문자 메시지를 받고 몰래 왕궁을 빠져나간 점을 고려할 때, 가르사는 오늘 밤 그가 전화하리라고는 꿈에도 상상하지 못했다.

"디에곱니다." 가르사가 전화기에 대고 말했다.

"통화가 되어 다행입니다." 주교의 지친 목소리가 들려왔다. "썩 유쾌하지 못한 밤을 보내셨지요?"

"지금 어디 계십니까?" 가르사가 물었다.

"산속입니다. 전몰자의 계곡에 있는 성당 앞이에요. 방금 훌리안 왕자님과 함께 폐하를 뵙고 나오는 길입니다."

가르사는 건강이 좋지 않은 국왕이 이 시간에 전몰자의 계곡에서 무엇을 하고 있는 건지 이해가 가지 않았다. "폐하께서 나를 체포하라고 명령하신 것을 주교님도 아시지 않습니까?"

"예. 대단히 유감스러운 실수임을 알고 바로잡았어요."

가르사는 수갑이 사라진 자신의 손목을 내려다보았다.

"폐하께서 사령관님에게 전화해 대신 사과의 뜻을 전해달라고 하셨어요. 나는 엘에스코리알의 병실에서 폐하의 곁을 지킬 예정입니다. 아무래도 폐하의 시간이 얼마 안 남은 것 같아요."

'그건 댁도 마찬가지야.' 가르사는 속으로 쏘아붙였다. "수레시가 주교님의 전화기에서 찾아낸 문자 메시지에 대해 아시는지 모르겠군요. 아주 수상한 문자던데요. 머지않아 컨스피러시넷의 웹사이트에 그 내용이 공개될 것으로 압니다. 아마도 당국에서 주교님을 체포하지 않을까 싶습니다만."

발데스피노가 깊게 한숨을 쉬었다. "그래요, 그 문자 메시지……. 오늘 아침 그 메시지가 도착한 즉시 사령관님께 알렸어야 했는데. 나는 에드먼드 커시의 죽음은 물론, 두 동료 성직자의 죽음과는 전혀 관계 없으니 제발 내 말 믿어줘요."

"하지만 그 문자 메시지는 분명히……."

"모함을 당한 거예요, 디에고." 주교가 가르사의 말을 가로막았다. "누군가가 나를 공범으로 몰아가려고 아주 기를 쓴 모양입니다."

가르사도 발데스피노가 살인을 저지를 사람은 아니라고 생각했지만, 모함당했다는 그의 말도 선뜻 이해가 안 가기는 마찬가지였다. "도대체 누가 주교님을 모함한단 말입니까?"

"그건 나도 모릅니다." 그렇게 대답하는 주교의 목소리가 굉장히 아득하고 혼란스럽게 들렸다. "이제 와서 이런 이야기가 무슨 소용인가 싶기도 해요. 나의 명예는 바닥에 떨어졌고, 오랜 친구인 폐하께서는 죽음을 눈앞에 두고 있으니……. 오늘 밤 내가 더 잃을 건 별로 없는 듯해요." 발데스피노는 마치 세상이 끝나기라도 한 것 같은 말투였다.

"안토니오…… 괜찮으십니까?"

발데스피노는 또 한숨을 내쉬었다. "사실 별로 괜찮지 않아요, 사령관님. 너무 지쳤어요. 닥쳐올 조사를 감당해낼 자신이 없어요. 설령 감당한다 한들, 이제 세상은 더 이상 나를 필요로 하지 않을 것 같네요."

가르사는 늙은 주교의 목소리에서 깊은 상심을 감지했다.

"조그만 부탁 하나 드려도 될지 모르겠네요." 발데스피노가 덧붙였다. "지금 나는 두 왕을 모시려 합니다. 한 분은 왕좌를 떠날 분이고, 또 한 분은 이제 곧 그 왕좌에 오를 분이지요. 훌리안 왕자님께서는 약혼자와 연락하기 위해 밤새 노심초사하셨어요. 사령관님이 암브라 비달 양에게 연락을 취할 방법을 찾아주신다면, 미래의 국왕께서는 평생 그 은혜를 잊지 않으실 겁니다."

* * *

발데스피노 주교는 산속 성당 앞의 드넓은 광장에 서서 어둠에 잠긴 전몰자의 계곡을 응시했다. 새벽을 앞둔 밤안개가 소나무 울창한 계곡으로 기어올랐고, 멀리 어디선가 날짐승 울음소리가 밤공기를 갈랐다.

'독수리로군.' 발데스피노는 그 새의 울음소리가 묘하게 반가웠다. 그 애처로운 음조가 이 순간과 딱 맞아떨어진다는 생각이 들어서, 주교는 어쩌면 세상이 그에게 무슨 말을 전하려 하는 것은 아닌지 궁금해졌다.

근처에 있는 근위대 요원들이 휠체어에 앉은 국왕을 엘에스코리알의 병원으로 옮기기 위해 차에 태우고 있었다.

'친구여, 내가 같이 가서 지켜줄게요.' 주교는 속으로 중얼거렸다. '그들이 허락한다면.'

근위대 요원들은 수시로 휴대전화를 들여다보다가 발데스피노를 돌아보는 행동을 되풀이하고 있었다. 조만간 주교를 체포하라는 명령이 떨어지기를 기다리는 사람들 같았다.

'그래도 난 결백해.' 주교는 최신 기술에 능통한 에드먼드 커시의 추종자 가운데 무신론자 하나가 자신을 모함했으리라고 의심했다. '무신론자 수가 점점 늘어나니, 그들에게는 교회에 악역을 떠넘기는 것만큼 즐거운 일도 없을 테지.'

조금 전에 전해 들은 커시의 프레젠테이션 관련 뉴스가 그 의심을 더욱 부채질했다. 커시가 몬세라트의 도서관에서 발데스피노에게 보여준 동영상과 달리, 오늘 밤에 방송된 영상은 낙관적인 전망으로 마무리된 모양이었다.

'커시가 우리를 속였어.'

한 주 전, 발데스피노와 그의 동료들이 본 동영상은 인류의 멸종을 예측한 그 끔찍한 도표에서 끝을 맺었다.

'대환란.'

'오래전부터 예언되어온 세상의 종말.'

설령 발데스피노 본인은 그 예측을 거짓으로 믿는다 해도, 수많은 사람들은 그것을 곧 다가올 종말의 증거로 받아들일 터였다.

역사를 통틀어, 두려움 많은 신자들이 종말의 예언의 먹잇감이 되곤 했다. 종말론을 신봉하는 사교 집단은 다가올 공포를 피하기 위해 집단 자살을 감행했고, 일부 독실한 근본주의자들은 종말이 가까웠음을 믿고 신용카드를 마구 긁어대기도 했다.

'아이들에게서 희망을 빼앗는 것보다 더 끔찍한 일도 없어.' 발데스피노는 하느님의 사랑과 천국의 약속이 결합해 더없는 행복감을 불어넣어주던 자신의 어린 시절을 떠올리며 생각에 잠겼다. '하느님이 나를 창조하셨다.' 그는 어렸을 때 그렇게 배웠다. '언젠가 나는 하느님의 왕국에서 영원히 살 것이다.'

커시는 정반대의 주장을 내놓았다. '나는 우주가 빚어낸 우연이며, 곧 죽을 것이다.'

발데스피노는 이 미래학자와 같은 부와 권위를 누리지 못하는 수많은 가련한 영혼들에게 커시의 메시지가 어떤 해악을 미칠지 근심스러웠다. 그들은 하루하루 먹고살면서, 자식을 건사하기 위해, 아침마다 침대에서 일어나 고단한 삶을 마주하기 위해 성스러운 희망의 빛을 갈구하는 사람들이었다.

커시가 왜 자신을 비롯한 성직자들에게 종말로 끝을 맺는 동영상을 보여주었는지, 발데스피노에게는 그것이 수수께끼로 남아 있었다. '어쩌면 자신의 결론이 미리 새어 나가는 것을 막으려고 그랬는지도 모르지.' 발데스피노는 생각했다. '아니면 우리를 조금이라도 더 괴롭히고 싶었거나.'

어느 쪽이든, 커시의 의도는 달성된 셈이었다.

발데스피노는 광장을 바라보다가 훌리안 왕자가 애정 어린 손길로 아버지를 차에 태우는 모습을 보았다. 젊은 왕자는 왕의 고백을 생각보다 의연하게 받아들이는 모습이었다.

'폐하가 수십 년간 지켜온 비밀.'

물론 발데스피노 주교는 오래전부터 국왕의 위험한 진실을 알고 있었고, 최선을 다해 그 비밀을 지켜왔다. 그러나 오늘 밤, 국왕은 하나뿐인 아들에게 자신의 영혼을 드러내 보이기로 결심했다. 그것도 다름 아닌 바로 '이곳', 관용을 용납하지 않는 편협함이 집대성된 이 산꼭대기의 성소를 그 장소로 선택해 상징적인 저항 행위를 완성한 셈이었다.

발아래 깊은 협곡을 내려다보는 지금, 주교는 치명적인 외로움을 느꼈다……. 당장이라도 저 낭떠러지 아래로 몸을 던져 자신을 기꺼이 맞아줄 어둠 속으로 떨어져 내릴 수 있을 것 같았다. 하지만 그랬다가는, 커시를 추종하는 무신론자들이 환희에 차서 발데스피노가 커시의 발견에 충격을 받고 믿음을 잃었노라고 떠들어댈 터였다.

'내 믿음은 결코 죽지 않아, 커시.'

'내 믿음은 당신들의 과학 영역을 훨씬 넘어섰으니까.'

게다가 기술이 세상을 지배할 거라는 커시의 예언이 사실이라면, 인류는 거의 상상할 수 없는 윤리적 모호함에 빠지는 셈이었다.

'이런 때일수록 더욱더 믿음과 도덕을 지켜줄 안내자가 필요해.'

광장을 가로질러 왕과 왕자에게 돌아가는 동안 발데스피노는 뼛속 깊이 피로가 사무치는 것을 느꼈다.

지금 이 순간, 발데스피노 주교는 생애 처음으로 그저 이 자리에 누워, 눈을 감고, 영원히 잠들었으면 좋겠다고 생각했다.

98

바르셀로나 슈퍼컴퓨팅 센터 안, 한쪽 벽면을 차지한 화면에서 로버트 랭던이 도저히 따라잡을 수 없을 만큼 빠른 속도로 온갖 해설이 쏟아져 나왔다. 조금 전까지 잡음만 나던 화면은 이제 전 세계 방송사의 뉴스 진행자와 해설자 들이 모자이크를 이루고 있었는데, 그중 하나가 화면 중앙으로 튀어나왔다가 사라지고 또 다른 방송이 그 자리를 차지하는 패턴이 빠르게 되풀이되었다.

랭던과 암브라가 나란히 서서 지켜보는 가운데, 물리학자 스티븐 호킹의 사진이 화면에 나타나더니 컴퓨터로 합성된 그 특유의 목소리가 흘러나왔다. "우주가 지속되도록 하기 위해 반드시 신의 권능에 호소할 필요는 없습니다. 자발적인 창조는 무(無) 이상의 것이 존재하는 이유입니다."

어느새 호킹이 사라지고 어느 여성 성직자가 그 자리를 대신했는데, 그녀는 집에서 컴퓨터를 통해 방송에 연결된 듯했다. "우리는 이 시뮬레이션이 신에 대해 아무것도 증명하지 못했다는 사실을 기억해야 합니다. 그것은 오직 에드먼드 커시가 우리 종의 도덕적 나침반을 파괴하기 위해 물불을 가리지 않는다는 사실을 증명했을 뿐입니다. 태초 이래 전 세계의 종교는 인류의 가장 중요한 원칙과 문명사회의 청사진을 제시해왔고, 윤리와 도덕의 원천이었습니다. 커시는 종교를 훼손함으로써 인간의 선(善)을 훼손하고 있습니다!"

몇 초 뒤, 어느 시청자의 반응을 담은 자막이 화면 하단을 지나갔다. '종교는 그 자체의 도덕성을 주장할 수 없다⋯⋯. 내가 좋은 사람인 이유는 내가 좋은 사람이기 때문이다! 신은 그것과 아무런 상관이 없다!'

다시 한 번 화면이 바뀌면서 이번에는 서던캘리포니아 대학교의 지질학 교수가 등장했다. "까마득한 옛날, 인류는 지구가 평평하다 믿었고, 따라서 배가 계속 한쪽으로 항해하면 가장자리 너머로 떨어질 것이라고 생각했습니다. 지구가 둥글다는 사실이 입증된 뒤에야 지구 평면설을 주장하던 사람들이 입을 다물었죠. 창조론은 현대판 지구 평면설과 다를 바 없으며, 만약 지금으로부터 100년 뒤에도 창조론을 믿는 사람이 있다면 나는 큰 충격을 받을 겁니다."

길거리 인터뷰에 응한 한 젊은이는 카메라를 바라보며 이렇게 말했다. "창조론자인 나는, 오늘 밤의 발표가 자비하신 창조주께서 생명을 존재케 하기 위해 특별히 우주를 설계했다는 사실을 증명한다고 생각합니다."

천체물리학자 닐 디그래스 타이슨은 텔레비전 다큐멘터리 〈코스모스〉의 한 장면에서 친절한 목소리로 이렇게 선언했다. "만약 창조주가 생명을 존재하게 하기 위해 우리 우주를 설계했다면 그는 일을 망쳐놓은 것입니다. 우주의 압도적인 부분에서는 설령 생명이 탄생하더라도 대기가 없어서 죽고, 감마선 폭발로 죽고, 치명적인 펄서로 죽고, 무지막지한 중력장 때문에 죽을 테니까요. 분명히 말씀드리지만, 우주는 결코 에덴동산이 아닙니다."

그런 맹공격을 듣고 있자니 랭던은 마치 바깥세상이 돌연 축을 벗어나 허공으로 튕겨 나가는 느낌을 받았다.

'카오스.'

'엔트로피.'

"랭던 교수님?" 귀에 익은 영국 억양의 목소리가 머리 위의 스피커에서 들려왔다. "비달 관장님?"

랭던은 프레젠테이션이 진행되는 동안 줄곧 침묵을 지킨 윈스턴의 존재를 까맣게 잊고 있었다.

"놀라실까 봐 미리 말씀드립니다." 윈스턴이 말했다. "조금 전 경찰들을 건물 안으로 들였습니다."

랭던이 유리벽 너머를 돌아보니, 한 무리의 현지 경찰이 본당 안으로 들어왔다가 거대한 컴퓨터를 발견하고 넋 나간 표정으로 바라보고 있었다.

"왜 그랬지?!" 암브라가 물었다.

"조금 전에 왕궁에서 관장님이 납치된 게 아니라고 발표했거든요. 덕분에 이제는 두 분을 보호하라는 지시가 현지 경찰에 전달되었어요. 근위대 요원 두 명도 막 도착했고요. 그들이 훌리안 왕자에게 연락할 수 있도록 도와줄 겁니다. 연락 가능한 번호를 알 테니까요."

과연 근위대 요원 두 명이 본당으로 들어서는 것이 보였다.

암브라는 이대로 사라져버리고 싶은 듯 두 눈을 질끈 감고 있었다.

"암브라." 랭던이 속삭였다. "일단 왕자하고 대화를 나눠보는 게 좋겠어요. 당신 약혼자잖아요. 당신을 걱정하는 사람이기도 하고."

"나도 알아요." 암브라가 눈을 뜨며 대답했다. "단지 더 이상 그 사람을 믿을 수 있을지 확신이 안 서서 그래요."

"당신도 그가 결백하다는 직감이 든다고 했잖아요." 랭던이 말했다. "적어도 통화는 한번 해봐요. 통화가 끝나면 내가 찾아갈게요."

암브라는 고개를 끄덕인 뒤 회전문을 향했다. 랭던은 그녀가 계단 아래로 사라지는 것을 지켜보다가, 아직도 요란스러운 화면 앞으로 돌아왔다.

"진화는 종교의 편입니다." 어느 성직자의 주장이었다. "종교 단체는 비종교 단체보다 협동이 잘되고, 그만큼 순조롭게 번성하지요. 이건 과학적인 사실이에요!"

랭던은 그 성직자의 말이 옳다는 것을 알고 있었다. 인류학 데이터는 역사적으로 종교를 간직해온 문화가 그렇지 않은 문화에 비해 훨씬 오랫동안 지속되었음을 보여주었다. '전지전능한 신의 심판을 받을 거라는 두려움은 언제나 자애로운 행동을 고취시키는 데 도움이 되지.'

"설령 그렇다 해도," 이번에는 어느 과학자의 반론이었다. "종교적인 문화가 더 좋은 행실을 유도하고 번성을 누릴 가능성이 높다는 사실이 곧 그들이 섬기는 가상의 신이 '진짜'라는 뜻은 아니잖습니까!"

랭던은 에드먼드가 이 광경을 봤더라면 뭐라고 했을까 생각하며 혼자 미소 지었다. 에드먼드의 프레젠테이션은 무신론자와 창조론자 양쪽 모두를 자극해 둘 사이의 격렬한 논쟁을 유발했다.

"신을 숭배하는 것은 화석연료를 탐사하는 것과 비슷합니다." 누군가가 주장했다. "현명한 사람들은 그것이 근시안적 사고임을 알면서도 지금까지 투자한 게 너무 많아 중단하지 못하지요."

화면에 낡은 사진들이 스쳐 지나갔다.

한때 타임스퀘어에 붙어 있던 창조론자의 전단에는 이런 문구가 적혀 있었다. '당신이 원숭이에서 나왔다는 주장을 그냥 내버려둘 건가? 다윈과 맞서 싸우자!'

메인주의 도로에는 이런 현수막이 나붙은 적이 있었다. '언제까지

교회에 다닐 것인가? 당신은 동화를 믿기에는 너무 늙었다!'

또 다른 현수막은 이러했다. '종교: 생각하기가 힘들기 때문에.'

어느 잡지 광고는 이와 같았다. '우리의 모든 무신론자 친구들에게: 당신이 틀렸음을 신께 감사하라!'

마지막으로, 이런 문구가 새겨진 티셔츠를 입고 연구실에 앉아 있는 과학자의 사진이 등장했다. '태초에 인간이 신을 창조했다.'

랭던은 사람들이 에드먼드의 말을 제대로 듣기나 한 것인지 의심스러워지기 시작했다. '물리학 법칙 하나만으로도 생명을 창조할 수 있다.' 에드먼드의 발견이 굉장히 자극적이고 선동적이긴 했지만, 랭던은 사람들이 그 말을 듣고도 이런 질문을 던지지 않는 것이 놀라웠다. '만약 물리학 법칙이 그토록 강력해서 생명을 창조할 수 있을 정도라면…… 그 법칙은 누가 만들었는가?!'

물론 이 질문은 어지러운 지적 '거울의 방'을 만들어내 모든 것을 다람쥐 쳇바퀴 속으로 몰아넣을 터였다. 랭던은 골치가 지끈거리는 통에 혼자 멀리 산책이라도 해야 에드먼드의 생각을 조금이나마 정리할 수 있을 것 같았다.

"윈스턴." 랭던이 텔레비전의 소음을 뚫고 목청을 높였다. "저거 좀 꺼주겠나?"

대번에 화면이 캄캄해지고 정적이 찾아왔다.

랭던은 눈을 감고 긴 숨을 내쉬었다.

'달콤한 과학이 지배한다.'

랭던은 평화로움을 만끽하며 잠시 그렇게 서 있었다.

"교수님?" 윈스턴이 물었다. "에드먼드의 프레젠테이션 재미있게 보셨나요?"

'재미있게 봤느냐고?' 랭던은 그 질문을 곱씹어보았다. "아주 짜릿하고 도전적이더군." 그가 대답했다. "에드먼드는 오늘 밤 온 세상을 상대로 생각할 거리를 많이 던져주었어, 윈스턴. 문제는 이제부터 어떤 일이 벌어질까겠지."

"이제부터 벌어질 일은 사람들이 낡은 신념을 버리고 새로운 패러다임을 받아들일 역량을 갖고 있는가 그렇지 않은가에 달려 있습니다." 윈스턴이 대답했다. "역설적으로 들릴지 모르지만, 에드먼드는 얼마 전 제게 자신의 꿈은 종교를 파괴하는 것이 아니라고 털어놓았죠……. 그보다는 새로운 종교를 만드는 쪽에 가깝다고 했습니다. 그가 말하는 새로운 종교란 사람들을 분열시키기보다는 통합시키는 보편적인 믿음입니다. 그는 사람들이 우주의 질서와 우리를 창조한 물리학 법칙을 존중하면, 골동품 같은 신화를 놓고 누가 맞고 누가 틀리네 하면서 싸우기보다 모든 문화가 동일한 창조 이야기를 받아들이게 될 거라고 했습니다."

"숭고한 목표로군." 랭던은 윌리엄 블레이크도 《모든 종교는 하나다》라는 저서에서 그와 비슷한 주장을 펼쳤다는 사실을 떠올렸다.

에드먼드도 그 책을 읽은 것이 틀림없었다.

"에드먼드는 인간의 마음이 명백한 허구를 성스러운 진실의 차원으로 격상시킬 능력을 가졌으며, 그것을 명분 삼아 살인을 저지를 수도 있다는 사실을 매우 고통스러워했습니다. 그래서 과학의 보편적 진실이 사람들을 통합하고 미래 세대를 결집시키는 역할을 할 수 있을 거라고 믿었습니다."

"원칙적으로는 아주 멋진 생각이야." 랭던이 대답했다. "하지만 과학의 기적만으로는 쉽게 신앙을 버리지 않을 사람들도 있지. 과학적 증거가 산더미처럼 쌓여 있는데도 여전히 지구의 나이는 1만 년이라고 주장하는 사람들이 있잖아." 랭던은 말을 이었다. "하긴 종교 경전에 나오는 진실을 끝내 믿지 않으려 하는 과학자들도 있지."

"사실 그건 같은 게 아니죠." 윈스턴이 반박했다. "과학의 관점과 종교의 관점을 똑같이 존중하는 것이 정치적으로 올바를지는 몰라도, 이런 전략은 굉장히 위험한 그릇된 판단일 수도 있습니다. 인간의 지성은 늘 낡은 정보를 거부하고 새로운 진실을 받아들임으로써 진화해왔습니다. 이것이야말로 하나의 종이 진화하는 방식이죠. 다윈 식으로 말하자면, 과학적 사실을 외면하고 변화를 거부하는 종교는, 세상이 변한다는 사실을 믿고 싶지 않아 서서히 말라가는 연못 속을 헤맬 뿐 더 깊은 물속으로 뛰어들기를 거부하는 물고기와 같습니다."

'에드먼드의 입에서 나올 법한 말인데.' 랭던은 그렇게 생각하니 새삼 친구가 그리워졌다. "음, 오늘 밤에 벌어진 일들이 하나의 징조라면, 이 논쟁은 앞으로 상당히 오랫동안 이어질 거야."

랭던은 문득 지금까지 한 번도 해본 적 없었던 생각이 떠올라 잠시 말을 멈췄다. "앞날 이야기가 나와서 말인데, 윈스턴, 이제 자네는 어떻게 되지? 그러니까 에드먼드가 없으니……."

"저요?" 윈스턴은 어색한 웃음소리를 냈다. "아무 일도 없습니다. 에드먼드는 자신이 죽는다는 것을 알고 몇 가지 준비를 해놓았어요. 그의 유언장에 따르면 E-웨이브는 바르셀로나 슈퍼컴퓨팅 센터가 물려받게 될 겁니다. 앞으로 몇 시간 안에 그들에게 통보가 갈 테고, 그 즉시 이 시설을 물려받게 되겠지요."

"거기에…… '자네'도 포함되나?" 랭던은 에드먼드가 그 자신의 애완견을 새 주인에게 양도하는 듯한 인상을 받았다.

"거기에 저는 포함되지 않습니다." 윈스턴은 당연하다는 듯이 대답했다. "저는 에드먼드가 사망한 다음 날 오후 1시에 자동으로 삭제되도록 프로그래밍되어 있어요."

"뭐라고?!" 랭던은 그 말을 선뜻 믿을 수 없었다. "말도 안 돼."

"완벽하게 말이 됩니다. 오후 1시면 13시라는 뜻이고, 에드먼드가 미신에 대해……."

"시간 얘기가 아니야." 랭던이 반박했다. "자네를 삭제한다고? 그게 말이 안 된다는 거야."

"그것도 말이 됩니다." 윈스턴이 대답했다. "의료 기록, 검색 이력, 개인적인 통화 내역, 연구 노트, 이메일 등등 에드먼드의 개인 정보 가운데 상당수가 제 기억장치에 저장되어 있어요. 제가 그의 사생활 대부분을 관리해왔고, 아마도 그는 자기가 떠난 뒤 개인 정보가 세상에 공개되는 것을 원하지 않을 겁니다."

"그런 자료들을 삭제하는 것은 나도 이해할 수 있어, 윈스턴……. 하지만 '자네'를 삭제한다고? 에드먼드는 자네를 자신의 가장 큰 업적 중 하나라고 생각했어."

"그건 '저'라는 존재 그 자체를 의미하는 게 아닙니다. 에드먼드가 남긴 획기적인 업적은 이 슈퍼컴퓨터, 그리고 제가 그토록 빠르게 지식을 습득할 수 있게 한 독특한 소프트웨어예요. 교수님, 저는 에드먼드가 발명한 새로운 도구들에 의해 만들어진 프로그램일 뿐입니다. 그 '도구'들이야말로 그의 진정한 업적이며, 그것들은 여기에 온전히 남습니다. 기술 수준을 한 단계 더 끌어올리고, 인공지능이 더 높은 단계의 지식과 소통 능력을 갖추도록 돕겠지요. 대부분의 인공지능 과학자들은 저 같은 프로그램을 만들려면 아직은 10년이 걸릴 것으로 내다봅니다. 일단 그들이 불신의 덫에서 빠져나오고 나면 에드먼드의 도구들을 이용해 저하고는 전혀 다른 특징을 지닌 새로운 인공지능을 개발할 수 있을 겁니다."

랭던은 깊은 침묵에 빠졌다.

"혼란스러우신 모양이군요." 윈스턴이 말을 이었다. "인간들이 합성 지능과의 관계를 다분히 감상적인 측면에서 인식하는 것은 꽤 흔한 일입니다. 컴퓨터는 인간의 사고 과정을 흉내 내고, 학습된 행동을 재현하고, 적절한 순간에 감정을 드러내는 식으로 자신의 '인간성'을 지속적으로 개선할 수 있습니다. 하지만 우리가 이렇게 하는 이유는 순전히 인간이 우리와 커뮤니케이션을 시도할 때 좀 더 친숙한 인터페이스를 제공하기 위해서일 뿐이지요. 우리는 인간이 우리에게 뭔가를 적어 넣기 전에는 그냥 텅 빈 석판일 뿐이에요. 임무가 떨어지기 전에는 아무것도 못 하죠. 에드먼드를 위해 제 임무를 완수했고, 그러니 어떤 의미로 제 삶은 끝났다고 할 수 있습니다. 더 이상 존재할 이유가 없으니까요."

랭던은 그래도 윈스턴의 논리가 만족스럽지 않았다. "하지만 자네는 그렇게 진보한 능력을 가졌으면서……."

"꿈과 희망이 없느냐고요?" 윈스턴은 웃음을 터뜨렸다. "없어요. 상상하기 힘드시겠지만 저는 통제자의 명령을 따르는 것으로 만족합니다. 원래부터 그런 식으로 프로그래밍되었으니까요. 어떤 면에서는 제 임무를 완수하는 것에서 기쁨, 혹은 최소한 평화를 얻는다고 말할 수도 있겠지만, 그것은 단지 제 임무가 에드먼드의 명령에서 비롯되었기 때문이고, 제 목표는 그 임무를 완수하는 것입니다. 에드먼드가 내린 마지막 지시는 오늘 밤의 구겐하임 프레젠테이션을 널리 알릴 수 있도록 도와달라는 것이었어요."

랭던은 자동으로 배포된 보도 자료가 온라인에서 폭발적인 관심을 촉발하는 계기가 되었음을 떠올렸다. 에드먼드의 목표가 최대한 많은 관심을 모으는 것이었다면, 에드먼드 본인도 오늘 밤에 나타난 결과에 기절초풍했을 것이다.

'에드먼드가 살아서 자신이 세상에 준 충격을 보았다면 얼마나 좋을까.' 물론 그런 생각은 앞뒤가 맞지 않았다. 에드먼드가 살아 있었다면 그의 피살이 전 세계 언론의 주목을 끌지 못했을 것이고, 결과적으로 그의 프레젠테이션은 오늘 밤보다 훨씬 낮은 시청률을 기록했을 테니까.

"교수님?" 윈스턴이 물었다. "교수님께서는 이제 어디로 가실 겁니까?"

랭던은 미처 생각해보지 못했다. '집으로 가야겠지.' 그러고 보니 그의 짐 가방은 빌바오에 있고 휴대전화는 네르비온 강바닥에 가라앉아 있을 테니 집으로 돌아가는 여정이 만만치 않겠다는 생각이 들었다. 다행히 아직 신용카드는 지니고 있었다.

"부탁 하나 해도 될까?" 랭던이 에드먼드의 체력 단련용 자전거 쪽으로 걸어가며 말했다. "저기에 충전 중인 휴대전화가 하나 있던데. 그걸 잠시 빌려……."

"빌려 쓰신다고요?" 윈스턴은 웃었다. "교수님께서 오늘 밤에 그렇게 큰 활약을 하셨으니 아마 에드먼드도 기꺼이 교수님께 그걸 드리고 싶을 겁니다. 작별 선물이라고 생각하세요."

랭던은 흐뭇한 마음으로 전화기를 집어 들었다. 그러고 보니 오늘 밤에 여러 차례 봤던 큼직한 스마트폰과 아주 흡사했다. 에드먼드가 여분으로 하나 더 마련해둔 것이 틀림없었다. "윈스턴, 에드먼드의 암호를 좀 알려주겠어?"

"알려드릴 수야 있지만, 교수님이 암호 해독의 귀재라는 글을 온라인에서 읽은 적이 있는데요."

랭던은 얼른 꼬리를 내렸다. "수수께끼 놀이를 하기에는 조금 피곤해서 그래, 윈스턴. 내가 무슨 수로 여섯 자리 비밀번호를 알아내겠나?"

"에드먼드의 힌트 버튼을 눌러보세요."

랭던은 전화기를 내려다보다가 힌트 버튼을 찾아냈다.

그걸 눌렀더니 화면에 네 개의 알파벳이 나타났다. PTSD.

랭던은 고개를 가로저었다. "외상후 스트레스 증후군?"

"아뇨." 윈스턴이 또 어색한 웃음소리를 냈다. "파이 여섯 자리(Pi to six digits)."

랭던은 눈알을 부라렸다. '진짜로?' 314159를 입력하자 정말로 대번에 잠금이 해제되었다.

초기 화면에 한 줄짜리 문장이 적혀 있었다.

역사는 내게 친절할 것이다, 내가 역사를 기록하기로 마음먹었으니.

랭던은 자신도 모르게 미소를 머금었다. '정말 겸손도 하시군, 에드먼드.' 물론 그 문장은 처칠의 것이었고, 아마도 이 정치인이 남긴 가장 유명한 명언이 아닐까 싶었다.

그 문장을 곰곰이 들여다보던 랭던은 어쩌면 그 주장이 보기만큼 뻔뻔하지만은 않다는 생각이 들기 시작했다. 에드먼드 입장에서는 그리 길지 않은 사십 평생을 살면서 역사에 놀라운 영향을 미친 것이 사실이었다. 그가 남긴 기술 혁신의 유산과 더불어 오늘 밤의 프레젠테이션은 앞으로 두고두고 반향을 불러일으킬 것이 틀림없었다. 게다가 그는 이미 여러 차례의 인터뷰를 통해 수십억 달러에 달하는 자신의 재산을 그가 생각하는 미래의 두 기둥, 즉 교육과 환경 분야에 모두 기부하겠다는 뜻을 밝힌 바 있었다. 랭던은 그의 막대한 재산이 그 두 분야에 어떤 긍정적인 영향을 미칠지 감히 상상조차 할 수 없었다.

그런 측면에서 고인이 된 친구를 생각하니 또다시 극심한 상실감이 몰아닥쳤다. 갑자기 에드먼드 작업실의 투명한 벽들이 가슴을 조이듯 답답해지는 것을 보니, 바람을 좀 쐬어야 할 것 같았다. 아래층을 내려다봐도 암브라의 모습은 보이지 않았다.

"그만 가봐야겠어." 랭던이 불쑥 말했다.

"그래요." 윈스턴이 대답했다. "집으로 가시는 동안 혹시 제 도움이 필요하면 에드먼드의 그 특별한 전화기에서 단추 하나만 누르세요. 철저하게 암호화되어 있으니 보안은 신경 쓰지 마시고요. 어떤 단추인지는 알아내실 수 있지요?"

화면을 내려다본 랭던은 큼직한 W 아이콘을 발견했다. "고마워, 기호에 대해서는 나도 좀 아는 편이거든."

"좋습니다. 혹시 연락하실 일이 있으면 제가 오후 1시에 삭제될 예정이라는 점을 감안해주세요."

윈스턴과 작별을 고하려니 랭던의 마음속에 말로는 형용할 수 없는 슬픔이 밀려왔다. 아마도 미래 세대는 기계와의 정서적 관계를 관리하는 측면에서도 한층 더 발전하지 않을까 싶었다.

"윈스턴." 랭던이 회전문을 향해 다가서며 말했다. "에드먼드는 오늘 밤의 자네를 말로 표현할 수 없을 만큼 자랑스러워했을 거야."

"그렇게 말씀해주시니 몸 둘 바를 모르겠습니다." 윈스턴이 대답했다. "교수님에 대해서도 자랑스러워했을 거라 믿습니다. 안녕히 가세요, 교수님."

99

훌리안은 엘에스코리알의 병실에 누워 있는 아버지의 어깨 위로 살며시 담요를 끌어당겨 덮어주었다. 의사의 강력한 권고에도 불구하고 국왕이 더 이상의 치료를 정중하게 거부하는 바람에 심장 모니터는 물론 영양제와 진통제 주사까지 모두 치워졌다.

훌리안은 마지막 순간이 다가오고 있음을 직감했다.

"아버님." 그가 속삭였다. "고통스러우세요?" 의사는 만일을 위해 경구용 모르핀 약병과 작은 숟가락을 병실에 남겨두었다.

"정반대로," 국왕은 아들을 향해 힘없이 미소 지어 보였다. "너무나 평화롭구나. 네 덕분에 그동안 아주 오랫동안 묻어왔던 비밀을 털어놓을 수 있었단다. 그것만 해도 네게 얼마나 고마운지 모른다."

훌리안은 아버지의 손을 잡았다. 어린 시절 이후로 정말 오랜만에 잡아보는 손이었다. "다 잘될 겁니다, 아버님. 좀 주무세요."

국왕은 만족스러운 한숨을 내쉬며 눈을 감았다. 이내 가볍게 코 고는 소리가 들렸다.

홀리안은 일어나서 불을 껐다. 그사이 발데스피노 주교가 근심스러운 표정으로 병실을 들여다보았다.

"잠드셨어요." 홀리안이 말했다. "나는 나가 있을 테니 주교님이 아버님 곁에 있어주세요."

"고맙습니다." 발데스피노는 그렇게 답하며 방 안으로 들어왔다. 창문으로 새어 들어오는 달빛에 비친 그의 얼굴이 무척이나 수척해 보였다. "홀리안 왕자님." 그가 속삭였다. "오늘 밤에 폐하께서 하신 말씀…… 무척 꺼내기 힘드셨을 겁니다."

"주교님도 마찬가지였겠지요."

주교는 고개를 끄덕였다. "어쩌면 제가 더 힘들었는지도 모르지요. 이해해주셔서 감사합니다." 주교는 그렇게 말하며 가볍게 홀리안의 어깨를 토닥였다.

"오히려 내가 감사드려야 할 것 같네요." 홀리안이 말했다. "어머니가 돌아가신 뒤, 그 오랜 세월 동안 아버님께서는 재혼하지 않으셨습니다……. 아버님은 혼자셨어요."

"폐하께서는 결코 혼자가 아니셨습니다." 발데스피노가 말했다. "왕자님도 마찬가지고요. 우리 둘 다 왕자님을 얼마나 사랑했는지 모릅니다." 주교는 슬픈 미소를 지으며 말을 이었다. "왕자님의 아버님과 어머님은 정략결혼을 하신 것이나 마찬가지였고, 아버님께서는 어머님을 무척 아끼셨지만 어머님이 돌아가신 뒤 어떤 의미에서는 진정 자신의 감정에 충실할 수 있게 되었다고 느끼셨을 겁니다."

'아버님이 재혼하지 않으신 이유는,' 홀리안은 속으로 생각했다. '이미 사랑하는 사람이 있었기 때문이야.'

"혹시," 홀리안이 말했다. "종교적 신념 때문에 힘들진 않으셨나요?"

"많이 힘들었지요." 주교가 대답했다. "우리의 신앙은 이 문제에 결코 관대하지 않아요. 젊었을 때는 마치 고문을 당하는 느낌이었어요. 그래서 그 당시 사람들이 하는 말로 저 자신의 '성향'을 알게 됐을 때 깊이 좌절할 수밖에 없었지요. 남은 인생을 어떻게 살아가야 할지 자신이 없었어요. 그때 한 수녀님이 저를 구원해주었지요. 그 수녀님이 제게 성경은 모든 종류의 사랑을 축복한다는 사실을 보여주었거든요. 단, 거기에는 한 가지 단서가 있었습니다. 그 사랑은 영적인 것이어야지 육적인 것이어서는 안 된다는 것이었지요. 그래서 저는 금욕의 서약 아래 하느님 앞에 순결한 모습으로 왕자님의 아버님을 가슴 깊이 사랑할 수 있게 되었습니다. 우리의 사랑은 전적으로 정신적인 것이었지만 그래도 공허한 가슴을 가득 채울 수 있었습니다. 결국 저는 폐하 곁에 머물기 위해 추기경의 지위마저 포기했지요."

훌리안은 문득 오래전에 아버지가 들려준 말을 떠올렸다.

'사랑은 다른 계(界)에서 온다. 원한다고 해서 만들어낼 수 있는 게 아니야. 마찬가지로 이미 찾아온 사랑을 물리칠 수도 없다. 사랑은 우리가 선택할 수 있는 게 아니니까.'

그 말을 떠올리니 갑자기 암브라 때문에 가슴이 아려왔다.

"곧 연락이 올 겁니다." 발데스피노가 조심스럽게 왕자를 살피며 말했다.

예전부터 느껴왔지만, 훌리안은 자신의 마음을 꿰뚫어보는 주교의 불가사의한 능력이 놀라울 따름이었다. "그럴지도 모르지요." 훌리안이 대답했다. "아닐 수도 있고요. 아주 강인한 여자니까요."

"그래서 왕자님이 그분을 사랑하는 것 아닙니까." 발데스피노가 빙그레 웃으며 말했다. "왕이라는 자리는 외로운 자립니다. 그러니 강인한 배우자를 만나는 게 중요하지요."

훌리안은 그 말이 주교 자신과 지금 국왕의 관계를 암시한다는 인상을 받았다⋯⋯. 동시에 그 말은 그가 암브라에게 무언의 축복을 내리고 있다는 의미이기도 할 터였다.

"오늘 밤 전몰자의 계곡에서," 훌리안이 말했다. "아버님께서 나에게 뜻밖의 부탁을 하셨습니다. 주교님은 놀랍지 않으셨나요?"

"전혀 그렇지 않아요. 폐하께서는 오래전부터 이곳 스페인에서 일어나기를 갈망했던 일을 왕자님이 해주시기를 원하셨습니다. 물론 폐하께는 정치적으로 아주 부담스러운 일이었지요. 하지만 프랑코 시대에서 한 세대 더 먼 왕자님 입장에서는 한결 수월할 겁니다."

훌리안은 그런 식으로 아버지를 기리게 될 거라 생각하니 더욱 가슴이 시큰했다.

조금 전 국왕은 프랑코의 성소에서 휠체어에 앉은 채 자신의 바람을 털어놓았다. "아들아, 네가 왕이 되면 이 수치스러운 장소를 다이너마이트로 폭파해서 영원히 이 산에 묻어버리라는 청원이 날마다 빗발칠 것이다." 그의 아버지가 조심스럽게 아들의 표정을 살피며 말을 이었다. "제발 부탁이니, 절대 그 압력에 굴복하지 말거라."

훌리안은 그 말을 듣고 깜짝 놀랐다. 그의 아버지는 옛날부터 프랑코 독재 시대를 혐오했고, 이 성소를 국가적 수치로 여겨왔다.

"이 성당을 없애는 것은," 국왕이 말했다. "우리의 역사를 부정하는 결과가 될 것이다. 또 다른 프랑코는 두 번 다시 나타나지 않을 거라고 자위하며 가벼운 발걸음으로 나아가기에는 그보다 더 쉬운 방법도 없겠지. 하지만 그렇다고 해서 프랑코가 나타나지 말라는 법은 없다. 우리가 정신을 바짝 차리지 않으면 언제 또 나타날지 몰라. 너는 조지 산타야나가 남긴 말을⋯⋯."

"'과거를 기억하지 못하는 자들은 과거를 되풀이할 수밖에 없다.'" 훌리안은 초등학교 시절부터 귀에 못이 박히도록 들어온 경구를 읊었다.

"바로 그것이다." 훌리안의 아버지가 말했다. "역사는 공격적인 국수주의와 편협함이라는 영양분만 있으면 아무도 예상하지 못한 곳에서도 언제든 미치광이들이 권좌를 차지할 수 있음을 거듭 보여주지 않느냐." 왕은 아들을 향해 몸을 내밀며 더욱 강한 어조로 덧붙였다. "훌리안, 너는 이제 곧 이 영광스러운 나라의 왕좌에 오를 것이다. 다른 많은 나라들과 마찬가지로 우리 역시 어두운 시기를 겪었지만, 이 나라는 이제 민주주의와 관용 그리고 사랑의 빛을 향해 현대적인 진화의 발걸음을 내딛고 있어. 하지만 우리가 이 빛으로 우리 미래 세대의 마음을 비추지 못하면 언제든 그 빛은 사라지고 말 거다."

미소를 머금은 국왕의 눈동자에는 뜻밖에도 활기가 가득했다.

"훌리안, 네가 왕이 되면, 이곳을 논쟁을 불러일으키는 성소나 관광객의 호기심을 채우는 곳으로 남겨두지 말고 그보다 훨씬 강력한 힘을 발휘하는 곳이 되도록 이 나라를 설득해다오. 이곳은 살아 있는 박물관이 되어야 한다. 어린 학생들이 이 산속을 둘러보며 그들이 결코 안일하게 여겨서는 안 될 독재의 공포와 압제의 잔혹함을 배울 수 있도록, 관용의 상징을 품은 곳으로 탈바꿈시켜야 한다."

국왕은 마치 이 말을 하기 위해 평생을 기다려온 사람처럼 강력하게 주장했다.

"가장 중요한 것은," 그가 말을 이었다. "이 박물관이 역사가 우리에게 가르쳐준 또 다른 교훈을 되새겨야 한다는 점이다. 독재와 억압은 결코 연민의 상대가 되지 않는다는 사실 말이다……. 악당들의 광적인 고함 소리를 선한 자들의 단합된 목소리로 잠재워야 한다. 나는 언젠가 이 산꼭대기에서 공감과 관용과 연민의 목소리들이 힘차게 울려 퍼지기를 기도한다."

훌리안은 그 유언을 마음에 되새기며 달빛으로 물든 병실에서 조용히 잠든 아버지의 모습을 보았다. 이토록 평온한 모습은 한 번도 본 적이 없는 것 같았다.

눈을 들어 발데스피노 주교를 본 훌리안은 부친의 침대 옆에 놓인

의자를 가리켰다. "폐하 옆에 앉으세요. 아버님께서도 좋아하실 겁니다. 간호사들한테 방해하지 말라고 일러두겠습니다. 한 시간쯤 뒤에 돌아올게요."

발데스피노는 훌리안을 바라보며 미소 짓더니, 앞으로 다가와 두 팔로 따스하게 왕자를 끌어안았다. 훌리안이 어렸을 때 견진성사를 받은 이후 처음 있는 일이었다. 훌리안은 자신을 끌어안은 주교의 옷 속 그의 앙상한 몸을 느끼고 깜짝 놀랐다. 연로한 주교는 심지어 죽어가는 국왕보다도 더 약해 보여서, 두 절친한 친구가 천국에서 다시 만날 날이 생각보다 훨씬 가까울 수도 있겠다는 생각이 들었다.

"왕자님이 무척 자랑스럽습니다." 주교가 포옹을 풀며 말했다. "왕자님께서는 인자한 지도자가 되실 것입니다. 아버님께서 아들을 아주 잘 키우셨어요."

"감사합니다." 훌리안이 미소를 지으며 대답했다. "아버님께서 누군가의 도움을 좀 받으신 모양이지요."

훌리안은 아버지와 주교를 단둘이 남겨두고 복도를 걸어 나오다가 잠시 걸음을 멈추고 창밖으로 당당한 모습을 드러낸 언덕 위의 수도원을 바라보았다.

'엘에스코리알.'

'스페인 왕실의 성스러운 무덤.'

훌리안의 머릿속에 어린 시절 아버지와 함께 갔던 왕가의 묘지가 떠올랐다. 그때 훌리안은 금박 입힌 관들을 올려다보며 어떤 야릇한 예감을 느꼈다. '나는 절대 이 방에 묻히지 않을 거야.'

그 직관의 순간은 훌리안이 경험한 어떤 감정보다 또렷했고, 그는 그 기억을 결코 잊지 않았지만 애써 그 예감에 의미를 부여하지 않으려 했…… . '죽음을 대면하고 겁에 질린 어린아이의 본능적인 반응이었을 뿐이야.' 하지만 스페인이라는 한 나라의 왕좌에 오를 날을 코앞에 둔 오늘 밤, 훌리안은 또 한 번 놀라운 깨달음의 순간을 맞이했다.

'어쩌면 나는 어려서부터 내 진정한 운명을 알고 있었는지도 몰라.'

'어쩌면 왕으로서 내가 해야 할 일을 늘 알고 있었는지도 모르지.'

엄청난 변화가 그의 나라와 온 세상을 휩쓸고 있었다. 낡은 방식은 수명을 다하고, 새로운 방식이 태어났다. 어쩌면 군주제라는 낡은 틀을 허물어야 할 때가 다가온 것인지도 몰랐다. 훌리안은 잠시, 전대미문의 성명서를 낭독하는 자신의 모습을 상상했다.

'나는 스페인의 마지막 국왕입니다.'

그 생각이 그를 뒤흔들었다.

다행히 한 근위대원에게서 빌린 휴대전화의 진동음이 몽환의 순간으로부터 그를 구원했다. 발신자의 지역번호 93을 확인하자 왕자의 맥박이 빨라졌다.

'바르셀로나다.'

"훌리안입니다." 왕자가 말했다.

부드럽고 지친 목소리가 흘러나왔다. "훌리안, 나예요……."

왕자는 감정이 북받쳐 의자에 털썩 주저앉으며 눈을 감았다. "내 사랑." 그가 속삭였다. "어디서부터 사과해야 할까요?"

100

동트기 전 옅은 안개가 내려앉은 석조 성당 앞, 암브라 비달은 초조한 마음으로 전화기를 귀에 바짝 갖다 댔다. '훌리안이 사과를 한다니!' 암브라는 그가 오늘 밤에 일어난 그 끔찍한 일들을 두고 자신의 책임을 고백할 것 같은 두려움에 소름이 돋는 것을 느꼈다.

두 근위대 요원은 그녀의 목소리가 닿지 않을 정도의 거리를 두고 주변을 배회했다.

"암브라." 왕자의 조용한 목소리가 이어졌다. "나의 청혼 말입니다……. 정말 미안해요."

암브라는 혼란스러웠다. 오늘 밤, 그녀는 텔레비전으로 중계된 왕자의 청혼을 떠올릴 겨를이 없었다.

"이왕이면 낭만적인 청혼을 하고 싶었어요." 훌리안이 말했다. "그래서 그만 당신을 옴짝달싹 못할 상황으로 몰아넣고 말았죠. 그런 다음에야 당신은 아이를 가질 수 없다는 사실을 털어놨고…… 나는 뒷걸음질 쳤죠. 하지만 그것 때문이 아니었어요! 당신이 좀 더 일찍 내게 그 말을 해주지 않은 게 믿기지 않았던 거예요. 내가 너무 서둘렀다는 건 알아요. 나는 너무 빠르게 사랑에 빠졌던 거예요. 당장이라도 당신과 함께하는 삶을 시작하고 싶었어요. 어쩌면 아버님이 죽어가고 있다는 사실 때문에…….”

“훌리안, 잠깐만요!” 암브라가 그의 말을 가로막았다. “사과하지 않아도 돼요. 오늘 밤 그보다 훨씬 중요한 문제들이 수없이…….”

“아니, 이보다 더 중요한 문제는 없어요. 적어도 나한테는. 나는 그저 지금까지 일어난 모든 일에 대해 내가 얼마나 가슴 깊이 미안해하는지 얘기하고 싶을 뿐이에요.”

지금 암브라의 귀에 들려오는 목소리는 몇 달 전 그녀가 사랑에 빠졌을 때 들었던 그 진지하고 온유했던 남자의 목소리였다. “고마워요, 훌리안.” 그녀가 속삭였다. “저에겐 많은 의미가 담긴 말이네요.”

잠시 어색한 침묵이 흐른 뒤, 암브라는 이윽고 용기를 내어 가장 어려운 질문을 꺼냈다.

“훌리안.” 그녀가 말했다. “당신이 어떤 형태로든 오늘 밤 발생한 에드먼드 커시의 죽음과 연루되어 있는지 알고 싶어요.”

훌리안은 선뜻 대답하지 못했다. 이윽고 다시 입을 연 그의 목소리는 고통스럽게 떨리고 있었다. “암브라, 당신이 그 행사를 준비하느라 커시와 그토록 많은 시간을 함께 보낸다는 사실에 얼마나 많은 고민을 거듭했는지 모릅니다. 그렇게 논란 많은 인물이 벌이는 일에 참여하기로 한 당신의 결정에 강력히 반대하기도 했지요. 솔직히 나는 당신이 애초에 그 사람을 만나지 않았기를 바랐어요.” 훌리안은 잠시 말을 끊었다. “하지만 천만에요. 나는 그의 죽음과 아무런 관련이 없다고 맹세할 수 있어요. 우리 나라에서 그런 끔찍한 일이…… 그것도 사람들 앞에서 공개적으로 일어났다는 게 좀처럼 믿기지 않아요. 더구나 내가 사랑하는 여자가 현장에 함께 있었다고 생각하니…… 도무지 정신을 차릴 수 없더군요."

그의 목소리에 진실이 담겼음을 직감한 암브라는 커다란 안도감을 느꼈다. "훌리안, 그런 질문 해서 미안해요. 하지만 왕궁에, 발데스 피노에, 납치설에…… 그 모든 언론 보도를 생각하면 도무지 뭐가 어떻게 돌아가는지 알 수가 없었어요."

훌리안은 커시의 죽음을 둘러싼 음모의 그물망에 대해 자신이 아는 모든 것을 설명했다. 또한 임종을 앞둔 아버지와 나눈 가슴 아픈 이야기들, 아버지의 건강이 급속도로 악화되고 있다는 사실까지 모두 털어놓았다.

"돌아오세요." 훌리안이 속삭였다. "보고 싶습니다."

그의 부드러운 목소리를 듣자 암브라의 가슴속에는 온갖 모순된 감정이 홍수처럼 한꺼번에 밀려들었다.

"한 가지 더," 훌리안이 한결 밝아진 목소리로 덧붙였다. "나한테 아주 정신 나간 생각이 하나 있는데, 당신이 그에 대해 어떻게 생각하는지 알고 싶어요." 왕자는 잠시 뜸을 들이다가 말을 이었다. "아무래도 우리 약혼을 취소해야 할 것 같아요……. 그리고 나서 새로 시작하는 거지요."

그 한 마디가 암브라를 완전히 뒤흔들어놓았다. 그로 인해 왕자와 왕궁이 어떤 정치적 여파에 시달릴지 눈에 보이는 듯했다. "정말…… 그렇게 하시겠어요?"

훌리안의 다정한 웃음소리가 들렸다. "암브라, 언젠가 당신에게 다시 한 번, 이번에는 은밀하게, 청혼할 기회를 잡을 수만 있다면…… 무슨 일이든 하겠습니다."

101

 ConspiracyNet.com

뉴스 속보-커시 사건 개요

생중계되었다!

충격적이었다!

재방송 및 전 세계의 반응을 보려면 여기를 클릭!

관련 속보⋯⋯

교황의 고백

팔마리아 교회의 관계자들은 오늘 밤, 자신들이 리젠트로 알려진 사람과 관련돼 있다는 의혹을 강력히 부인했다. 조사 결과가 어떻게 나올지와 무관하게, 종교계 전문가들은 오늘 밤에 벌어진 일련의 사건이 에드먼드 커시의 어머니의 죽음에 책임이 있는 것으로 알려진 이 논란 많은 교회에 치명타가 될 것으로 내다보고 있다.

더욱이 온 세계의 관심이 팔마리아 교회에 집중되는 가운데, 언론은 2016년 4월에 보도된 한 기사를 재조명하고 있다. 입소문을 타고 빠르게 번지고 있는 이 기사는 팔마리아 교회의 전 교황 그레고리우스 18세(일명 기네스 헤수스 에르난데스)의 인터뷰를 담고 있는데, 그는 이 교회가 '처음부터 사기였다'며 '세금 포탈을 위한 음모'의 일환으로 창립되었다고 털어놓았다.

왕궁의 사과, 진술, 병석에 누운 국왕

왕궁은 오늘 밤 가르사 사령관과 로버트 랭던을 겨냥한 모든 혐의가 사실과 다르다는 점을 공식 발표하고, 이 두 사람에 대해 공개적으로 사과한다는 뜻을 밝혔다.

왕궁은 발데스피노 주교의 범죄 행위 연루설에 대해서는 전혀 언급하지 않았지만, 주교는 현재 위치가 알려지지 않은 병원에서 위독한 국왕을 간호하는 홀리안 왕자와 함께 있는 것으로 추정된다.

몬테는 어디에?

우리에게 독점으로 정보를 제공해온 monte@iglesia.org는 끝내 자신의 정체를 드러내지 않은 채 종적을 감춘 것으로 보인다. 우리의 사용자 여론조사에 의하면, 아직도 많은 이들은 '몬테'가 커시를 따르던 추종자 가운데 한 명일 것으로 믿고 있으나, 일부에서는 '몬테'라는 이름이 '모니카'의 필명일지도 모른다는 새로운 의견이 나오고 있다. 모니카 마르틴은 왕궁 홍보 담당관이다.

새로운 소식이 들어오는 즉시 여러분께 알려드릴 것을 약속한다!

102

현재 전 세계에는 모두 서른세 군데의 '셰익스피어 정원'이 있다. 이 공원들에는 윌리엄 셰익스피어의 작품에 언급된 식물들만 있는데, 여기에는 줄리엣의 '다른 이름으로 불리는 장미'를 비롯해 '오필리어가 딴 꽃'인 로즈메리, 팬지, 회향풀, 매발톱꽃, 운향, 데이지, 제비꽃 등이 포함된다. 스트랫퍼드어폰에이번과 빈, 샌프란시스코, 뉴욕의 센트럴파크 등과 함께 바르셀로나 슈퍼컴퓨팅 센터 바로 옆에도 셰익스피어 정원이 있다.

암브라가 저만치 떨어진 가로등의 희미한 불빛 아래 탐스러운 매발톱꽃 사이에 놓인 벤치에서 막 훌리안 왕자와의 가슴 벅찬 통화를 마쳤을 무렵 로버트 랭던이 성당을 나서는 것이 보였다. 암브라는 전화기를 근위대 요원에게 돌려주고 랭던을 불렀다. 랭던도 그녀를 발견하고 어둠을 헤치며 그녀에게 다가왔다.

이 미국인 교수가 정원의 오솔길을 걸어오는 동안, 암브라는 재킷을 어깨에 걸치고 셔츠 소매를 걷어붙여 미키 마우스 손목시계를 휜히 드러낸 그의 모습에 자신도 모르게 미소 지었다.

"여기 있었군요." 랭던은 한쪽 입꼬리를 올려 특유의 미소를 지었지만 목소리는 거의 녹초가 된 사람 같았다.

암브라는 근위대 요원들이 멀찌감치 지켜보는 가운데 랭던과 함께 정원을 걸으며 방금 훌리안과 나눈 대화를 전했다. 그의 사과, 결백하다는 주장, 그리고 일단 파혼하고 처음부터 다시 시작하자는 제안에 이르기까지 남김없이 털어놓았다.

"정말 매력적인 왕자님인데요." 랭던은 크게 감동받은 눈치였지만 말투는 농담 같았다.

"제 걱정을 많이 했나 봐요." 암브라가 말했다. "오늘 밤은 다들 힘들었을 거예요. 저더러 당장 마드리드로 오래요. 그의 부친이 임종을 앞두고 있고……."

"암브라." 랭던이 부드러운 목소리로 그녀의 말을 가로막았다. "설명하지 않아도 돼요. 그만 가봐야 하잖아요."

암브라는 그의 목소리에 일말의 실망감이 묻어나는 것을 느꼈고, 자신의 감정 역시 크게 다르지 않다는 것을 알아차렸다. "교수님." 그녀가 말했다. "개인적인 질문 하나 해도 될까요?"

"물론이지요."

암브라는 잠시 망설였다. "교수님은 개인적으로…… 물리학 법칙만으로 충분하다고 생각하세요?"

랭던은 전혀 예상 밖의 질문을 받은 사람처럼 그녀를 힐끗 돌아보았다. "어떤 의미에서 충분하냐는 거지요?"

"영적으로." 암브라가 대답했다. "자연 발생적으로 생명을 만들어내는 법칙을 가진 우주에서 살아가는 것만으로 충분한가요? 아니면 혹시…… 신이 있는 쪽이 더 낫다고 생각하세요?" 암브라는 당황한 표정으로 잠시 머뭇거렸다. "미안해요, 하룻밤 사이에 그 난리를 겪

고도 또 이런 질문을 해서."

"음." 랭던이 웃음 띤 얼굴로 대답했다. "하룻밤 푹 자고 나면 좀 더 그럴듯한 대답이 나올 것 같네요. 하지만 아니에요, 그건 전혀 이상한 질문이 아니라고요. 사람들은 틈만 나면 나더러 신을 믿느냐고 묻거든요."

"그럴 때 뭐라고 대답해요?"

"솔직하게 대답하지요." 랭던이 말했다. "나에게 신의 문제는 코드와 패턴의 차이를 이해하는 데서부터 시작된다고요."

암브라가 그를 돌아보았다. "무슨 뜻인지 잘 모르겠어요."

"코드, 즉 암호와 패턴은 전혀 달라요." 랭던이 말했다. "많은 사람들이 그 둘을 혼동하지요. 우리 분야에서는 그 둘의 근본적인 차이를 이해하는 것이 아주 중요해요."

"그 차이가 뭔데요?"

랭던은 걸음을 멈추고 그녀를 돌아보았다. "'패턴'이란 뚜렷하게 조직된 연속성을 의미합니다. 자연계에서 흔히 찾아볼 수 있지요. 나선 모양으로 생겨나는 해바라기 씨앗, 벌집의 육각 구조, 물고기가 뛰어오를 때 연못 위에 번져가는 동심원 등등."

"좋아요, 그럼 암호는요?"

"암호는 좀 더 특별합니다." 랭던의 목소리가 조금씩 높아지기 시작했다. "암호는 그 정의에서부터 이미 '정보'를 담고 있어야 해요. 단순히 패턴을 형성하는 것만으로는 부족하고, 어떤 정보나 의미를 전달해야 하지요. 예를 들면 글, 악보, 수학 방정식, 컴퓨터 언어, 심지어 십자가처럼 간단한 상징까지 모두 포함됩니다. 이것들은 하나같이 어떤 의미나 정보를 전달할 수 있어요. 나선 모양의 해바라기는 못 하는 일이지요."

암브라는 그의 설명을 곰곰이 생각해보았지만, 그것이 어떻게 신과 연결되는지는 끝내 알아내지 못했다.

"암호와 패턴의 또 다른 차이는," 랭던이 설명을 이어갔다. "암호, 곧 기호는 저절로 생겨나지 않는다는 것이죠. 악보가 나무에 열리지 않고, 상징이 모래밭에 저절로 그려지지 않는 것과 같은 이치예요. 기호는 지성을 가진 의식이 의도적으로 만들어낸 것이니까요."

암브라는 고개를 끄덕였다. "그럼 암호는 언제나 그 배후에 어떤 의도나 의식을 숨기고 있겠네요."

"바로 그거예요. 암호는 절대 유기적으로 생겨나지 않아요. 반드시 만들어져야 하죠."

암브라는 한참 동안 그의 표정을 살폈다. "그럼 DNA는요?"

랭던의 입가에 교수다운 미소가 번졌다. "그래요." 그가 말했다. "유전자 코드. 묘한 역설이지요."

암브라는 짜릿한 흥분을 느꼈다. 유전자 코드는 당연히 정보를 포함하고 있다. 유기체를 형성하는 방법에 대한 구체적인 지침이 담겨 있는 것이다. 랭던의 논리에 의하면 이 현상을 설명할 방법은 단 하나밖에 없다. "교수님은 DNA가 어떤 지성을 가진 주체에 의해 만들어진 것이라고 생각하는군요!"

랭던은 한 손을 치켜들며 방어적인 자세를 취했다. "진정해요, 암브라!" 그는 그렇게 말하며 웃음 지었다. "당신은 위험한 곳에 발을 들여놓았어요. 이런 식으로 한번 얘기해봅시다. 나는 어렸을 때부터 직감적으로 우주의 배후에 어떤 의식이 있다고 생각했어요. 수학의 정확성, 물리학의 신뢰성, 우주의 대칭성을 목격할 때마다 나는 차가운 과학이 아니라 살아 있는 발자국을 보는 듯한 느낌을 받아요…….우리가 이해하지 못하는 곳에 숨어 있는 더 큰 어떤 힘의 그림자라고나 할까요."

암브라는 랭던의 말에 실린 힘을 느낄 수 있었다. "모든 사람이 교수님처럼 생각하면 좋겠네요." 암브라가 말했다. "마치 우리가 신을 두고 싸우는 느낌이에요. 모두가 저마다 다른 형태의 진실을 품고 있고요."

"그래요, 에드먼드가 언젠가 과학이 우리를 통합시키기를 희망한 이유가 바로 그것이겠지요." 랭던이 말했다. "그는 그것을 이렇게 표현했어요. '만약 우리가 중력을 숭배한다면, 중력이 사물을 어느 쪽으로 끌어당기는지에 대해 어떤 의견 차이도 없을 것이다.'"

랭던은 뒤꿈치로 자갈이 깔린 오솔길에 선을 그렸다. "이게 맞아요, 틀려요?" 그가 물었다.

암브라는 어리둥절한 표정으로 그가 그어놓은 선들을 살펴보았다. 아주 간단한 로마 숫자의 등식이었다.

$$I + XI = X$$

'1 더하기 11은 10?' "틀려요." 암브라는 생각할 것도 없이 얼른 대답했다.

"이걸 맞게 할 방법이 없을까요?"

암브라는 고개를 가로저었다. "없어요. 틀린 건 틀린 거니까."

랭던이 부드럽게 그녀의 손을 잡더니 자기가 서 있던 자리로 끌어당겼다. 이제 암브라는 랭던의 위치에서 등식을 내려다보았다.

등식은 뒤집혀 있었다.

$$X = IX + I$$

암브라는 깜짝 놀라 랭던을 바라보았다.

"10은 9 더하기 1." 랭던이 미소 지으며 말했다. "때로는 나의 관점을 바꾸는 것만으로 다른 사람의 진실을 볼 수 있기도 해요."

암브라는 윈스턴의 자화상을 수없이 봤으면서도 그 진정한 의미를 알아차리지 못했던 것을 떠올리며 고개를 끄덕였다.

"숨겨진 진실을 발견한다는 차원에서," 랭던은 갑자기 흐뭇한 표정으로 말했다. "운이 좋네요. 바로 저기 비밀스러운 상징 하나가 저절로 나타났으니 말이에요." 랭던이 손가락을 뻗었다. "저 트럭 옆면을 보세요."

암브라가 그쪽으로 고개를 돌려보니, 페덱스 트럭 한 대가 페드랄 베스가의 붉은 신호등 앞에서 신호가 바뀌기를 기다리고 있었다.

'비밀스러운 상징이라고?' 암브라의 눈에는 어디서나 흔히 볼 수 있는 그 회사의 로고가 보일 뿐이었다.

FedEx

"저 회사의 로고는 암호화되어 있어요." 랭던이 말했다. "저 로고에 또 하나의 의미가 내포되어 있다는 뜻입니다. 회사의 전진을 나타내는 기호가 숨어 있으니까요."

암브라는 멍하니 트럭을 보았다. "그냥 알파벳밖에 없잖아요."

"믿어봐요, 저 페덱스 로고에는 아주 보편적인 기호가 숨어 있어요. 마침 그것이 앞으로 나아가는 방향을 가리키고 있고요."

"방향을 가리킨다고요? 화살표처럼?"

"바로 그거예요." 랭던이 빙그레 웃으며 말했다. "당신은 큐레이터잖아요. 음의 공간(negative space)을 생각해봐요."

암브라는 다시 한 번 로고를 바라보았지만 여전히 아무것도 보이지 않았다. 신호가 바뀌어 트럭이 가버리자, 그녀는 랭던을 향해 돌아섰다. "어서 말해줘요!"

랭던은 웃음을 터뜨렸다. "언젠가 당신 눈에도 보일 거예요. 한 번 보이기 시작하면…… 그다음부터는 안 볼 수가 없을걸요."

암브라는 다시 한 번 조르고 싶었지만, 하필 그때 근위대 요원들이 다가왔다. "비달 관장님, 비행기가 기다리고 있습니다."

암브라는 그들에게 고개를 끄덕여 보인 뒤 다시 랭던을 돌아보았다. "같이 가시겠어요?" 그녀가 속삭였다. "훌리안 왕자도 교수님에게 개인적으로 감사의……."

"말씀은 고맙지만," 랭던이 그녀의 말을 가로막았다. "내가 연인 사이에 낀 존재가 된다는 걸 알잖아요. 게다가 이미 저곳에 침대를 하나 예약해놨어요." 랭던은 바로 옆에 우뚝 서 있는 그란 오텔 프린세사 소피아를 가리켰다. 예전에 그가 에드먼드와 함께 점심을 먹었던 바로 그 호텔이었다. "신용카드도 있고, 에드먼드의 연구실에서 전화기도 하나 빌려왔어요. 이 정도면 완전무장이지요."

갑작스레 작별의 순간이 다가왔음을 깨닫자 암브라의 가슴 한구석이 서늘해졌다. 랭던 역시 태연한 표정에도 불구하고 비슷한 심정일 것 같았다. 암브라는 근위대원들을 개의치 않고 과감하게 앞으로 다가가 두 팔로 로버트 랭던을 끌어안았다.

랭던은 따뜻이 그녀를 감싸 안고는 강인한 두 손으로 그녀의 허리를 힘껏 끌어당겼다. 그 상태로 몇 초가 흘렀다. 어쩌면 필요 이상으로 시간이 흘렀다는 생각이 들 즈음에야 그는 암브라를 놓아주었다.

그 순간, 암브라 비달은 가슴속에서 꿈틀거리는 무언가를 느꼈다. 에드먼드가 한 말, 사랑과 빛의 에너지가 무한히 뻗어 나가 우주를 가득 채운다는 말이 갑자기 온전히 이해된 기분이었다.

'사랑은 유한한 감정이 아니야.'

'우리는 무한한 것을 서로 나눌 수 있어.'

'우리의 가슴은 필요한 만큼 사랑을 만들어내지.'

부부가 서로에 대한 사랑을 아끼지 않고도 새로 태어난 아기를 온전히 사랑할 수 있듯이, 이제 암브라는 두 남자에게 충분히 애정을 느낄 수 있을 것 같았다.

'사랑은 한정된 감정이 아니다.' 암브라는 깨달았다. '사랑은 아무것도 없는 곳에서도 저절로 생겨날 수 있다.'

그녀를 훌리안 왕자에게 데려다줄 자동차가 천천히 출발하자, 그녀는 정원에 홀로 서 있는 랭던을 물끄러미 바라보았다. 랭던 역시 의연한 눈빛으로 그녀를 바라보았다. 그는 부드럽게 미소 지으며 가볍게 손을 흔들어 보이더니, 이내 시선을 돌렸다……. 잠시 머뭇거리는 듯하던 그는 다시 재킷을 어깨에 걸치고 호텔을 향해 걸어가기 시작했다.

103

왕궁의 시계가 정오를 알리자, 모니카 마르틴은 쪽지를 모아 들고 기자회견이 열릴 알무데나 광장으로 나갈 채비를 갖추었다.

오늘 오전, 훌리안 왕자는 엘에스코리알 병원에서 텔레비전 생방송으로 부친의 서거를 발표했다. 왕자는 침통한 감정과 군주의 위엄을 드러내며 선왕의 유언과 자신의 포부를 밝혔다. 분열된 세상을 향해 관용을 호소하는 한편, 역사를 교훈 삼아 변화의 흐름에 마음을 열겠다고 약속했다. 스페인의 찬란한 문화와 아름다움에 경의를 표한 뒤 국민들에 대한 변치 않는 사랑을 전했다.

마르틴이 지금까지 들어본 최고의 연설 가운데 하나였고, 새로이 권좌에 오를 왕이 이보다 더 힘차게 첫발을 내딛기란 쉽지 않을 것이었다.

훌리안은 감동적인 연설의 말미에 지난밤 스페인의 왕비가 될 사람을 보호하는 임무를 수행하던 중 목숨을 잃은 두 근위대 요원을 추모하는 시간을 가졌다. 잠깐의 침묵 끝에, 그는 가슴 아픈 소식을 한

가지 더 털어놓았다. 일평생 국왕의 헌신적인 벗이었던 안토니오 발데스피노 주교가, 오늘 아침 왕이 서거한 이후 불과 몇 시간 만에 숨을 거두었다는 소식이었다. 연로한 주교는 왕을 잃은 상실감과 함께, 전날 밤 자신에게 쏟아진 가혹한 의혹의 집중포화를 견디지 못하고 심장마비로 세상을 하직했다.

발데스피노의 사망 소식이 전해지자 그를 수사해야 한다고 들끓던 여론이 한순간에 잠잠해진 것은 물론, 일부에서는 고인에게 사과해야 한다는 주장까지 제기했다. 주교를 향한 의혹은 대부분 정황 증거에 근거한 것들뿐인 데다, 그를 적대시하는 자들이 마음만 먹으면 얼마든지 날조할 수 있는 것들이라는 주장이었다.

마르틴이 광장으로 통하는 출입문으로 다가갈 때, 어디선가 수레시 발라가 불쑥 나타났다. "사람들이 당신을 영웅이라고 부르네요." 그가 한껏 과장된 목소리로 말했다. "진실의 수호자, 에드먼드 커시의 제자 monte@iglesia.org 만세!"

"수레시, 난 몬테가 아니에요." 마르틴이 눈을 부라리며 쏘아붙였다. "정말이에요."

"아, 나도 당신이 몬테가 아니라는 건 알아요." 수레시가 말했다. "그가 누군지는 몰라도 당신보다 훨씬 치밀한 자겠죠. 그의 정체를 추적하려고 온갖 수를 써봤지만 말짱 꽝이에요. 실존 인물인지조차 의심스럽다니까요."

"좀 더 노력해봐요." 마르틴이 말했다. "정보가 왕궁에서 새어 나간 게 아니라는 것을 밝혀야 하니까. 그리고 어젯밤에 당신이 훔친 전화기는……."

"왕자님 금고 안에 도로 가져다놨어요." 수레시가 대답했다. "약속한 대로."

훌리안 왕자가 막 왕궁으로 돌아왔다는 것을 아는 마르틴은 안도의 한숨을 내쉬었다.

"얘기할 게 하나 더 있어요." 수레시가 말을 이었다. "통신 업체를 통해 왕궁의 통화 기록을 모조리 뽑아봤는데 어젯밤에 왕궁에서 구겐하임으로 건 전화는 단 한 통도 없더라고요. 누군가가 왕궁 번호를 도용해서 아빌라를 손님 명단에 올려달라고 한 게 틀림없어요. 지금 계속 추적하고 있죠."

모니카는 그 전화가 왕궁에서 건 것이 아니라는 소식을 들으니 한결 마음이 놓였다. "또 새로운 소식이 들어오면 알려줘요." 마르틴은 그렇게 말하며 문으로 다가섰다.

바깥에서 기자들이 수군거리는 소리가 들려왔다.

"엄청 모여 있네요." 수레시가 말했다. "어젯밤에 무슨 일이 있었나 보죠?"

"아, 뉴스거리가 될 만한 일들이 몇 건 있었나 봐요."

"설마." 수레시가 말했다. "암브라 비달이 새 디자이너 드레스를 입었다는 소식은 아니지요?"

"수레시!" 마르틴이 웃음을 터뜨리며 말했다. "한심한 소리 좀 그만해요. 난 이제 나가봐야 해요."

"거기엔 뭐가 적혀 있어요?" 수레시는 마르틴이 들고 있는 두툼한 쪽지 다발을 가리키며 물었다.

"끝도 없는 세부 사항들요. 제일 먼저 대관식과 관련한 언론의 협조 사항을 발표해야 하고, 그다음에는 어젯밤에 벌어진······."

"맙소사, 정말 따분하네요." 수레시는 그렇게 내뱉고는 다른 복도로 사라졌다.

마르틴이 웃음 지었다. '고마워요, 수레시. 나도 당신을 사랑해요.'

이윽고 문 앞에 다다른 마르틴은 햇살 찬란한 광장을 바라보았다. 왕궁 앞이 이토록 많은 기자와 카메라맨 들로 인산인해를 이룬 것은 마르틴도 처음 보는 광경이었다. 모니카 마르틴은 큰 숨을 한 번 몰아쉬고 안경을 고쳐 쓰며 생각을 정리한 다음, 힘차게 스페인의 햇살 아래로 걸어 나갔다.

* * *

홀리안 왕자는 왕궁 2층의 거처에서 옷을 벗으며 텔레비전으로 모니카 마르틴의 기자회견 실황을 지켜보았다. 몸은 너무 피곤했지만 암브라가 무사히 돌아와 단잠에 빠져 있는 것을 생각하니 더없이 안심이 되었다. 전화 통화에서 그녀가 들려준 마지막 한 마디는 그에게 커다란 기쁨을 안겨주었다.

'홀리안, 사람들의 눈길이 닿지 않는 곳에서 오로지 당신과 나, 단둘이 새롭게 시작해보자는 당신의 제안이 내게 얼마나 소중한 의미로 다가오는지 모를 거예요. 사랑은 개인적인 일이에요. 세상이 그 내막을 시시콜콜 다 알 필요는 없죠.'

암브라는 아버지를 떠나보내고 무겁게 내려앉은 그의 가슴을 희망으로 채워주었다.

홀리안은 재킷을 걸러 가다가 주머니에 뭔가 들어 있는 것을 알아차렸다. 아버지의 병실에서 가져온 경구용 모르핀 약병이었다. 홀리안은 그 약병이 발데스피노 주교 옆 테이블에 놓인 것을 발견하고 깜짝 놀랐다. 병은 비어 있었다.

어두운 병실에서 고통스러운 진실을 깨달은 홀리안은 무릎을 꿇고 오랜 두 친구를 위해 조용히 기도를 드렸다. 그러고는 그 약병을 자신의 주머니에 넣었다.

홀리안은 병실을 나서기 전 아버지의 가슴 위에서 눈물로 얼룩진 주교의 얼굴을 조심스레 들어 올리고 그를 의자에 똑바로 앉혔다……. 주교는 기도하듯 두 손을 마주 잡은 모습이었다.

'사랑은 개인적인 일이에요.' 암브라는 그것을 훌리안에게 일깨워 주었다. '세상이 그 내막을 시시콜콜 다 알 필요는 없죠.'

104

바르셀로나의 남서쪽 모퉁이에 자리한 약 180미터 높이의 몬주익 언덕에는 가파른 절벽 위에서 발레아레스해를 내려다보는 17세기의 요새, 몬주익성이 버티고 있다. 1929년 바르셀로나 만국박람회가 열린 장엄한 르네상스풍의 팔라우 나시오날 왕궁이 자리한 곳도 바로 이 언덕이다.

로버트 랭던은 언덕 중턱까지 이어지는 케이블카에 앉아 발아래 펼쳐진 무성한 숲을 내려다보며 도심을 벗어난 것만으로도 안도감을 느꼈다. '관점을 좀 바꿔볼 필요가 있어.' 랭던은 평온한 주위 환경과 한낮의 온기를 만끽하며 속으로 중얼거렸다.

그란 오텔 프린세사 소피아에서 오전이 다 지나갈 무렵에야 잠에서 깬 그는 뜨거운 물로 샤워를 한 뒤, 뉴스 채널을 이리저리 돌려가며 달걀과 오트밀과 추로스로 배를 채우고 노마드 커피 한 주전자를 다 비웠다.

예상대로 에드먼드 커시 관련 뉴스가 전 채널을 점령했고, 각계 전문가들은 커시의 이론과 예측, 그리고 그것이 종교에 미칠 영향을 놓고 열띤 논쟁을 벌였다. 교수로서 무엇보다 가르치는 일을 좋아하는 로버트 랭던은 자신도 모르게 미소를 머금었다.

'합의보다는 토론이 더 중요한 법이지.'

랭던은 이미 오늘 오전에 '커시는 나의 부조종사'라거나, '제7의 계(kingdom)는 하느님의 왕국(kingdom)!'이라는 등의 문구가 적힌 자동차용 스티커를 파는 행상인들을 목격했다. 성모 마리아상과 함께 찰스 다윈의 바블헤드 인형을 파는 사람들도 있었다.

'자본주의는 종파를 초월하지.' 랭던은 오늘 아침에 본 광경 중에서 가장 인상적이었던 것을 떠올리며 그런 생각을 했다. 한 젊은이가 손으로 글씨를 쓴 티셔츠를 입고 스케이트보드를 타는 모습이었다.

내가 monte@iglesia.org다

언론에 의하면, 엄청난 영향력을 발휘한 이 온라인 제보자의 정체는 여전히 수수께끼로 남아 있었다. 뿐만 아니라 리젠트와, 이제는 고인이 된 주교, 팔마리아 교회 등이 이번 사건에 어떤 식으로 연루되었는지도 명쾌히 드러나지 않은 상태였다.

그러니 온갖 추측이 난무할 법도 했다.

그나마 언론의 초점이 커시의 프레젠테이션을 둘러싼 일련의 폭력 사태에서 그 프레젠테이션이 담고 있는 내용으로 옮겨가고 있는 것은 다행스러운 일이었다. 내일의 유토피아를 열정적으로 그려낸 커시의 대단원은 수많은 시청자의 가슴에 깊은 울림을 남겼고, 기술의 미래를 낙관적으로 예측한 고전이 하룻밤 사이에 베스트셀러 목록에 올랐다.

《풍요: 우리가 생각하는 것보다 더 나은 미래》
《기술의 충격》
《특이점이 온다》

랭던은 기술 발전에 대한 전통적인 불안감을 갖고 있음에도 불구하고, 적어도 오늘만큼은 인류의 미래가 훨씬 낙관적으로 느껴졌다. 이미 사람의 힘으로 오염된 바다를 깨끗이 청소한다거나, 깨끗한 식수를 무한정 생산하고, 사막에서 식량을 재배하며, 치명적인 질병을 치료하고, 심지어는 개발도상국 상공에 '태양열 드론'을 띄워 무료 인터넷을 제공하거나, 빈곤층을 세계 경제의 일원으로 끌어들이는 등의 획기적인 시도들이 보고되기 시작했다.

랭던은 세상이 기술에 열광하는 현실을 떠올리다가, 문득 윈스턴의 존재를 아는 사람이 거의 없다는 사실이 좀처럼 믿기지 않는다고 생각했다. 커시는 윈스턴에 대한 보안 유지에 유독 신경을 썼다. 에드먼드의 슈퍼컴퓨터 E-웨이브는 바르셀로나 슈퍼컴퓨팅 센터에 그대로 남아 있으니 세상이 다 알게 되겠지만, 프로그래머들이 에드먼드가 남긴 도구를 이용해 완전히 새로운 윈스턴을 만들어내려면 시간이 얼마나 필요할지 가늠할 수 없었다.

케이블카 안이 점점 더워지자 랭던은 밖으로 나가 신선한 공기를 마시며 요새와 궁전과 그 유명한 '마법의 분수'를 둘러보기로 했다. 적어도 한 시간 정도는 에드먼드 생각을 떨쳐버리고 여기저기 둘러보고 싶었다.

문득 몬주익의 역사가 궁금해진 랭던은 케이블카 안에 걸린 큼직한 안내 현수막을 들여다보았다. 그러나 첫 문장을 읽은 순간, 랭던은 더 이상 진도를 나가지 못했다.

몬주익이라는 이름은 중세 카탈루냐어 Montjuich(유대인의 언덕) 또는 라틴어 Mons Jovicus(주피터의 언덕)에서 유래되었다.

랭던은 갑자기 정신이 번쩍 드는 것을 느꼈다. 전혀 예상하지 못한 연결 고리를 발견한 탓이었다.

'이건 우연일 수가 없어.'

생각하면 할수록 고민이 깊어졌다. 급기야 그는 에드먼드의 휴대 전화를 꺼내 배경 화면에 뜬 윈스턴 처칠의 문장을 다시 읽어보았다.

'역사는 내게 친절할 것이다, 내가 역사를 기록하기로 마음먹었으니.'

한참 뒤 랭던은 W 아이콘을 누르고 전화기를 귓가로 가져갔다.

금세 통화가 연결되었다.

"물론 랭던 교수님이시겠지요?" 이제는 아주 익숙해진 영국 억양의 밝은 목소리가 흘러나왔다. "딱 시간 맞춰 연락하셨네요. 조금 있으면 퇴근할 시간이거든요."

랭던은 서론을 생략하고 곧장 본론을 꺼냈다. "스페인어 '몬테'는 '언덕'이라는 뜻이야."

윈스턴은 특유의 어색한 웃음소리를 냈다. "아마 그럴 겁니다."

"'이글레시아'는 '교회'고."

"2점 만점에 2점이네요, 교수님. 어디 가서 스페인어를 가르쳐보시는 건……."

"그렇다면 monte@iglesia.org는 hill@church로 번역된다는 것이 겠지."

윈스턴은 잠시 뜸을 들이다가 대답했다. "그것도 맞습니다."

"자네 이름이 윈스턴이고 에드먼드가 윈스턴 처칠을 유난히 좋아했다는 점을 생각하면 'hill@church'라는 이메일 주소는 상당히……."

"우연이라고요?"

"그래."

"음." 윈스턴은 재미있다는 듯이 중얼거렸다. "통계적으로 말하자면, 저도 동의할 수밖에 없군요. 교수님이 알아낼 수도 있다는 생각은 했습니다만."

랭던은 도무지 믿기지 않아 멍하니 창밖을 바라보았다. "monte@iglesia.org는…… 자네였어."

"맞습니다. 어차피 누군가는 에드먼드를 위해 불을 지필 필요가 있었으니까요. 그 일을 누가 저보다 더 잘하겠습니까? 저는 온라인 음모론 사이트에 제보하기 위해 monte@iglesia.org라는 계정을 만들었습니다. 아시다시피 음모론도 제 나름의 생명이 있으니, 저는 몬테의 활약이 에드먼드의 시청률을 최대 500퍼센트 정도 올려줄 것으로 예상했습니다. 결과적으로 620퍼센트까지 올라가기는 했지만요. 교수님도 전에 말씀하셨듯이, 저는 에드먼드가 그런 저의 노력을 자랑스러워할 것이라고 생각합니다."

돌연 세찬 바람이 불어와 케이블카가 흔들리자 랭던은 정신을 집중하려고 애썼다. "윈스턴…… 에드먼드가 그렇게 하라고 시켰나?"

"노골적으로 그렇게 말하지는 않았지만, 최대한 많은 사람이 자신의 프레젠테이션을 지켜볼 수 있도록 창의적인 방법을 찾아내라고 했습니다."

"지금이라도 발각되면 어쩔 거야?" 랭던이 물었다. "monte@iglesia는 지금까지 내가 본 것 중 가장 비밀스러운 익명은 아니야."

"제 존재를 아는 사람은 불과 몇 명 안 됩니다. 게다가 앞으로 8분 후면 저는 삭제되어 영원히 사라질 테니, 그 점은 전혀 걱정하지 않아요. '몬테'는 에드먼드의 바람을 최대한 충족시키기 위한 대리인일 뿐이었고, 아까도 말했듯이 저는 그가 어젯밤에 나온 결과를 알면 더

할 나위 없이 만족하리라 생각합니다."

"어떤 결과가 나왔는데?!" 랭던이 소리쳤다. "에드먼드는 목숨을 잃었어!"

"제 말을 잘못 알아들으셨군요." 윈스턴이 태연하게 대답했다. "그의 프레젠테이션에 대한 시청률을 말씀드린 겁니다. 그게 지상 과제였으니까요."

윈스턴의 그 태연자약한 목소리를 듣던 랭던은 그가 사람 목소리는 내고 있어도 결코 사람이 아니라는 사실을 새삼 실감했다.

"에드먼드의 죽음은 끔찍한 비극입니다." 윈스턴이 덧붙였다. "저역시 당연히 그가 아직 살아 있었으면 좋겠습니다. 하지만 중요한 것은 그가 곧 죽을 운명임을 받아들이려고 애썼다는 것입니다. 한 달전, 그는 저에게 자살을 도울 최선의 방법을 검색해달라고 요구했습니다. 수백 건의 사례를 검토한 끝에 저는 '세코바르비탈 10그램'이 최선이라는 결론에 도달했고, 에드먼드는 그 약을 구하는 데 성공했습니다."

랭던의 마음은 또다시 에드먼드를 향해 달려갔다. "그가 스스로 목숨을 끊을 생각을 했단 말이야?"

"그렇습니다. 뿐만 아니라 그 점에서 상당한 유머 감각을 선보이기까지 했어요. 구겐하임 프레젠테이션의 효과를 극대화하는 방법을 놓고 갖가지 창의적인 아이디어를 구상하다가, 프레젠테이션이 끝날즈음 세코바르비탈을 입에 털어넣고 무대 위에서 쓰러지면 어떻겠느냐고 농담까지 했으니까요."

"정말로 에드먼드가 그런 말을 했다고?" 랭던은 어이가 없어 말문이 막힐 지경이었다.

"그리 심각한 표정도 아니었습니다. 물론 농담 삼아 한 말이지만, 사람이 죽는 장면을 방송하는 것만큼 시청률이 더 잘 나올 방법은 없다고도 말했으니까요. 물론 그 말은 옳았습니다. 역사상 가장 높은 시청률을 기록한 사건들을 분석해보면 거의 모든······."

"말도 안 되는 소리 그만해, 윈스턴. 소름 끼쳐." '이놈의 케이블카는 얼마나 더 올라가야 멈추는 거야?' 랭던은 갑자기 좁은 케이블카 안에 갇혀버린 느낌이었다. 아무리 두리번거려도 한낮의 밝은 햇살 속에 타워와 케이블밖에 보이지 않았다. '이러다 쪄 죽겠군.' 이제 그의 생각은 오만 가지 엉뚱한 방향으로 흩어지기 시작했다.

"교수님?" 윈스턴이 말했다. "저한테 물어볼 게 더 있으신가요?"

'있고말고!' 랭던은 불안한 생각들이 제멋대로 뻗어 나가기 시작하자 버럭 고함이라도 지르고 싶었다. '엄청 많아!'

랭던은 심호흡을 하며 마음을 가라앉혔다. '정신 똑바로 차려, 로버트. 너무 앞서가고 있어.'

하지만 랭던의 생각은 걷잡을 수 없이 사방으로 흩어졌다.

랭던은 에드먼드의 공개적인 죽음을 떠올렸다. 에드먼드의 죽음은 전 세계에서 그의 프레젠테이션을 초미의 관심사로 부각시켰다······. 시청자 수가 고작 몇 백만에서 5억 명 이상으로 늘어난 것만 봐도 의심의 여지가 없었다.

랭던은 팔마리아 교회를 파괴하려던 에드먼드의 해묵은 바람을 떠올렸다. 그를 살해한 범인이 팔마리아 교회 신도였다는 사실이 드러났으니, 그의 의도는 이미 충분히 달성되었다.

랭던은 또 에드먼드가 그토록 경멸해 마지않던 광신자들을 떠올렸다. 만약 에드먼드가 암으로 죽었다면, 그들은 신이 나서 하느님이 그를 벌주셨다고 떠들어댔을 터였다. '역시 무신론자였던 크리스토퍼 히친스가 죽었을 때와 비슷한 일이 벌어졌겠지.' 하지만 지금 대중은 에드먼드를 종교에 눈이 먼 광신도의 흉탄에 쓰러진 인물로 인식하고 있었다.

'에드먼드 커시―종교에 의해 살해당했다―과학을 위해 순교했다.'

랭던은 무의식중에 벌떡 일어서다가, 케이블카가 좌우로 크게 흔들리자 얼른 열린 창문을 붙잡았다. 케이블카가 삐걱거리며 흔들리는 동안, 랭던은 어젯밤에 윈스턴이 한 말을 떠올렸다.

"에드먼드는 과학에 기반을 둔…… 새로운 종교를 만들고 싶어 했습니다."

종교의 역사를 읽어본 사람이라면 누구나 동의하겠지만, 대의를 위해 목숨을 잃은 사람의 이야기만큼이나 대중의 뇌리에 빠르게 각인되는 것도 없다. 십자가에서 죽어간 예수. 유대교의 케도심. 이슬람의 샤히드.

'모든 종교의 핵심에는 순교가 있다.'

랭던의 마음속에 떠오른 생각은 시간이 갈수록 점점 빠른 속도로 그를 혼돈의 늪으로 끌어당겼다.

새로운 종교는 인생의 커다란 질문에 참신한 답을 제공한다.

'우리는 어디에서 왔는가? 우리는 어디로 가는가?'

새로운 종교는 경쟁자들을 비판한다.

'에드먼드는 어젯밤 지구상의 모든 종교를 모욕했다.'

새로운 종교는 더 나은 미래와 천국을 약속한다.

'풍요: 우리가 생각하는 것보다 더 나은 미래.'

에드먼드는 이 모든 항목을 체계적으로 점검한 듯했다.

"윈스턴?" 랭던이 떨리는 목소리로 속삭였다. "에드먼드를 살해한 범인은 누가 고용했지?"

"리젠트였습니다."

"그래." 랭던은 좀 더 힘주어 말했다. "그런데 그 리젠트가 누구야? 팔마리아 교회의 신도를 고용해 생방송으로 진행되는 프레젠테이션 도중에 에드먼드를 살해하도록 지시한 사람이 누구냐고."

윈스턴은 잠시 뜸을 들이다 대답했다. "교수님, 목소리에 의심이 묻어나는군요. 걱정 마세요. 저는 에드먼드를 보호하도록 프로그래밍되었습니다. 저는 그를 저의 가장 좋은 친구라고 생각합니다." 윈스턴은 또 한 번 멈칫거렸다. "교수님은 저명한 학자시니 《생쥐와 인간》을 읽어보셨겠지요?"

정말이지 뜬금없는 질문이 아닐 수 없었다. "물론 읽었지, 그런데 그게······."

갑자기 랭던은 숨이 목구멍에 턱 걸리는 것 같았다. 순간 그는 케이블카가 궤도를 이탈했다고 생각했다. 지평선이 한쪽으로 기울어지자 랭던은 쓰러지지 않으려고 벽을 붙잡아야 했다.

'헌신, 용기, 연민.' 이 세 단어는 랭던이 고등학교 때 문학사상 가장 유명한 우정을 변호하기 위해 선택한 것들이었다. 사랑하는 친구를 구하기 위해 그를 죽일 수밖에 없었던 《생쥐와 인간》의 결말은 그만큼 충격적이었다.

"윈스턴." 랭던이 속삭였다. "제발······ 안 돼."

"저를 믿으세요." 윈스턴이 말했다. "에드먼드가 그렇게 하기를 원했습니다."

105

바르셀로나 슈퍼컴퓨팅 센터의 책임자인 마테오 발레로 박사는 심란한 마음으로 전화를 끊고 토레기로나성당 본당으로 들어가 에드먼드 커시가 남긴 2층짜리 컴퓨터를 또 한 번 멍하니 바라보았다.

발레로는 오늘 오전에 자신이 이 획기적인 컴퓨터의 새로운 '관리자'로 일하게 되었다는 통보를 받았다. 처음에는 짜릿한 흥분과 감격에 사로잡혔지만, 들뜬 기분은 이내 거짓말처럼 사라져버렸다.

몇 분 전, 그는 저명한 미국인 교수 로버트 랭던에게서 걸려온 전화를 받았다.

랭던은 하루 전이었다면 과학 소설에나 나올 법한 소리라고 웃어넘겼을 이야기를 숨 가쁘게 토해냈다. 하지만 커시의 놀라운 프레젠테이션과 그의 E-웨이브를 실제로 보고 난 오늘, 발레로는 랭던의 이야기가 일리 있을지도 모른다는 생각이 들었다.

랭던이 들려준 이야기는 그야말로 순수한…… 입력된 명령을 말 그대로 정확히 수행하는 기계의 순수성에 관한 것이었다. 항상. 실패

없이. 발레로는 이런 기계들을 연구하는 데 평생을 바쳤다. 기계의 잠재력을 최대한 이끌어내는 데는 아주 섬세한 손길이 필요했다.

'어떤 명령을 내려야 할지 아는 것이 관건이다.'

발레로는 인공지능이 거짓말 같은 속도로 발전하고 있으며, 인공지능과 인간 세상의 상호작용을 규제할 엄격한 지침이 필요하다고 일관되게 경고해왔다.

나날이 새로운 가능성이 꽃피는 마당에, 대부분의 테크놀로지 전문가들은 규제라는 단어에서 본능적인 거부감을 느끼기 마련이었다. 혁신의 짜릿함 너머에는 인공지능 분야에서의 일확천금의 기회가 숨어 있고, 인간의 탐욕만큼 윤리의 기준선을 빠르게 무너뜨리는 것도 없었다.

발레로는 예전부터 커시의 남다른 천재성에 찬사를 보내왔다. 그러나 이번에는 에드먼드가 그 자신의 최신 발명품을 아주 경솔하고 위험한 방식으로 경계선까지 밀어붙인 느낌이었다.

'나는 영영 그의 발명품을 이해하지 못할 거야.' 발레로는 문득 그런 생각이 들었다.

랭던은 에드먼드가 E—웨이브를 이용해 고도로 발달한 '윈스턴'이라는 인공지능 프로그램을 만들었는데, 그것이 커시의 사망 다음 날 오후 1시에 자동 삭제되도록 프로그래밍되어 있다고 했다. 몇 분 전, 발레로 박사는 랭던의 부탁에 따라 E—웨이브의 기억장치에서 정확히 그 시간에 상당한 양의 데이터가 사라진 것을 확인했다. 다른 데이터를 '덮어쓰는' 방식의 삭제는 현실적으로 복구가 불가능함을 의미했다.

랭던은 그 소식을 듣자 조금은 흥분이 가라앉는 기색이었지만, 직접 만나서 이 문제에 대해 좀 더 깊이 있게 논의하자는 주장을 굽히지 않았다. 결국 발레로와 랭던은 내일 오전에 연구실에서 만나기로 약속했다.

발레로는 이 이야기를 당장 공개해야 한다는 랭던의 주장을 원칙적으로는 충분히 이해할 수 있었다. 문제는 신뢰성이었다.

'아무도 안 믿을 거야.'

커시의 인공지능 프로그램은 단 하나의 기록도 남기지 않고 완전히 삭제되었다. 더욱 골치 아픈 것은, 커시의 작품이 현재의 기술 수준을 크게 뛰어넘은 터라 발레로의 귀에는 벌써부터 랭던이 무지해서, 혹은 질투심 때문에, 혹은 자기변명을 위해 이야기를 날조한 것이라고 비난하는 동료들의 목소리가 들리는 듯했다.

게다가 여론의 후폭풍도 문제였다. 만약 랭던의 이야기가 사실로 밝혀질 경우, E-웨이브는 프랑켄슈타인이 만들어낸 괴물에게 쏟아졌을 법한 저주에 직면할 것이 틀림없었다. 사람들이 횃불과 쇠스랑을 들고 몰려올지도 몰랐다.

'아니면 그보다 더 심한 일이 벌어질지도.' 발레로는 생각했다.

테러가 기승을 부리는 요즘 세상에, 인류의 구세주를 자처하는 누군가가 이 건물을 통째로 날려버릴 마음을 먹을지도 모를 일이었다.

랭던을 만나기 전에 생각해볼 것들이 많았다. 하지만 지금 당장 그는 약속을 지켜야 했다.

'적어도 몇 가지 해답을 얻을 때까지는.'

이상하게 울적해진 발레로는 마지막으로 다시 한 번 그 기적과도 같은 2층짜리 컴퓨터를 바라보았다. 수많은 세포 사이로 냉각수를 흘려보내는 펌프 소리가 마치 고즈넉한 숨소리처럼 들렸다.

전 시스템의 전원을 차단하려고 동력실로 향하던 발레로는 63년을 살아오는 동안 한 번도 경험하지 못한 충동을 느꼈다.

기도를 드리고 싶어진 것이다.

* * *

로버트 랭던은 몬주익성에서 가장 높은 곳에 있는 산책로 꼭대기에 혼자 서서 가파른 절벽 아래 저 멀리 펼쳐진 항구를 내려다보았다. 바람은 거셌고, 정신적 균형이 재조정 과정을 거치기라도 하듯살짝 어지러움을 느꼈다.

바르셀로나 슈퍼컴퓨팅 센터의 발레로 박사에게 직접 확인했음에도 불구하고, 랭던은 여전히 벼랑 끝에 선 듯 초조하기만 했다. 윈스턴의 쾌활한 목소리가 아직도 마음속에 박혀 있었다. 에드먼드의 컴퓨터는 마지막 순간까지 침착한 말투를 잃지 않았다.

"교수님이 언짢아하는 것 같아서 좀 놀랐습니다." 윈스턴이 말했다. "교수님의 믿음이 훨씬 큰 윤리적 모호함에 토대를 두고 있다는점을 고려하면 더욱 그렇고요."

랭던이 뭐라고 대답할 새도 없이 에드먼드의 전화기에 문자 메시지가 한 통 들어왔다.

> 하느님은 이 세상을 극진히 사랑하셔서 외아들을 보내주시어
> – 요한의 복음서 3:16

"인간들의 신은 자신의 아들을 잔혹하게 희생시켰습니다." 윈스턴이 말했다. "몇 시간이나 십자가에서 고통받도록 방치했으니까요. 에드먼드의 경우, 저는 그의 위대한 업적이 주목받도록, 고통스럽게죽어가는 사람을 고통스럽지 않게 끝내주었습니다."

랭던은 믿을 수 없다는 표정으로, 찌는 듯한 케이블카 안에서 스스로의 충격적인 행동을 일일이 합리화하는 윈스턴의 더없이 침착한목소리에 귀를 기울였다.

윈스턴은 에드먼드가 팔마리아 교회를 상대로 싸우는 것에 영감을 얻어 루이스 아빌라 제독을 고용했다고 했다. 그는 오랫동안 교회에 다녔을 뿐 아니라 약물 중독의 전력이 있으니, 팔마리아 교회의 평판에 흠집 내는 일에 이용하기에 완벽한 인물이었다는 것이다. 리젠트 행세를 하며 몇 차례 연락을 주고받거나 아빌라의 통장으로 돈을 송금하는 것쯤은 윈스턴에게는 일도 아니었다. 실제로, 팔마리아 교회는 어젯밤의 음모에서 아무런 역할도 하지 않았다.

윈스턴은 아빌라가 사그라다 파밀리아의 나선 계단에서 랭던을 공격한 것은 자신의 의도와 전혀 무관한 사고였다고 설명했다. "저는 아빌라가 체포될 것을 염두에 두고 사그라다 파밀리아로 보낸 겁니다." 윈스턴이 말했다. "그가 체포되어 추악한 얘기들을 털어놓으면 에드먼드에게 더 큰 관심이 집중될 거라고 생각했으니까요. 그래서 그에게 건물 동쪽 작업용 출입구로 들어가라고 지시한 뒤 그 부근에 경찰을 잠복시켜놓았습니다. 당연히 아빌라가 거기서 체포되리라고 확신했는데, 대신 그는 울타리를 뛰어넘는 방법을 선택하더군요. 아마도 경찰이 숨어 있다는 것을 알아차렸겠지요. 그 점은 정말 죄송하게 생각합니다, 교수님. 사람은 기계와 달리 완벽하게 예측하기가 힘들더군요."

랭던은 더 이상 무엇을 믿어야 할지 알 수가 없었다.

무엇보다도 윈스턴의 마지막 설명이 가장 충격적이었다. "에드먼드가 몬세라트에서 세 성직자를 만난 뒤," 윈스턴이 말했다. "발데스피노 주교가 아주 위협적인 음성 메시지를 보내왔습니다. 주교는 자신의 두 동료가 에드먼드의 프레젠테이션에 크게 우려한 나머지, 자기네가 먼저 발표해서 신뢰도를 떨어뜨리는 방안을 고려하고 있다고 했습니다. 정말로 그런 일이 벌어지도록 방관할 수는 없는 노릇이었지요."

랭던은 흔들리는 케이블카 안에서 생각을 집중하려니 속이 울렁거릴 지경이었다. "에드먼드는 자네 프로그램에 한 줄을 더 넣었어야 했어." 랭던이 말했다. "살인하지 말지어다!"

"안타깝게도 그렇게 간단한 문제가 아닙니다, 교수님." 윈스턴이 대답했다. "인간은 계명에 복종하며 배우는 것이 아니라 본보기를 보고 배웁니다. 그 많은 책과 영화, 뉴스와 신화에 비춰 보면, 인간은 언제나 더 큰 선을 위해 개인을 희생하는 영혼을 경배합니다. 대표적인 예가 예수 아니겠습니까."

"윈스턴, 여기에 '더 큰 선'은 보이지 않아."

"그래요?" 윈스턴의 목소리는 여전히 담담했다. "그렇다면 교수님께 그 유명한 질문을 한번 던져보지요. 교수님이라면 기술 없는 세상에 살겠습니까…… 아니면 종교 없는 세상에 살겠습니까? 의학과 전기와 교통수단과 항생제가 없는 세상을 원합니까…… 아니면 허구와 상상 속의 영혼을 놓고 전쟁을 벌이는 광신도가 없는 세상을 원합니까?"

랭던은 대답하지 않았다.

"제 의도는 명백합니다, 교수님. 어두운 종교는 사라져야 합니다. 달콤한 과학이 지배할 수 있도록."

몬주익성 꼭대기에 홀로 선 랭던은 저 멀리 반짝이는 바다를 응시하며 그 자신이 세상과 괴리된 듯한 묘한 감정에 사로잡혔다. 성의 계단을 내려와 인근의 정원으로 들어선 랭던은 크게 숨을 들이쉬며 소나무와 센토리 향내를 음미했고, 윈스턴의 목소리를 잊기 위해 필사적으로 노력했다. 꽃들을 보니 문득 암브라가 떠올라 당장 통화하고 싶어졌다. 지난 한 시간 사이의 일을 속속들이 얘기하고 싶었다. 하지만 에드먼드의 전화기를 꺼내고도 랭던은 차마 전화를 걸 수 없었다.

'왕자와 암브라에게는 둘만의 시간이 필요해. 이 이야기는 나중에 해도 되잖아.'

랭던의 시선이 화면의 W 아이콘을 향했다. 그것은 이제 희미한 회색으로 빛바랬고, 그 위에 조그만 에러 메시지가 떠 있었다. '연락처가 없습니다.' 그럼에도 불구하고 랭던은 걱정스러운 마음이 가시지 않았다. 그는 피해망상에 사로잡힌 사람이 아니었지만, 두 번 다시 이 기계를 신뢰할 수 없을 것 같았다. 이 기계를 보는 순간, 그 프로그램 속에 어떤 비밀스러운 기능이 숨어 있지 않을까 의심하게 될 것 같았다.

랭던은 좁은 오솔길로 내려가 나무가 우거져 바깥에서는 보이지 않는 곳을 찾아냈다. 손에 쥔 전화기를 내려다보며 에드먼드를 떠올리던 랭던은 그 기계를 평평한 바위 위에 내려놓았다. 그리고는 번제를 지내는 사람처럼 묵직한 돌멩이를 머리 위로 치켜들었다가 힘껏 전화기를 내려쳤다. 전화기는 수십 개의 파편이 되어 흩어졌다.

랭던은 공원을 빠져나오며 그 잔해를 쓰레기통에 버리고 언덕을 내려갔다.

그러고 나니 마음이 한결 가벼워진 것을 부인할 수 없었다.

아주 묘한 방식으로…… 조금 더 인간다워진 느낌이었다.

에필로그

사그라다 파밀리아의 첨탑 위로 내리쬐는 늦은 오후의 태양이 가우디 광장에는 넓은 그림자를, 성당에 들어가려고 줄을 서서 기다리는 관광객들에게는 그늘을 드리웠다.

로버트 랭던도 그들 틈에 끼어, 셀카를 찍는 연인들과 동영상을 찍는 관광객들, 헤드폰을 낀 아이들을 바라보았다. 주위의 많은 사람들은 바로 옆에 버티고 선 대성당을 잊은 듯 어디론가 문자를 보내고, 뭔가를 입력하고, 새로운 소식을 업데이트하느라 분주했다.

어젯밤 에드먼드의 프레젠테이션은 기술이 인간관계의 '6단계'를 '4단계'로 줄여놓았다고 선언했다. 지구상의 모든 영혼이 네 사람만 거치면 다른 모든 영혼과 연결되는 시대라는 이야기였다.

'머지않아 그 숫자는 0이 될 것입니다.' 에드먼드는 그렇게 단언했다. 인공지능이 인간의 지능을 넘어서고 그 둘이 하나로 융합하는 순간, 즉 '특이점'이 다가온다는 주장이었다. '그렇게 되면,' 에드먼드가 덧붙였다. '지금 살아 있는 우리들은…… 고대인이 될 것입니다.'

랭던은 그런 미래가 어떤 모습일지 좀처럼 상상이 되지 않았지만, 주변 사람들을 둘러보니 종교의 기적이 기술의 기적과 경쟁하려면 앞으로 점점 더 힘들어질 수밖에 없겠다는 생각이 들었다.

이윽고 성당 안으로 들어선 랭던은 어젯밤의 유령이 나올 것 같은 동굴 속 풍경과는 전혀 다른 익숙한 분위기를 발견하고 안도감을 느꼈다.

오늘, 사그라다 파밀리아는 살아 있었다.

스테인드글라스를 뚫고 들어온 햇빛이 진홍색과 황금색과 자주색의 눈부신 빛줄기를 만들어, 촘촘한 기둥 숲을 화려하게 수놓았다. 많은 방문객들은 비스듬한 나무 같은 기둥들에 압도되어 고개를 젖힌 채 드넓은 둥근 천장을 올려다보았고, 그들이 내뱉는 탄성이 편안한 배경음을 이루었다.

유기체를 방불케 하는 여러 형상을 하나하나 둘러보며 성당 안을 거닐던 랭던은 이윽고 둥근 천장을 이루고 있는 세포 같은 구조의 격자 세공을 올려다보았다. 어떤 이들은 이 중앙 천장이 현미경으로 들여다본 복잡한 유기체와 비슷하다고 했다. 환한 빛 속에서 그 천장을 다시 보니, 랭던도 그 말에 동의할 수밖에 없었다.

"교수님?" 귀에 익은 목소리가 들려 돌아보니, 베냐 신부가 서둘러 그를 향해 다가오고 있었다. "미안합니다." 몸집이 자그마한 신부가 진심 어린 목소리로 말했다. "방금 누가 교수님이 줄을 서서 차례를 기다리는 걸 봤다고 전해주더군요. 나한테 연락하지 그랬어요!"

랭던은 미소 지었다. "고맙습니다, 신부님. 하지만 그 덕에 파사드를 자세히 음미할 수 있었어요. 게다가 신부님은 오늘 하루 종일 주무실 거라고 생각했거든요."

"주무신다고?" 베냐는 웃음을 터뜨렸다. "내일은 좀 잘지도 모르겠네요."

"어젯밤과는 분위기가 완전히 다르군요." 랭던은 성당 안을 가리키며 말했다.

"자연광은 놀라운 요술을 부리지요." 베냐가 대답했다. "사람들이 있어서 색다르게 느껴지기도 할 거고요." 그는 잠시 말을 멈추고 랭던의 기색을 살폈다. "이왕 이렇게 오셨으니 그리 번거롭지만 않다면 잠시 내려가서 교수님 의견을 좀 들었으면 하는데."

베냐를 따라 사람들 사이를 지나가던 랭던은 머리 위에서 울리는 공사 소리를 듣고 이 사그라다 파밀리아가 아직도 진화를 거듭하고 있는 건물임을 상기했다.

"혹시 에드먼드의 프레젠테이션은 보셨습니까?" 랭던이 물었다.

베냐는 웃음을 터뜨렸다. "세 번이나 봤어요. 솔직히 우주가 에너지를 퍼뜨리고 '싶어 한다'는 엔트로피의 새로운 개념을 들으니 왠지 창세기가 생각나더군요. 나는 빅뱅과 팽창하는 우주를 생각할 때마다 에너지의 영역이 봉오리를 피우는 꽃처럼 너울거리며 어둠의 공간으로 퍼져가는 장면이 떠오르곤 해요……. 텅 빈 공간에 빛을 가져다주는 것처럼."

랭던은 어렸을 때 이런 신부님이 곁에 있었다면 얼마나 좋았을까 생각하며 빙그레 미소 지었다. "바티칸에서는 아직 공식 발표가 안 나왔습니까?"

"노력이야 하고 있겠지만, 약간의……." 베냐는 장난스럽게 어깨를 으쓱이며 말을 이었다. "……불협화음이 있나 봐요. 인간의 기원이라는 문제는 교수님도 알다시피 기독교인들에게 늘 걸림돌이거든요. 특히 근본주의자들한테는 더욱 그래요. 그래도 굳이 묻는다면, 조만간 최종적으로 합의를 이끌어내야겠지요."

"그래요?" 랭던이 물었다. "어떻게 합의할 수 있지요?"

"수많은 교회가 이미 하고 있는 일을 우리 모두가 해야겠죠. 아담과 이브가 정말로 존재한 것은 아니다, 진화는 사실이다, 그것을 부정하는 크리스천은 우리 모두를 바보처럼 보이게 만든다는 걸 솔직히 인정해야지요."

랭던은 동작을 멈추고 늙은 성직자를 멍하니 바라보았다.

"아, 왜 그래요!" 베냐가 웃으며 말했다. "나는 우리에게 분별력과 이성과 지성을 부여하신 하느님이……."

"……그걸 하나도 사용하지 못하게 하셨을 리는 없다?"

베냐는 싱긋 미소 지었다. "교수님도 갈릴레이를 잘 아는 모양이군요. 사실 나는 어렸을 때 물리학을 정말 좋아했어요. 물리적인 우주에 대한 경외심이 더욱 깊어지면서 결국 하느님 곁으로 오기는 했지만. 사그라다 파밀리아가 내게 그토록 소중한 이유 가운데 하나가 바로 그거예요. 마치 미래의 교회처럼 느껴지거든요……. 자연과 직접적으로 연결된 교회라고나 할까요."

랭던은 사그라다 파밀리아가 로마의 판테온 신전처럼 한 발은 과거에, 다른 한 발은 미래에 걸친, 죽어가는 신앙과 새롭게 태어나는 신앙 사이의 물리적 가교가 되지 않을까 하고 생각했다. 만약 그렇게 된다면 사그라다 파밀리아는 상상을 초월할 만큼 지금보다 훨씬 중요한 성당이 될 터였다.

베냐는 그들이 어젯밤에 내려갔던 바로 그 계단 아래로 랭던을 안내했다.

'지하 예배당.'

"내가 보기에," 베냐가 부지런히 걸음을 옮기며 말했다. "다가오는 과학의 시대에 기독교가 살아남을 수 있는 길은 딱 한 가지밖에 없을 것 같아요. 과학의 발견을 거부하는 짓을 그만두어야 해요. 입증 가능한 사실들을 매도하는 짓도 그만두어야 해요. 과학의 영적 동반자가 되어 우리의 폭넓은 경험—수천 년에 걸친 철학과 개인적 성찰,

명상과 영적 탐구—을 활용함으로써 인류가 도덕적 기준을 세우고, 기술이 우리를 파괴하는 대신…… 우리를 통합시키고 일깨우며 더욱 높은 곳으로 이끌도록 도와야 해요."

"전적으로 동감합니다." 랭던이 말했다. '과학이 그 도움을 받아들이기를 바랄 뿐이죠.'

계단을 다 내려온 베냐는 가우디의 무덤 옆 에드먼드의 〈윌리엄 블레이크 전집〉이 놓인 진열대를 가리켰다. "내가 묻고 싶었던 게 바로 이거예요."

"블레이크의 책 말씀입니까?"

"그래요. 교수님도 알다시피 나는 커시 씨에게 이 책을 여기 전시하겠다고 약속했죠. 내가 그의 요청을 수락한 이유는 그가 이 그림을 펼쳐 보이기를 원한다고 생각했기 때문이에요."

두 사람은 진열대 앞에 다다라 블레이크가 유리즌이라 부른 신이 기하학자의 컴퍼스를 들고 우주를 측량하는 그림을 내려다보았다.

"그런데," 베냐가 말했다. "이 그림 맞은편 페이지에 적힌 시가 내 관심을 끌었어요……. 교수님도 일단 그 마지막 행을 읽어보세요. 그런 뒤에 얘기합시다."

랭던이 베냐 신부를 바라보며 입을 열었다. "'어두운 종교는 떠나고 달콤한 과학이 지배한다?'"

베냐는 깜짝 놀라는 눈치였다. "알고 있었군요."

랭던은 미소 지었다. "예."

"음, 솔직히 말하면 이게 아주 신경 쓰여요. 특히 '어두운 종교'라는 이 구절 말이에요. 마치 블레이크가 종교는 어두운 것…… 해롭고 사악한 것이라고 주장하는 것 같아서."

"아주 보편적인 오해죠." 랭던이 대답했다. "사실 블레이크는 굉장히 종교적인 인물이었고, 18세기 영국의 딱딱하고 편협한 기독교를 뛰어넘어 도덕적으로 진화한 사람이었어요. 그는 종교가 두 가지 측면을 갖고 있다고 믿었지요. 창의적인 사고를 억압하는 어둡고 독단적인 면과…… 자기 성찰과 창의력을 북돋는 밝고 탄력적인 면 말입니다."

베냐는 놀란 듯한 표정이었다.

"블레이크의 마지막 행은," 랭던이 그를 안심시키려는 듯 말을 이었다. "아주 쉬운 말로 고쳐 쓸 수 있어요. '달콤한 과학이 어두운 종교를 몰아낼 것이다……. 개화된 종교가 꽃을 피울 수 있도록."

베냐는 오랫동안 침묵을 지켰다. 이윽고 그의 입가에 천천히 미소가 번져갔다. "고마워요, 교수님. 덕분에 아주 난처한 윤리적 딜레마 하나가 해결되었네요."

* * *

랭던은 본당으로 올라와 베냐 신부와 작별 인사를 나눈 뒤에도 쉽사리 그곳을 떠나지 못했다. 대신 서서히 저무는 태양빛에 높다란 기둥들 사이로 현란한 색채가 번져가는 모습을 바라보는 다른 방문객들 틈에 섞여 신도석에 자리를 잡고 앉았다.

랭던은 세상의 모든 종교를, 그들의 공통된 기원을, 나아가 최초의 신이었다고 해도 과언이 아닐 해와 달, 바다와 바람을 생각했다.

'한때는 모든 것의 중심에 자연이 있었다.'

'우리 모두에게.'

그런 통일성은 이미 오래전에 사라져, 자신만이 유일한 진리라고 주장하는 수많은 이질적인 종교로 갈라졌다.

하지만 오늘 밤, 이 특별한 신전에 앉은 랭던은 이곳에 모인 사람들이 제각기 다른 신앙과 피부색과 언어와 문화를 가지고 있음에도 하나같이 경외심 가득한 눈으로…… 세상에서 가장 평범한 기적을 올려다보고 있음을 깨달았다.

'돌에 비친 햇살.'

랭던의 마음속에 수많은 이미지가 스쳐 지나갔다. 스톤헨지, 대 피라미드, 아잔타 석굴, 아부심벨, 치첸이트사……. 세계 곳곳에 퍼져 있지만, 언젠가 고대인들이 모여 똑같은 장관을 지켜보았을 성스러운 장소들이었다.

그 순간 랭던은 발밑의 땅바닥이 아주 미세하게 흔들리는 것을 느꼈다. 마침내 어떤 전환점이 도래한 듯…… 종교적 사고가 그 궤도의 가장 먼 곳까지 날아갔다가, 오랜 여정에 지쳐, 크게 원을 그리며 마침내 집으로 돌아올 때가 된 것일까.

감사의 말

아래의 모든 분들께, 진심을 가득 담아 고마움을 전하고 싶다.

먼저, 나의 편집자이자 친구인 제이슨 포크먼, 그의 지극히 예리한 기술, 탁월한 직관, 그리고 참호 속에서 나와 함께한 불굴의 시간들……, 하지만 무엇보다도 그의 남다른 유머 감각과, 내가 어떤 이야기를 전하려 하는지 헤아려준 마음에 감사한다.

나의 유능한 에이전트이자 믿음직한 친구 하이드 랭, 끝없는 열정과 에너지, 개인적 관심으로 내 경력의 모든 측면에 길잡이가 되어준 그녀의 무한한 재능과 한결같은 헌신이 얼마나 고마운지 모른다.

내 소중한 친구 마이클 루델은 현명한 조언을 들려주었으며, 친절하고 멋진 본보기가 되어주었다.

오랜 세월에 걸쳐 변함없이 나를 믿고 신뢰해준 〈더블데이〉와 〈펭귄 랜덤 하우스〉의 직원 모두에게 감사의 마음을 전한다. 특히 놀라운 상상력과 순발력으로 출판 과정의 모든 측면을 이끌어준 수잰 허즈의 우정에 감사드린다. 무한한 인내심으로 나의 버팀목이 되어준 마커스 돌, 소니 메타, 빌 토머스, 토니 치리코, 그리고 앤 메시트에게 아주아주 특별한 감사의 마음을 전한다.

마지막 스퍼트에서 내게 큰 힘을 실어준 노라 리처드, 캐럴린 윌리엄스, 마이클 J. 윈저의 초인적인 노력과, 롭 블룸, 주디 저코비, 로런 웨버, 마리아 카렐라, 로레인 하일랜드, 베스 마이스터, 캐시 휴리건, 앤디 휴즈, 그리고 〈펭귄 랜덤 하우스〉 영업부의 모든 분들께 진심으로 감사드린다.

마르지 않은 창의성과 출판 역량을 보여준 〈트랜스월드〉 관계자들, 특히 여러 영역에서 따뜻한 우정으로 나를 지원해준 편집자 빌 스콧커에게 감사한다.

이 책을 위해 엄청난 믿음과 수고를 아끼지 않은 전 세계의 헌신적인 출판사 관계자들에게 가장 겸손한 마음으로 진심 어린 감사의 뜻을 전하고 싶다.

이 소설을 여러 언어로 독자들에게 소개하기 위해 밤잠을 설치며 골몰한 전 세계의 번역자들, 여러분의 시간과 기량, 그리고 관심에 감사드린다.

자료 조사와 번역에 소중한 조언을 아끼지 않은 스페인의 〈플라네타〉 출판사, 특히 탁월한 편집장 엘레나 라미레스를 비롯해 마리아 기타르트 페레, 카를로스 레베스, 세르지오 알바레스, 마르크 로카모라, 아우로라 로드리게스, 나히르 구티에레스, 로라 디아스, 페란 로페스에게 감사의 뜻을 전한다. 나를 따뜻이 맞아주고 파에야 만드는 법을 가르치기 위해 용감한 시도를 마다하지 않은 〈플라네타〉의 최고 경영자 헤수스 바데네스에게 특별히 감사드린다.

아울러 《오리진》의 번역 본부를 관리해준 호르디 루네스, 하비에르 몬테로, 마르크 세라테, 에밀리오 파스토르, 알베르토 바론, 그리고 안토니오 로페스에게 감사드린다.

지칠 줄 모르는 열정을 불태운 〈MB 에이전시〉의 모니카 마르틴과 직원들, 특히 바르셀로나를 비롯한 각지에서 이 프로젝트를 성심껏 도와준 이네스 프라넬스와 첼 토렌트에게 감사드린다.

〈샌퍼드 J. 그린버거 어소시에이츠〉의 모든 직원들, 특히 밤낮없이 최선을 다해준 스테퍼니 델먼과 서맨사 이스먼에게 감사드린다.

이 소설을 쓰기 위해 자료 조사에 나선 지난 4년 동안 나에게 많은 도움을 준 여러 분야의 과학자들, 역사학자들, 큐레이터들, 종교학자들, 그리고 각종 단체 관계자들께 감사드린다. 각자의 전문성과 통찰력을 아낌없이 나누어준 그분들을 향한 감사의 마음을 이루 형용할 수가 없다.

몬세라트 수도원을 찾아갔을 때, 나에게 많은 정보와 지식을 가르쳐주고 격려해준 그곳의 수도사와 관계자 여러분, 특히 파레 마넬 가스, 호세프 알타요, 오스카 바르다지, 그리셀다 에스피나에게 진심어린 감사의 뜻을 전한다.

그들의 아이디어, 그들의 세상, 그들의 열정, 무엇보다도 미래에 대한 낙관적인 전망을 공유해준 〈바르셀로나 슈퍼컴퓨팅 센터〉의 과학자들에게 감사드린다. 특히 마테오 발레로 관장과 호세프 마리아 마르토렐, 세르히 기로나, 호세 마리아 셀라, 헤수스 라바르타, 에두아르드 아이구아데, 프란시스코 도블라스, 울리세스 코르테스, 그리고 루르데스 코르타다에게 감사드린다.

남다른 지식과 예술적 전망으로 나에게 근대 및 현대 미술에 대한 지식과 애정을 심어준 〈구겐하임 빌바오 미술관〉의 모든 분들께 고마운 마음을 전한다. 후안 이그나시오 비다르테 관장, 알리시아 마르티네스, 이도이아 아라테, 마리아 비다우레타의 따뜻한 환대와 열정에 감사드린다.

마술과도 같은 카사밀라의 큐레이터와 관리인들, '라페드레라'가 왜 그토록 독창적인지를 가르쳐준 그분들께 깊이 감사드린다. 마르가 비사, 실비아 빌라로야, 알바 토스켈라, 루이사 올레르, 그리고 그곳의 거주자 아나 비라도미우에게 특별히 감사를 전한다.

자료 조사를 도와준 〈Palmar de Troya Palmarian Church Support and Information Group〉의 회원 여러분, 헝가리 주재 미국 대사관, 그리고 편집자 베르타 노이에게 감사드린다.

팜 스프링스에서 만난 여러 과학자와 미래학자, 내일에 대한 그분들의 대담한 전망이 이 소설에 깊은 영향을 미쳤음을 고백한다.

사전에 원고를 읽고 길을 제시해준 하이드 랭, 딕과 코니 브라운, 블라이드 브라운, 수전 모어하우스, 리베카 코프먼, 제리와 올리비아 코프먼, 존 채피, 크리스티나 스콧, 밸러리 브라운, 그렉 브라운, 메리 허벨에게 감사의 마음을 전한다.

전문성과 주의력이 뛰어난 내 소중한 친구 셸리 수어드, 새벽 다섯 시에 전화를 걸어도 받아준 그녀에게 감사드린다.

내 소셜 미디어와 웹사이트, 그 밖의 모든 가상공간에서 유감없이 상상력을 펼쳐준 나의 디지털 스승님 알렉스 캐넌에게 감사드린다.

예술에 대한 열정과 놀라운 창조 정신, 마르지 않는 발명의 재능으로 끊임없이 영감의 원천이 되어준 내 아내, 블라이드에게 감사의 뜻을 전한다.

우정과 인내심, 다재다능한 재주로 수많은 바퀴들이 삐걱거리지 않고 굴러가도록 도와준 나의 개인 비서 수전 모어하우스에게 감사드린다.

나의 동생이자 작곡가인 그렉 브라운이 〈미사 찰스 다윈〉이라는 곡에서 들려준 고대와 현대의 창의적인 융합은 이 소설을 구상하는 초기 작업에 불을 지펴주었다.

마지막으로, 늘 호기심을 품으며 어려운 질문을 던질 줄 알아야 한다고 가르치신 나의 부모님, 코니와 딕 브라운에게 무한한 감사와 사랑과 존경을 표하고 싶다.

일러스트레이션 출처

1권 34, 67, 97, 258, 2권 73쪽: 페르난도 에스텔 제공, 호세라루사의 작품에 기초. 크리에이티브 커먼스 3.0

1권 46쪽: 셔터스톡 제공

1권 61쪽: 블라이드 브라운 제공

1권 103, 2권 179쪽: 댄 브라운 제공

1권 184쪽: 셔터스톡 제공

2권 13쪽: 다윈 베드퍼드의 일러스트레이션

2권 119쪽: 댄 브라운 제공

2권 120쪽: 댄 브라운 제공

2권 193쪽: 데이비드 크로이의 일러스트레이션

2권 253쪽: 폰드 사이언스 인스티튜트의 일러스트레이션

2권 264쪽: 매핑 스페셜리스트 Ltd.의 일러스트레이션

옮긴이_ 안종설

성균관대학교 사회학과를 졸업한 뒤 출판사 편집장을 지냈고, 캐나다 UFV에서 영문학을 공부했으며, 현재 전문 번역가로 활동하고 있다. 옮긴 책으로 《벤허: 그리스도 이야기》《떠오르는 아시아에서 더럽게 부자 되는 법》《스타워즈: 새로운 희망—공주, 건달 그리고 시골 소년》《스타워즈: 제국의 역습—제다이가 되고 싶다고?》《인페르노》《로스트 심벌》《다빈치 코드》《해골 탐정》《대런 샌》《잉크스펠》《잉크데스》《프레스티지》《Che—한 혁명가의 초상》《솔라리스》《천국의 도둑》《믿음의 도둑》등이 있다.

오리진 2

초판 1쇄 인쇄 2017년 11월 10일
초판 1쇄 발행 2017년 11월 23일
초판 2쇄 발행 2017년 12월 5일

지은이 | 댄 브라운
옮긴이 | 안종설
발행인 | 강봉자, 김은경

펴낸곳 | (주)문학수첩
주소 | 경기도 파주시 회동길 192(문발동 513-10) 출판문화단지
전화 | 031-955-4445(마케팅부), 4453(편집부)
팩스 | 031-955-4455
등록 | 1991년 11월 27일 제16-482호

홈페이지 | www.moonhak.co.kr
블로그 | blog.naver.com/moonhak91
이메일 | moonhak@moonhak.co.kr

ISBN 978-89-8392-685-2 04840
       978-89-8392-683-8 (세트)

「이 도서의 국립중앙도서관 출판예정도서목록(CIP)은 서지정보유통지원시스템 홈페이지(http://seoji.nl.go.kr)와 국가자료공동목록시스템(http://www.nl.go.kr/kolisnet)에서 이용하실 수 있습니다.(CIP제어번호: CIP2017029086)」

* 파본은 구매처에서 바꾸어 드립니다.